L'Embellie

DU MÊME AUTEUR

Rosa candida, roman, Zulma, 2010 ; Points, 2012.

AUÐUR AVA ÓLAFSDÓTTIR

L'EMBELLIE

Roman

Traduit de l'islandais
par Catherine Eyjólfsson

ZULMA
122, boulevard Haussmann
Paris VIIIe

Ouvrage publié avec l'aide du Fonds pour la littérature islandaise.

Titre original : *Rigning í nóvember.*

Si vous désirez en savoir davantage sur Zulma
et être régulièrement informé de nos parutions,
n'hésitez pas à nous écrire
ou à consulter notre site.
www.zulma.fr

z

À ma fille Melkorka Sigríður

Où y a-t-il des villes mais pas de maisons, des routes mais pas de voitures, des forêts mais pas d'arbres ?

Réponse : sur la carte.

(Devinette pour les enfants.)

Quand je regarde en arrière, sans vraiment respecter à cent pour cent la chronologie, nous sommes là, serrés l'un contre l'autre, au milieu de la photo. Je le tiens par les épaules et il m'attrape quelque part, plus bas par la force des choses ; une mèche châtain foncé barre mon front très pâle ; il affiche un grand sourire et tient quelque chose dans son poing tendu.

Ses oreilles décollent un peu de sa grosse tête, ses prothèses auditives, curieusement démodées, ressemblent à des récepteurs pour ondes radio intersidérales. Et ses yeux démesurément agrandis par ses verres de lunettes lui donnent un look très spécial. D'ailleurs les gens dans la rue se retournent sur notre passage ; ils considèrent le petit, puis après m'avoir brièvement dévisagée, ne le lâchent plus du regard, tandis que nous traversons le terrain de jeux, la main dans la main, jusqu'à ce que je referme la grille de fer derrière lui. Quand je l'aide à grimper dans le siège pour enfant et que je boucle sa ceinture de sécurité, je constate qu'on nous observe encore depuis les autres voitures.

Dans le fond de la photo, on voit mon ancienne voiture, à boîte de vitesses manuelle. Les trois poissons rouges flottent dans le coffre – il n'en sait rien encore – sur le sac de couchage bleu pour deux personnes qui s'est mué en éponge. Je ne tarderai pas à acheter deux édredons neufs à la Coopérative car il ne convient pas qu'une femme de trente-trois ans partage son sac de couchage avec un garçonnet qui ne lui est rien – ça ne se fait pas. Un tel achat ne devrait pas poser problème car la boîte à gants déborde de billets tout frais sortis de la banque. Aucun méfait n'a pourtant été commis, à moins que ça n'en soit un que de coucher avec trois hommes sur une distance de trois cents kilomètres de route circulaire, non asphaltée pour l'essentiel, là où la bande côtière est la plus étroite entre le glacier et la grève et où abondent les ponts à voie unique.

Rien ne se présente comme à l'accoutumée, en cet ultime jour de novembre – un jour ténébreux sur l'île ; nous portons tous les deux un pull-over, le mien est blanc à col roulé, le sien est neuf, vert menthe, tricoté main, avec un motif à torsades et une capuche. La température est comparable à celle de Lisbonne le jour précédent, à ce que dit la radio, et l'on prévoit encore de la pluie et un réchauffement. C'est pourquoi une femme seule avec enfant ne devrait pas se trouver sans raison valable sur les routes, dans des zones sombres et inhabitées, et encore moins au voisinage de ponts à voie unique, les routes étant souvent inondées.

Je ne suis pas présomptueuse au point de m'attendre à voir surgir un nouvel amant à chaque pont à voie *unique, sans vouloir toutefois exclure totalement une telle éventualité. À mieux considérer la photo, on distingue au second plan, à quelques pas du petit et de moi, un jeune homme d'environ dix-sept ans au visage un peu flou. Il a les traits plutôt délicats sous son bonnet et on dirait que son acné commence tout juste à s'arranger. L'air ensommeillé, yeux mi-clos, il s'appuie contre la pompe à essence.*

Si l'on examine la photo de vraiment près, je ne serais pas étonnée que l'on distingue des plumes sur les pneus et même des taches de sang sur les enjoliveurs, bien que trois semaines se soient écoulées depuis que mon mari est parti avec le matelas ergonomique du lit conjugal, le matériel de camping et dix cartons de livres — tel fut l'enchaînement. Mais gardons à l'esprit que les apparences sont parfois trompeuses et que contrairement à une photo, la réalité, elle, grouille de sens.

UN

Merci mon Dieu, ce n'était pas un enfant !

Je détache la ceinture de sécurité et me précipite hors de la voiture pour examiner la bête. L'oie a l'air à peu près d'une seule pièce, certes proprement assommée, le cou flasque, le poitrail ensanglanté ;

je redoute un cœur brisé sous le plumage souillé de gasoil.

Des papiers se sont échappés de leurs dossiers au moment où j'ai freiné à mort, des traductions en diverses langues jonchent le plancher de la voiture ; une pile entière de documents est restée intacte sur le siège arrière tout encombré.

Ce qu'il y a de bien dans mon travail – particularité que je n'hésite pas à signaler à mes clients – c'est que je livre à domicile. Je prends la voiture pour apporter moi-même articles corrigés, mémoires et traductions, comme si c'était des nouilles sautées à la thaïlandaise ou des rouleaux de printemps. Ça peut paraître démodé, mais ça marche, les gens aiment bien palper des papiers et passer un bref moment avec une personne inconnue qui, dans certains cas, a entraperçu l'essence de leur vie spirituelle. Le mieux est d'arriver juste avant le dîner, quand les pâtes sont cuites et ne doivent pas rester dans l'eau une minute de plus, ou quand le maître de maison, ayant fait revenir l'oignon tandis que le poisson attend sur son lit de chapelure, n'a pas eu la présence d'esprit d'éteindre le feu sous la friture avant d'aller voir qui sonne à la porte. D'après mon expérience, c'est plus vite expédié : les gens n'aiment pas recevoir de la visite dans les odeurs de cuisine, ils n'apprécient guère de discuter en chaussettes ou même pieds nus face à une inconnue, au milieu d'un amoncellement de chaussures dans une entrée étroite, avec autour d'eux des gosses énervés – d'après moi, ce sont les conditions idéales pour que la facture soit réglée sur-le-champ avec le moins de probabilités qu'on essaie de faire sauter la TVA. Une fois que je leur ai précisé que je n'accepte pas les cartes de crédit, les gens ne mouftent pas et s'empressent de griffonner un chèque et de réceptionner ma livraison.

Quand ils se présentent au petit studio de travail que je loue près du port, on peut s'attendre à ce qu'ils prennent tout leur temps pour mâcher et remâcher mes commentaires, me convaincre de leur bonne volonté, de leur expérience en la matière, m'expliquer pourquoi ils ont formulé les choses justement de telle ou telle manière. Il ne m'incombait nullement de faire du rewriting – dans tel paragraphe j'aurais sauté neuf mots – mais de corriger les fautes de frappe commises dans la précipitation, comme me le fit remarquer un de mes clients en ajustant lunettes et cravate tout en lissant ses rouflaquettes devant le miroir de l'entrée. Le but n'était pas, ajouta-t-il, de sim-plifier exagérément une pensée complexe, l'article étant destiné à des lecteurs qui connaissent le sujet. Je n'avais pourtant fait aucune remarque sur l'emploi du datif dans son *Rapport sur les projets de barrage*, alors que je m'étais demandé si l'on ne pouvait pas de temps en temps remplacer le mot *spéculatif* qui revenait quatorze fois sur la même page, par un adjectif plus approprié tel que *hâtif,* ou *prématuré* au sens de « mis bas avant terme ». Je n'avais toutefois pas exprimé mon point de vue à haute voix, me contentant d'y penser, comme ça, pour me requinquer. Quand on a fait le tour du problème, il arrive que certains hommes parlent un petit peu d'eux-mêmes et me posent des questions, si je suis mariée par exemple. Deux ou trois fois, il m'est arrivé de leur faire du pain grillé. Il faut dire que ce n'est pas moi qui ai rédigé l'annonce, mais mon amie Audur, dans un accès patent de folie des grandeurs. L'exagération n'est pas mon style.

J'assure la relecture d'épreuves, l'amélioration de mémoires de licence ainsi que d'articles sur tout sujet destinés à la publication dans des revues ou journaux spécialisés. J'arrange les discours de campagne électorale, indépendamment du parti concerné, j'élimine les fautes de langue pouvant être assimilées à des signes particuliers dans les lettres anonymes de clients mécontents et/ou d'admirateurs secrets, je corrige les maladresses et les citations approximatives de philosophes et de poètes dans les discours de félicitations, je relève le niveau des rubriques nécrologiques (plus proche du sublime), je connais sur le bout des doigts les citations des poètes nationaux disparus.

Également, traduction de l'islandais en onze langues, dont le russe, le polonais et le hongrois.

Travail rapide et soigné. Livraison à domicile. Confidentialité assurée pour tous travaux.

Je ramasse le volatile encore tiède que je viens d'écraser, constatant qu'il s'agit d'un mâle, et comme par ironie du destin je viens de lire et corriger un article sur la vie sentimentale de l'oie et sur la fidélité absolue qu'elle voue à son conjoint sa vie durant, je cherche des yeux la compagne survivante dans la troupe des volailles. Les toutes dernières sont encore à traverser la rue glissante, caquetant avant d'atteindre l'autre trottoir, étalant sur l'asphalte leurs grosses palmes orangées. À ce que je vois, aucune n'est sortie du rang en quête de son compagnon ; entre l'oiseau que je tiens et les membres du troupeau, aucun air de couple ne s'impose à moi. Je suis pourtant capable, depuis peu, de différencier quelques chats noirs, dans la rue, par leur réaction aux caresses ou à une émotion soudaine. Ce qui me surprend le plus, plantée là au milieu de la chaussée et tenant encore par le cou un volatile assez gras, c'est que je n'éprouve ni dégoût ni culpabilité. Au fond, je me considère comme une personne qui a plutôt bon cœur, j'essaie d'éviter les disputes, j'ai du mal à repousser les requêtes émanant d'une sensibilité masculine, j'achète tous les billets de tombola des bonnes œuvres qu'on met dans ma boîte aux lettres. Et pourtant au supermarché, devant l'étal du boucher, je ressens la même excitation qu'avant Noël et je spécule déjà sur les épices, l'accompagnement, et la question de savoir si l'empreinte du pneu Goodyear se verra sous le nappage de sauce gibier.

Eh bien, bonne année à l'avance, dirai-je à mes hôtes en les invitant à ce dîner inopiné, par un sombre soir de novembre, sans en éclairer davantage le prétexte.

J'extrais quelques pages d'un article incroyablement ennuyeux sur la thermodynamique des corps conducteurs pour tapisser le coffre de ma voiture, avant d'y déposer précautionneusement l'oiseau. Je ne l'ai pas ouvert depuis une éternité et il apparaît qu'il est plein à ras bords de rouleaux de Sopalin achetés pour soutenir le voyage sportif de jeunes handicapés. Encore heureux que je n'avais pas opté pour les crevettes également proposées.

L'oie ne risque pas de connaître le même sort car je vais faire une belle surprise culinaire à mon mari, le maître-queux en personne. Mais je dois impérativement faire d'abord un détour par le quartier de Melar pour accomplir une fois encore ce qui ne devait plus jamais l'être.

DEUX

Je gare la voiture près de l'immeuble et foule au pas de course le tapis inusable jusqu'au troisième étage ; je monte même les marches quatre à quatre. Je ne me soucie pas si au passage dans la cage d'escalier lilas deux ou trois portes s'entrebâillent de la largeur d'une fente de boîte aux lettres, exhalant l'odeur de vieux ménages bien rangés, et cela m'est bien égal que quelqu'un puisse retracer mes pas car ce que je m'apprête à commettre pour la troisième fois en trois semaines n'est pas dans mes habitudes. C'est même tout à fait exceptionnel dans mon mariage. Quand je ressortirai tout à l'heure en courant, je pourrai me dire que je ne reviendrai plus jamais, c'est pourquoi je me fiche bien des entrebâillements et n'ai pas une pensée pour les voyeurs. Car il me tarde de poser mes mains ensanglantées sur le cou de mon amant, de caresser du bout des doigts le creux de sa nuque en y laissant une strie rouge vif, et d'en finir au plus vite pour aller chercher de la garniture pour l'oie avant la fermeture des magasins. Le plus long est de m'extraire de mes bottes tandis qu'il se penche sur le seuil et que je lui tends un pied. Il a ôté ses lunettes, il ne me quitte pas des yeux pendant tout ce temps. Il a baissé les stores aux trois quarts et le pâle soleil d'octobre déclinant sur la pointe de Seltjarnarnes pare nos corps de rayures. Comme deux zèbres qui se rencontreraient furtivement à un point d'eau. Je sens à l'odeur de lessive de la literie qu'il a changé draps et housses de couette. Tout est très propre ; le genre d'appartement que je pourrais abandonner en cas d'incendie ou de guerre sans rien regretter ni emporter. Une seule chose jure dans la décoration : les cantonnières à motifs pleines de poussière qui camouflent le rouleau des stores.

— C'est maman qui les a faites, elle me les a données quand j'ai divorcé, dit-il en se raclant la gorge.

C'est sûr que l'environnement varie selon la situation et les sentiments qu'on éprouve, bien que je ne me sente pas en mesure de discuter de la notion de beauté ou de bien-être ici et maintenant. On ne peut pas vraiment dire qu'il y ait eu préméditation au fait que je me retrouve assise ici toute nue au bord du lit, ce n'est lié à aucun plan, mais telles sont les circonstances de ma vie en ce moment. Je me moque bien que l'appartement soit moche et incolore ; cela m'est pareillement égal qu'il orthographie *hyper* avec un *i*, ou *hidrodinamique des fluides*, que son langage soit un tantinet grossier, et même parfois déplacé, parce que sa poigne est ferme et sans détour. Sans avoir beaucoup de références en la matière, je sais pourtant qu'il n'y a pas de rapport entre sexe et linguistique – j'aurai du moins appris ça.

Dans la tache de sang sur la première page, il y a une petite plume, mais je n'ai pas à me demander si je dois lui passer l'article avant ou après, je sais d'expérience qu'il vaut mieux attendre, qu'il n'est pas indiqué de mêler le travail à la vie privée. Après qu'on a couché ensemble la première fois, il a paru étonné que je lui tende la facture avec la TVA dûment indiquée.

Chose faite, je l'aide à lisser le drap et pendant qu'il s'emploie à remettre la couette dans la housse à rayures bleues tombée en boule au pied du lit, il me confie avec sincérité un truc qu'une femme ne doit en aucun cas divulguer. C'est alors que je remarque pour la première fois un tatouage singulier au bas de son dos, un motif qui évoque une toile d'araignée – ce qui, en soi, ne manque pas de surprendre chez un homme de sa condition sociale. En l'effleurant, je sens le relief d'une cicatrice. À ma demande d'explication, il répond que ce n'était pas voulu. J'ignore s'il parle de la cicatrice ou du tatouage.

Il me tend un slip en dentelle blanche entre le pouce et l'index.

— N'est-ce pas à toi ? dit-il, comme s'il pouvait être à quelqu'un d'autre.

Je suis pressée de rentrer chez moi mais, quand je reparais après m'être lavé les mains avec son savon flottant, rose et parfumé, il a mis la table, préparé le thé, cuit des œufs, beurré des toasts pour le saumon fumé. Il est encore torse et pieds nus et pendant que je mange, il reste là à me regarder tout en enfilant sa chemise.

— J'ai vu ta voiture en ville cette semaine et je me suis garé à côté, dit-il. Tu n'as pas remarqué ?

— Non, je n'ai pas remarqué.

— Alors tu n'as pas remarqué non plus qu'on avait nettoyé ton pare-brise ?

— Non, mais je te remercie quand même.

— Sais-tu que c'est bientôt la date du contrôle pour ta voiture…

Mes deux tartines avalées, alors que je m'apprête à le remercier et à lui donner un baiser parce que je ne reviendrai plus, il me demande si je pense souvent à lui.

— Tous les trois ou quatre jours, dis-je.

— Ça fait cinq virgule six fois en trois semaines, répond le spécialiste fraîchement divorcé qui n'a boutonné qu'un bouton de sa chemise. Je pense manifestement plus à toi, disons soixante fois par jour et aussi quand je me réveille la nuit. Je me demande ce que tu fabriques, je t'observe quand tu t'enduis de crème après le bain, je me demande comment c'est d'être toi. Et puis le soir, je m'imagine que tu ne te mets pas au lit avant que ton mari ne soit endormi.

— Mon mari n'est guère à la maison le soir ces temps-ci.

Il me demande alors si je vais divorcer.

— Non, je n'y ai pas songé, dis-je.

Parce que j'aime probablement mon mari. Mais cela, je ne le dis pas. C'est alors qu'il me balance de but en blanc que ce sera la dernière fois.

— La dernière fois que quoi ?

— Que nous couchons ensemble. Ça fait trop mal de te quitter à chaque fois, j'ai l'impression d'être au bord d'une falaise et je suis très sujet au vertige.

La pénombre est devenue inquiétante quand, pour la troisième fois en autant de semaines, je descends quatre à quatre l'escalier de son immeuble. Cette fois je suis partie pour de bon, c'est fini, jamais plus je ne referai ce que je viens de faire. J'ai hâte d'arriver chez moi. Même s'il est peu probable que quiconque m'y attende. Dans la voiture, j'écoute la *Chanson de printemps* de Mendelssohn à la radio. Le disque est usé et rayé sans que le présentateur ait l'air de s'en apercevoir. Moi, je le sais, même sans avoir l'air d'écouter.

TROIS

Même si aucune femme ne peut voir sa vie réglée comme du papier à musique, il y a quatre-vingt-dix-neuf virgule neuf pour cent de chances pour que ma journée s'achève à la maison, dans mon lit, avec mon mari. Et pourtant, je me retrouve, tout à fait à l'improviste, alors que je suis pressée de rentrer chez moi, en train de faire une manœuvre non sans peine au volant de mon ancienne voiture dans le petit parking de mon ancienne maison, dans la rue où j'habitais il y a deux ans. Je ne reconnais pas les rideaux et je me rappelle alors soudain que je n'ai plus la clef de la porte d'entrée, que j'ai déménagé deux fois depuis sans pourtant trop m'éloigner. Au moment de redémarrer, je constate qu'on a accroché un mobile pour bébé dans la pièce où j'avais mon ordinateur ; pour en être sûre, j'attends jusqu'à ce qu'un homme passe devant la fenêtre, un nourrisson contre la poitrine. Je sais au moins que ce n'est ni mon mari ni mon enfant. Car je n'ai pas d'enfant.

Je suis toujours dans la voiture quand mon portable sonne, c'est mon amie, pianiste et prof de musique. Mère célibataire, Audur a un fils de quatre ans qui est sourd et elle est enceinte de six mois. Elle passe ses soirées assise sur son lit à jouer de l'accordéon et, quand l'occasion se présente, apprécie sacrément le cognac.

Elle me dit ne pas pouvoir parler longtemps car elle est occupée avec un élève difficile et un parent qui l'est plus encore, mais il se trouve, ajoute-t-elle en murmurant presque dans le combiné, qu'elle a pris rendez-vous chez une voyante, ou plutôt une médium. Elle me demande si je ne pourrais pas en profiter à sa place. J'entends pleurer derrière elle, sans pouvoir distinguer s'il s'agit d'un enfant ou d'un adulte.

Suite à une idée saugrenue, mon amie est tombée sur une voyante il y a deux ans. Depuis lors, engluée dans la toile du destin, rien de ce qui lui advient ne la prend plus au dépourvu. En tout cas, l'arrivée de l'enfant n'a pas été une surprise.

J'ai quinze ans et j'attends toujours que l'enfant qui est en moi disparaisse. Je n'y pense pas. C'est comme ça que j'arrive à le faire disparaître, en n'y pensant pas du tout. Jusqu'à ce qu'il cesse d'exister. J'ai cherché dans un livre et je sais qu'il a cessé d'être un petit poisson de deux centimètres et demi à pattes palmées, qu'il a commencé à prendre figure humaine et qu'il a des doigts de pied. Bientôt je ne pourrai plus mettre mon pantalon avec des fleurs dans le bas. Je le cache sous mon gilet de laine à boutons de laiton pour que personne n'y prête attention, pour que nul n'en sache rien. Et puis je vais vite m'en aller dans le vaste monde. Quand l'école sera finie.

Tout cela n'est encore que pure imagination.

Audur connaît mes réticences à l'égard du destin.

— Qu'est-ce que tu veux dire par « je préfère pas » ? Il y a une liste d'attente de deux ans, dit-elle comme si elle s'adressait de manière posée et rationnelle à un enfant capricieux. Il paraît que c'est la meilleure de tout l'hémisphère nord, elle a fait l'objet de recherches en Amérique, avec cérébroscopie, électrodes et tout le tremblement et ils n'y comprennent rien, ne trouvent aucun schéma, aucune logique. Il faut que tu te pointes chez elle exactement dans vingt minutes, que tu partes à l'instant. Ça te coûtera trois mille cinq cents couronnes, pas de carte bancaire, pas de reçu. Si tu laisses passer l'occasion, elle ne se représentera pas de sitôt.

Mon amie ne peut pas me parler plus longtemps.

— Je te rappellerai pour avoir des nouvelles, chuchote-t-elle d'une voix rauque avant de raccrocher.

QUATRE

Vingt minutes plus tard, me voilà au milieu de la pointe, en route une fois de plus vers une maison inconnue. Dans ce quartier nouvellement construit, le décor est vite campé : un ciel très haut, une immense étendue dans toutes les directions, des zones marécageuses et rien pour abriter les habitations. Je mets longtemps à trouver la maison inachevée, encore en chantier, les rues n'étant guère discernables les unes des autres, sans lumière, sans numéros, sans noms. C'est la déliquescence totale qui règne, le chaos du premier jour. On a quand même commencé à édifier une église. Ce qui attire finalement mon attention sur la bonne adresse, c'est un tas de bois de charpente empilé dans une allée, une structure soignée où les planches les plus courtes ont été disposées en un motif singulier, une sorte de toile d'araignée brisée qui a dû demander pas mal de calculs. Il y a encore un échafaudage devant la façade, le lotissement est plein de cailloux. Sans doute que les myrtilles y abondent en été.

Elle ne ressemble pas à l'image que je m'étais faite d'une voyante, elle évoque plutôt une pin-up italienne des années soixante. C'est Gina Lollobrigida en personne qui se tient subitement dans l'encadrement de la porte sans que j'aie souvenance d'avoir frappé, superbe, d'un âge indéterminé, portant une robe moulante et des escarpins. Ce qui la distingue tout à fait des gens ordinaires, ce sont deux yeux perçants aux pupilles minuscules, têtes d'épingle dans un océan de bleu.

À l'intérieur, c'est presque vide, çà et là une ampoule nue au bout d'un fil, quelques fleurs en plastique, une image du Christ avec de belles boucles et de grands yeux pleins de larmes. Sur un mur, on voit aussi le dessin au crayon d'une haute ferme en tourbe, à quatre pignons. Malgré la pénombre croissante au-dehors, l'appartement est plein de lumière. La voix de la femme n'enlève rien à son charme.

—Je vous attendais plus tôt, me dit-elle d'emblée. Je vous attendais il y a plusieurs mois.

Le sortilège me gagne, mes pensées deviennent transparentes à vue d'œil. Clouée sur le canapé, les muscles de ma nuque se relâchent. Je pose la tête sur un coussin brodé et lui demande si cela ne lui fait rien que je reste allongée au lieu de m'asseoir en face d'elle.

Elle mélange sans arrêt des cartes fatiguées qu'elle aligne sur la table, additionne, appariant chiffres et diagrammes d'événements, recoupant mon passé au présent. Il est clair qu'elle lit en moi comme à livre ouvert. Je trouve très désagréable d'être exposée de la sorte. Elle ne fait pourtant aucune mention d'adultère ni d'oie morte dans le coffre, ne dit pas un mot de ce qui semble être écrit sur mon front, que j'ai encore en moi de la substance étrangère qui pourrait même, je le crains, s'écouler sur le velours du canapé.

Au lieu de quoi elle s'en tient à l'enfance et à d'autres choses dont je n'ai aucun souvenir ni la moindre connaissance, elle mentionne un tas de fumier et revient sans arrêt sur l'élastique craqué d'une culotte de couleur chair.

—C'est peut-être un slip, dit-elle, de couleur crème, mais ça peut aussi être un pyjama.

Je ne vois absolument pas où elle veut en venir.

— Je dis seulement ce que les cartes me montrent, notez bien.

Puis, sans transition, elle se tourne vers l'avenir.

— Là, tout va par trois, dit-elle, trois hommes dans votre vie sur une distance de trois cents kilomètres, trois bêtes mortes, trois accidents mineurs ou plutôt trois incidents malencontreux et il n'est pas absolument certain qu'ils vous affectent directement, des bêtes seront estropiées, hommes et femmes vivront. Il est tout de même clair que trois bêtes mourront avant que vous ne rencontriez l'homme de votre vie.

Du fond du canapé, je lui signale d'une voix pâteuse que je suis une femme mariée et, preuve à l'appui, je lève faiblement une main, caressant de l'autre l'alliance entre pouce et index. Elle ne fait aucun cas de ces informations, je ne suis même pas sûre qu'elle ait entendu.

— Il va se passer des choses dont les gens n'ont aucune idée, il y aura beaucoup d'eau, des vues à court terme, de la convoitise, de l'enfermement, encore plus d'eau.

— Quelle sorte d'eau ?

— Elle ne s'arrêtera pas aux chevilles, c'est tout ce que je peux vous dire, impossible d'en savoir plus aujourd'hui. On peut quand même parler d'un grand mammifère marin sur la terre ferme.

Elle fait une pause, il règne un silence de mort

dans la pièce.

— Il y a là triple conception, poursuit-elle, l'une possiblement trinitaire.

Qu'est-ce qu'elle peut bien vouloir dire ?

— Mon frère a eu des triplés in vitro, ils ont maintenant deux ans, dis-je in extremis.

— Ce n'est pas d'eux que je parle, réplique sèchement la voyante, mais de trois femmes enceintes, de trois enfants en perspective, de trois femmes qui accoucheront dans les mois à venir.

— Il y a bien Audur, mon amie…

D'évidence, elle n'accorde aucune attention aux renseignements que je lui fournis, et ma personne ne l'intéresse pas davantage, heureusement. On m'écarte d'un geste, comme une ado insistante, tandis que se poursuit l'entretien avec l'interlocuteur invisible.

— Et puis il y a là un grand garçon, un adolescent, un fjord étroit, un banc de sable, des épilobes arctiques, une embouchure de rivière, des phoques pas loin…

Une courte pause à nouveau.

— Il y a un gain inattendu, de l'argent et un voyage. Je vois une route circulaire, je vois aussi un cercle plus petit, pour le doigt, plus tard. Vous ne serez plus la même, mais au bout du compte, vous serez debout tenant la lumière dans vos bras.

C'est comme ça, quoi que cela puisse bien vouloir signifier, exactement comme ça qu'elle l'a dit : tenant la lumière dans vos bras.

— Pour résumer, conclut-elle à la manière d'une conférencière chevronnée, il y a un voyage, un gain, de la fortune et de l'amour, bien que l'on puisse s'attendre à quelques bizarreries en la matière. Impossible en revanche de voir lequel des trois hommes ce sera.

Je remarque, en me redressant, que toutes les cartes sont étalées sur la table et qu'elle les a disposées selon un schéma particulier qui rappelle celui du bois de charpente à l'extérieur : une sorte de toile d'araignée aux fils brisés.

Soudain me traverse le besoin de placer une question :

— C'est vous qui avez rangé le bois dehors ?

Elle me regarde intensément, ses pupilles en tête d'épingle dans un océan de bleu liquide.

— Manier des bouts de bois n'est pas un travail d'homme. Observez l'enchaînement des motifs, mais ne les laissez pas vous induire en erreur, ça prend du temps d'avoir l'œil pour les motifs. À votre place, je ne me laisserais pas entraîner dans un marécage en plein brouillard. Rappelez-vous que les apparences peuvent être trompeuses.

Au moment où je m'apprête à lui serrer la main, elle m'étreint soudain et dit :

— Ce ne serait pas une mauvaise idée d'acheter un billet de loto.

Ses enfants, deux grands ados, veulent m'accompagner jusqu'à la voiture dont l'emplacement m'échappe pour l'instant ; il semble que je l'ai laissée à une distance considérable. Ils marchent à mes côtés, l'air résolu, comme s'ils avaient une tâche à accomplir. Nous marchons très longtemps, il semble même que nous tournons en rond, pourtant je ne me souviens pas avoir emprunté ce chemin à l'aller. Au moment où je commence à me dire que je suis bien dans la mouise, la voiture me saute aux yeux, devant moi, près d'un mur brise-lames où je ne me rappelle aucunement l'avoir laissée. Comme d'habitude, elle n'est pas verrouillée et les piles de papiers sont à leur place, bien que je ne puisse jurer que toutes les feuilles y soient. Ça ne me dit rien non plus de vérifier la présence de l'oie dans le coffre. En prenant congé, je découvre que les deux frères sont des jumeaux. En marchant, ils portent le poids du corps sur le pied droit ; leur regard est singulier, la pupille comme une tête d'épingle noire dans un océan de bleu liquide. Au moment où, démarrant, je m'apprête à leur faire un petit signe de la main, ils se sont évaporés.

CINQ

Il est à la maison. Je m'attarde sur la pelouse gelée avant d'entrer, pour considérer mon propre foyer illuminé, j'hésite devant le groseillier, l'oie à la main, me demandant si ça se voit sur moi, s'il va le remarquer. De ma position, je le regarde aller d'une pièce à l'autre, apparemment sans but, déplaçant des objets, éteignant et rallumant les lampes derrière lui. Je passe ensuite d'une fenêtre à l'autre de cet intérieur éclairé, comme devant une maison de poupée sans façade, pour rassembler les morceaux de la vie de mon mari.

Voilà qu'après avoir vidé la machine à laver, il se tient dans la chambre, tout le linge dans les bras ; il ne fait pas cela d'habitude. Bricoler n'est pas non plus son fort, mais il semble qu'il ait remplacé l'ampoule sous l'auvent de la porte d'entrée et arrangé la porte du placard de la cuisine. Tout à coup il se met à regarder par la fenêtre, dans le noir, et j'ai l'impression que ses yeux se posent droit sur moi, me scrutant longuement, et qu'il se demande si j'ai un lien avec lui, si je vais entrer ou m'attarder dans le jardin. Il est torse nu, ce qui doit être plutôt réfrigérant avec le linge mouillé dans les bras, à moins que ses poils ne lui fournissent une protection ; quand il se penche vers le lit, j'ai un instant l'impression que quelqu'un y est couché, hors de mon champ visuel, et qu'il va lui-même s'allonger à ses côtés. Il se redresse alors aussi soudainement, tenant mon slip bleu ciel humide qu'il étire et lisse avec précaution de ses grandes mains. Puis il le suspend à l'étendoir qu'il a installé près du lit ; j'aperçois des pinces à linge aux extrémités du sous-vêtement. Il n'est peut-être pas souvent à la maison et nous ne parlons guère ensemble, mais j'ai un bon mari et je sais quelle est ma faute : je ne suis pas passée faire les courses à la supérette.

SIX

Manifestement, il a rangé la cuisine, mais en laissant une assiette pour moi sur la table, avec les couverts et la serviette. En chemise et cravate, comme pour se rendre à une réunion de travail importante, il a enfilé les maniques bleues pour extraire du four un plat de lasagnes. Il ne s'assied pas à table avec moi et dit qu'il a à me parler, qu'il faut qu'on se parle, que c'est devenu urgent, c'est pourquoi il arpente le carrelage de la cuisine en traçant des lignes droites, de la table au réfrigéra-teur et du réfrigérateur à la cuisinière, sans que je puisse déceler de schéma directeur. Il a les mains dans les poches et ne me regarde pas. Je me laisse glisser sur le tabouret de cuisine et m'y tient, le dos droit, encore avec mon écharpe.

— Ça ne va plus.

— Qu'est-ce qui ne va plus ?

— Rien, je veux dire, tout, ton passé à l'étranger dont je suis exclu. Au début je trouvais le mystère qui t'entoure passionnant, maintenant ça me tape sur les nerfs, j'ai l'impression de ne pas arriver jusqu'à toi, tu es tellement dans ton coin, à penser à autre chose qu'à moi, ça va de défendre son petit quant-à-soi, disons à quinze pour cent, mais j'ai la nette impression que tu en gardes bien soixante-quinze pour cent à ton usage exclusif. Vivre avec toi, c'est comme être sans arrêt dans un marais en plein brouillard. On tâtonne sans savoir ce qui va se présenter. Que sais-je, après tout, de ce que tu as fait pendant neuf ans à l'étranger ? Tu ne parles jamais de ta vie avant moi et cela me donne l'impression d'être exclu.

Je remarque qu'il parle de marais et de brouillard comme la médium.

— Tu ne m'as jamais posé de questions.

— Tu ne me lâches rien de toi. Tu es comme un livre fermé.

J'ai mal au cœur.

Quand j'avais sept ans, on m'a envoyée pour la première fois toute seule à la campagne dans l'est du pays avec mon casse-croûte, soit treize heures de car par une route pleine de trous et de poussière qui crissait entre les dents des passagers, dans le froid soleil de début juin. La grande innovation, cet été-là, consistait en un service d'hôtesses à bord des autocars, ce qui suscita de nombreuses candidatures car elles arboraient, comme les hôtesses de l'air, tailleur et collants de nylon ainsi qu'un chapeau rond attaché sous le menton. Le rôle principal d'une hôtesse de car, en dehors d'être joliment assise sur un coussin rembourré au-dessus du levier de vitesses, tournée vers les passagers, à deviser avec le chauffeur, pouvait se résumer à la distribution de sacs à vomi. Quand j'eus fini de rendre dans le sachet de papier brun, je levai la main comme à l'école pour faire tailler mon crayon et l'hôtesse vint plier le bord du sachet avant de l'emporter vers l'avant. Je vis l'endroit où elle pressait du bout de son escarpin une courte tige près de la porte, laquelle s'ouvrait alors en faisant le même bruit qu'une repasseuse à vapeur dans un pressing, et d'un geste gracieux du bras, elle envoyait voler le pochon de papier dans un fossé islandais. Le chauffeur, qui ne dérogeait jamais à ses cinquante-cinq kilomètres heure, était bien content qu'on ne le dérange plus dans sa causette avec la demoiselle du coussin. Quand j'y repense, il me paraît vraisemblable que l'hôtesse ne portait pas de chapeau, mais plutôt un foulard. Je croyais alors que le chauffeur et elle formaient un couple ou alors qu'ils étaient fiancés, je mettrais maintenant ma main au feu qu'elle sortait tout juste du lycée commercial tandis que l'homme conduisait son véhicule depuis des décennies.

Voilà qu'il parcourt de nouveau la cuisine en long et en large, défait le nœud de sa cravate verte toute neuve, comme si le manque d'air d'une fin d'été étouffante lui causait une gêne respiratoire. Il sort évidemment de chez le coiffeur et porte une chemise que je ne lui ai jamais vue.

— On peut prendre par exemple ta façon de t'habiller.

— Comment ça ?

— D'après ce que les autres me disent, leurs femmes achètent des sous-vêtements chez Toi et Moi.

— Je suis moi et tu es toi et nous sommes nous, je ne suis pas les femmes des autres et tu n'es pas eux.

— C'est exactement ce que je veux dire avec tes coq-à-l'âne : on ne peut jamais parler avec toi.

— Excuse-moi.

— Les hommes sont plus sensibles à ce genre de choses que tu ne le crois. On peut être pudique, mais on n'en pense pas moins.

— Je veux bien le croire.

Il a l'air blessé.

— Et puis, autre chose. Il te suffit de toucher un interrupteur pour que l'ampoule pète. Ce n'est pas normal chaque fois que je vais faire les courses d'avoir toujours des ampoules dans le chariot : du bifteck haché et des ampoules, de l'agneau et des ampoules, je suis devenu l'homme aux ampoules, à la caisse.

— Il faudrait peut-être faire contrôler l'installation électrique.

Il fait un nouvel aller-retour.

— C'est comme si tu ne voulais pas grandir, tu agis souvent comme une gamine malgré tes trente-trois ans, tu fais des trucs bizarres, irréfléchis. Pour prendre un raccourci, tu traverses le jardin de parfaits inconnus, en enjambant le grillage ou en passant pour ainsi dire à travers les groseilliers. Quand tu es invitée, tu débarques par la porte de derrière, ou même par celle de la terrasse, comme chez Sverrir. Ce qui pourrait se comprendre si tu avais été soûle.

— La porte de la terrasse était ouverte sur le jardin et la moitié des invités était dehors.

— Tu passes ton temps à oublier, tu arrives la dernière chez nos hôtes, tu n'as pas de montre. Et puis tu choisis bien trop souvent le chemin le plus long pour arriver quelque part.

— Je ne vois pas où tu veux en venir.

— Comme quand tu as grimpé à mi-hauteur de la hampe avec le drapeau islandais dans les bras…

— D'accord, on était invités, la corde s'était emmêlée, personne ne savait quoi faire et le drapeau en berne pendouillait lamentablement, comme le présage imminent de la crise d'asthme que Sverrir a eu ensuite, le soir même de son anniversaire.

— C'est bien la seule fois où je me suis félicité que tu sois en pantalon et pas en tailleur. Alors que Dieu sait si j'ai prié souvent pour que tu t'achètes un tailleur.

— Ça aurait été plus simple de me le demander directement.

— Et tu l'aurais fait pour moi ?

— Je n'en suis pas sûre, je pensais qu'il te suffisait que je me sente bien.

— Là, tu vois.

— Je me rends bien compte que je suis parfois impulsive.

— Impulsive, certes, on peut toujours formuler les choses élégamment.

Il fonce dans le séjour et revient avec les deux volumes du dictionnaire islandais ; il se met à feuilleter fébrilement le premier.

— Des mots, des mots, des mots, justement, toute ta vie tourne autour de la définition des mots. Eh bien, voilà, *impulsif* : emporté, éperdu, excessif, extrême, impatient, inconscient, instinctif, irréfléchi. Tu ne veux pas me dire comment ça sonne en hongrois ?

Sa colère dépasse de loin le prétexte qui l'a déclenchée.

Toujours assise sur le tabouret près de la table, je m'aperçois qu'un papillon voltige juste au-dessus du grille-pain – chose remarquable à cette époque de l'année –, voilà qu'il se pose maintenant tout près de moi sur le mur et reste là, immobile, sans battre de ses ailes argentées ; si l'on souffle un peu d'air tiède sur lui, on s'apercevra clairement qu'il est toujours en vie. Je ravale ma salive par deux fois et me tais.

—C'étaient mes collègues de travail, et Nína Lind était là aussi, elle se rappelle bien l'incident. Comment je me suis senti, à ton avis ?

—Qui est Nína Lind ?

—Tes cheveux sont plus courts que les miens, dit-il en passant une main lasse sur sa crinière.

Il a sorti l'autre main de sa poche.

—Et puis ?

—Et puis il y a tes amis.

—Qu'est-ce qu'ils ont, mes amis ?

—Comme cette Audur, amusante à certains égards, mais complètement allumée. Et avec un deuxième marmot sans père dans le buffet.

—C'est son affaire.

—Son affaire et pas son affaire. Ça fait un an qu'on a emménagé ici et on n'a pas encore vidé tous les cartons. À croire que la maison ne compte pas beaucoup pour toi.

—Il faut qu'on trouve du temps pour ça ensemble.

—Tu as une drôle de conception du mariage, c'est le moins qu'on puisse dire, tu sors faire du jogging la nuit, le dîner n'est jamais à la même heure. À part les Siciliens, qui d'autre, à ton avis, mange des escalopes de veau à onze heures du soir ? Et un mardi, je rentre à la maison, et tu as préparé un festin d'au moins quatre plats sans aucun prétexte – un repas de Noël au mois d'octobre, quoi. Alors que j'essaie de me frayer un passage parmi tes chaussures de sport en trimbalant une pizza garnie de saloperies, pour avoir au moins quelque chose à manger. Et qui c'est qui a encore fait les courses ce soir ? Il n'y a pas d'organisation dans ta vie, on ne peut tabler sur rien. C'est très difficile de vivre avec ces fluctuations et ces excès continuels.

—Tu travailles toi-même souvent tard le soir, ou bien tu es à l'étranger. Ce mois-ci tu n'as passé que quatre nuits à la maison.

—Enfin, tu parles onze langues apprises en respirant l'air du temps, à en croire ta mère, et qu'est-ce que tu fais de tous ces talents ?

—Je m'en sers pour mon travail.

—Avoir un enfant aurait peut-être pu te changer, arrondir les angles. Mais quelle mère se permettrait de se comporter comme toi ?

Il fallait bien qu'on y arrive, à la discussion sur l'enfant. Mais je suis réaliste, et par conséquent d'accord avec lui : je ne suis pas vraiment faite pour être mère, pour élever de nouveaux êtres humains, je n'y connais absolument rien aux enfants et n'ai aucune des aptitudes requises pour m'occuper d'eux. Je n'éprouve pas de doux sentiment au spectacle des petits bébés ; je flaire une odeur aigre, je me représente leur agitation constante, les gencives enflées, le bavoir mouillé, les joues poisseuses, le menton rouge, la bave refroidie sur le menton. Ce n'est d'ailleurs pas la chaleur maternelle que les hommes recherchent en moi, ni spécialement mes seins qui les attirent.

De plus, le monde regorge d'enfants, les automobiles sur les routes du pays en sont remplies, j'en sais quelque chose. Dans chaque station-service, de jeunes parents laissent échapper trois ou quatre enfants d'âge préscolaire ; il faut leur donner des hot dogs et des glaces, après quoi on les entasse à nouveau dans les voitures, barbouillés de chocolat jusqu'aux oreilles et embaumant la moutarde. Les parents sont fatigués, ils ne se parlent pas, ils ne se retrouvent pas, ils ne voient ni l'épilobe arctique ni le glacier à cause des gosses qui sont malades à bord. Dans le maquis du terrain de camping, ils disparaissent à tout bout de champ et il n'y a pas moyen de feuilleter tranquillement son dictionnaire des synonymes devant sa tente parce qu'on est tout le temps sur le qui-vive, à ce que j'imagine. Certains de nos amis n'ont pas dormi une nuit entière depuis des années, ne font plus l'amour sinon à la va-vite une fois de temps en temps. Et quand l'un vient chercher l'autre en voiture au travail, ils ne s'embrassent plus, et se détournent pour regarder par la vitre. Ça, je le sais, je l'ai vu. Il n'y a que très peu de couples qui résistent au fait d'avoir des enfants.

— Il faudrait au moins que tu t'organises mieux, autrement tu n'y arriverais pas, si nous avions un enfant, énonce-t-il face au placard à balais.

En se concentrant au degré ultime, on doit pouvoir lire deux pages d'affilée. Sauf qu'un silence suspect règne autour de l'enfant : il a sans doute le hochet coincé dans la gorge. C'est pourquoi il faut aller vérifier toutes les quatre lignes. On est tout le temps soit en train d'ôter au petit son pull-over, soit de le lui remettre, d'enfoncer Barbie dans son collant et ses escarpins en strass, de chercher les clefs de la porte d'entrée avec le marmot endormi dans les bras. Décidément, ce n'est pas mon truc. J'en profite pour lui ressortir tout une phrase d'un scénario dont j'ai corrigé les épreuves :

— Une des caractéristiques d'une liaison amoureuse défaillante apparaît quand les gens se croient obligés d'avoir des enfants ensemble.

Je dois admettre que cela, je l'ai lu, car on ne peut pas avoir tout vécu en personne. J'y adjoins pourtant une petite touche personnelle :

— Mais on pourrait peut-être adopter – dans quelques années – une petite Chinoise par exemple, il y a des millions de petites filles en surplus en Chine.

— Justement, quand tu ne parles pas comme dans un scénario ou un manuel de développement personnel, tu te comportes comme si tu vivais dans un roman, comme si ce n'était pas en ton nom que tu parlais, comme si tu n'étais pas là.

— Je ne suis pas Anna Karénine sur un quai de gare, en tout cas.

— Je ne vois pas où tu veux en venir.

— On ne lit pas vraiment tout ce que l'on corrige, et on se l'approprie encore moins.

— Mais souviens-toi d'une chose, les hommes ne sont pas tous frais et dispos dès le matin et ils n'apprécient pas tous les finesses de la linguistique avec le porridge au petit déjeuner.

— Que veux-tu dire ?

Il s'est redressé et appuie le pouce sur la vitre sans faire attention, juste à côté de l'aile du papillon.

— C'est pas toujours facile de savoir ce qui te passe par la tête. Les autres discutent en sortant les tartines du grille-pain, par exemple : le pain est prêt, tu veux que je te l'apporte, tu veux de la confiture ou du fromage ? Les gens parlent entre eux de choses simples. De choses qui comptent dans leur union. De lessive, tiens. T'es-tu jamais demandé si j'avais envie de parler de lessive ? Tu n'es en quelque sorte jamais disposée à en parler. La dernière fois, tu as lavé des chemises à moi avec tes slips rouges, c'est vrai que c'est moi qui te les avais offerts, d'ailleurs je ne me souviens pas de t'avoir jamais vue les porter. Et ce n'est pas tout.

— Non ?

— Non, je veux simplement que tu saches que j'ai parlé à un conseiller conjugal et qu'il est du même avis que moi.

— À quel sujet ?

— Toi. Il a eu une expérience analogue, avec sa première épouse.

Tranquillement assise sur ma chaise, portant à mes lèvres un verre d'eau, je me rends compte que je sais à peu près ce qu'il va dire, que j'y ai déjà pensé et que cette pensée s'accompagne d'un sentiment de déjà-vu, mais sans pouvoir préjuger pour l'instant du dénouement, bon ou mauvais.

— Et puis il y a Nína Lind.

— Qui est-ce ?

— Elle travaille au bureau, au standard, et s'occupe en ce moment des photocopies. Elle va faire du droit.

La voix s'enfonce et disparaît dans l'encolure de la chemise. Quelques poils sortent par les boutonnières.

— Eh bien, elle attend un bébé.

— Et alors ?

— Eh bien moi aussi, avec elle.

— C'est celle dont tu disais qu'elle se collait à

tous les hommes à la fête de Noël de la boîte l'an dernier ?

— Plus maintenant. Tu devrais savoir aussi, avec toutes tes vastes connaissances – dit-il ironiquement – que de la part d'un homme une critique non justifiée n'est pas loin d'être de l'admiration cachée. Les hommes n'ont rien contre les femmes qui ont de l'expérience. Je dois avouer qu'en ce domaine j'aurais souhaité que tu en aies acquis une plus vaste.

Je note au passage qu'il emploie deux fois le mot *vaste*. Si je relisais des épreuves, je barrerais automatiquement la seconde occurrence, sans me poser davantage de questions sur le texte.

— Tu ne sais même pas flirter, tu ne remarques rien quand les hommes te regardent. Ce n'est pas marrant pour un homme quand sa femme renvoie au monde le message qu'elle est totalement insensible à l'attention que le monde lui porte.

C'est plus fort que moi, je ne peux m'empêcher de remarquer qu'il prend par deux fois le monde à témoin.

— De plus, elle a changé, ça change une femme d'attendre un enfant.

— L'accouchement est pour quand ?

Il s'éclaircit la gorge à deux reprises.

— Dans huit semaines environ.

— N'est-ce pas une grossesse plutôt courte, comme chez les cochons d'Inde ?

— C'était en gestation depuis quelque temps, ce n'est pas comme si je venais de faire un faux pas. Il ne s'agit pas d'un coup de tête, ni d'une passade, quoi que tu puisses en penser.

Il a le visage empourpré et les mains enfoncées dans les poches.

— Comment avez-vous fait connaissance ?

— Près du photocopieur si je me souviens bien.

— Quand ?

— Disons que l'affaire est devenue un peu plus sérieuse après le pot de Noël.

Il s'active autour du frigo, en sort une briquette de lait et remplit un verre. Je ne savais pas qu'il buvait du lait.

— Bon Dieu, de quand date ce lait ? On est le 25 octobre et il est périmé depuis septembre.

— Qu'est-ce qu'elle a de plus que moi ?

— La question n'est pas qu'elle ait forcément quelque chose de plus que toi, mais elle est à maints égards plus féminine, avec des seins et tout…

— Et moi, je n'ai pas de seins ?

— La question n'est pas que tu aies des seins ou pas, mais elle, par exemple, elle n'était jamais allée à Copenhague avant, j'avais l'impression de pouvoir lui apprendre quelque chose.

— Elle est allée avec toi à Copenhague l'autre jour ?

— En fait, oui. Comme je disais, tout ça était en gestation.

— Et à Boston aussi ?

— Elle en a profité pour rendre visite à sa cousine.

Il s'affaire autour de la plante verte sur l'appui de la fenêtre, remplit un verre d'eau pour l'arroser, tasse ensuite la terre autour des tiges avec ses doigts. Je ne l'ai jamais vu se soucier autant d'une plante en pot.

— Tu l'aimes ?

Il prend tout son temps pour finir de s'occuper de la plante et laver ses mains salies de terre dans l'évier avant de répondre.

— Ouais. Elle dit qu'elle m'aime et qu'elle ne peut pas vivre sans moi.

En y repensant, il y avait eu certains signes avant-coureurs : quand il s'était mis tout à coup à laisser des messages par-ci par-là dans l'appartement, griffonnant « je ne t'oublierai jamais » au dos d'une facture d'électricité impayée, alors qu'il sait pertinemment que je suis la seule à assumer la corvée de régler les factures. Ce n'est d'ailleurs qu'à la banque que je remarquai l'inscription, quand la caissière rougissante tamponna deux fois la feuille. Ou encore ces mots croisés de confection maison qu'il laissa traîner près du téléphone : verticalement en cinq lettres, *aimer;* horizontalement en neuf lettres, *regretter;* verticalement en cinq lettres, *lâche.* Et puis *désirer, perdre, pleutre.*

— C'est pour moi une grosse déception que cela

n'ait pas marché entre nous, je veux que tu le saches.

J'ai réussi à faire descendre deux bouchées de lasagne aux épinards et je m'applique à embrocher la troisième sur ma fourchette. Après avoir fini d'avaler, j'arrange mon écharpe et je l'entortille autour de mon cou.

— Merci pour le repas. Quand pars-tu ?

— Nína Lind et moi, on cherche un appartement, nous allons en visiter un demain. D'ici là je serai chez maman.

À la lumière de tout ce qui s'est passé en ce seul et même jour, il est clair que les coïncidences ont tendance à s'agglutiner. Aujourd'hui deux hommes se sont séparés de moi en me signifiant leur congé. Je me sens comme un prisonnier qui aurait aidé ses codétenus à se faire la belle en leur prêtant son dos. Mais je suis encore capable de m'étonner moi-même. Je puis m'amender.

— J'allais cuisiner une oie au four ce week-end.

— Une oie, où l'as-tu trouvée ?

— Dans le congélateur de maman.

— Je suis malheureusement tout à fait pris.

— Allons donc, tout le monde doit manger ; ce n'est pas comme si je te demandais de ranger le garage.

— Après tout, ça serait sympa de dîner ensemble.

— On n'a qu'à prendre ça comme notre dernier repas, notre festin de Noël.

Il ne résiste pas à la tentation.

— Je viendrai en tout cas, ce serait trop bête de laisser une oie se perdre.

SEPT

Je ne prétends pas que j'aime faire la cuisine, mais qui sait lire peut cuisiner, un point c'est tout. On peut même feuilleter des livres de recettes en langue originale, seule dans son lit, le soir. Je trouve une station de radio passable, je règle le volume de la musique assez haut, je vais chercher la bête sur le balcon et me mets à l'œuvre.

I got the soul of every rapper in me, love me or hate me. C'est un rappeur, encore enfant ou presque, qui se met à maudire sa mère. Ainsi peut-on pronostiquer l'ingratitude de sa progéniture. *Fuck your mother.* J'apprécie plus que jamais le super avantage de ne pas avoir d'enfant. Les garçons de cet âge ont une vilaine peau, il faut prendre rendez-vous chez le dermato six mois à l'avance, leur procurer de la crème aux stéroïdes qui amplifiera encore leur esprit contestataire. Ils grandissent trop vite, un segment du corps à la fois, se réveillent de mauvaise humeur, n'aèrent jamais leur chambre ; quand il leur arrive de faire leur lit, ils ont l'impression d'avoir entretenu la maison un mois durant ; ils gardent leur anorak aux fêtes d'anniversaire, ne décrochent pas de leur chambre la guirlande lumineuse de Noël bien que Pâques soit déjà passé, collectionnent les chaussettes sales sous leur lit. *I just found out my mom does more dope than I do.*

Cuisiner, c'est s'instruire en lisant. Je ne mémorise jamais une recette, mais je suis consciencieusement les instructions, de sorte que je viens à bout des plats les plus fastidieux, ceux qui prennent le plus de temps, avec de la musique dans les oreilles. Quand je prépare un poulet au citron et aux olives, je mets *Sahra*, de Khaled, quand je fais de la soupe au potiron, c'est Pinetop Perkins ; pour les épis de maïs grillés, Rubén González, quand je me lance dans l'osso-buco ou la *baccalá alla livornese*, c'est Gianmaria Testa ; Dvořák ou Liszt occupent mes oreilles quand je prépare des *diós palacsinta,* ces espèces de crêpes aux noix ; bien que je ne sois pas une fan de Strauss, je m'en accommode quand je confectionne des *Puztertaler Kasuppe*; le pot-au-feu de mouton islandais est accompagné, lui, de quelque morceau emprunté à Bjarni Thorsteinsson ; avec le bortsch ou les choux farcis de Moscou, je passe les suites symphoniques de Prokofiev. Ce n'est peut-être pas très original, mais je ne suis pas non plus la première à faire des choux farcis.

Si on me demande : Mais comment as-tu fait ça ? La réponse est : J'ai cherché *oie* dans l'index, j'ai lu la recette et je l'ai suivie ; il y avait même des photos qui montraient toute la procédure, étape par étape, avec en gros plan des mains d'homme, sûres et soignées. Il n'y a aucun rapport entre les aptitudes culinaires et toute autre aptitude dans la vie ; on n'a pas besoin, par exemple, d'être gentil avec les enfants, ni d'une manière générale avec qui que ce soit, pour faire de la bonne cuisine.

Je viens de déposer l'oiseau sur la paillasse de l'évier quand on sonne à la porte. C'est ma voisine de l'étage au-dessous tenant dans les bras le chat de la maison.

— Je comprends ce que tu ressens, dit-elle. Nous voilà donc deux à être divorcées dans l'immeuble.

Je lui demande comment elle le sait ; moi-même, je viens tout juste de l'apprendre et je n'en ai parlé à personne.

— Je le sais depuis ce printemps, dit-elle en faisant des câlins au minou qu'elle caresse et grattouille de partout si bien que son pelage ne tarde pas à être ébouriffé comme si on l'avait passé au sèche-cheveux. C'est une bonne chose que ce soit enfin déclaré, ajoute-t-elle en me tendant pour la quatrième fois son petit verre à sherry, vide. Du reste, faut pas faire attention si les hommes trouvent que c'est une belle fille, elle n'a rien de spécial.

Le niveau de la bouteille a sérieusement baissé lorsqu'elle prend congé. Je peux me consacrer pleinement au volatile. De toute évidence, il faut commencer par le commencement, la face externe. Plumer l'animal, dit le livre. Comment faut-il s'y prendre ? Je téléphone à maman qui me déclare qu'elle allait justement m'appeler – le combiné déjà en main, car elle vient de retrouver mes vieux patins.

— Ils seront comme neufs quand je les aurai astiqués.

Pour ce qui est de plumer l'oie, sa conclusion est que c'est une affaire personnelle : plume à plume ou par poignées, ce qui revient au même, le principal étant que l'oie se retrouve la peau nue, de teinte gris-bleu avec un joli motif à losanges. Flamber ensuite ce qui reste du duvet pour la rendre tout à fait présentable. Maman me prie de donner le bonjour à Thorsteinn.

— Il m'a aidée à déplacer une armoire l'autre jour, il me semble bien qu'il a maigri ces derniers temps, dit-elle au moment de raccrocher.

Je ne peux jurer qu'elle ait tort et raccroche à mon tour.

Nu sur la paillasse, l'animal révèle d'autant mieux sa nature d'oiseau. Comme je ne dispose pas d'un outillage efficace, tel qu'un chalumeau, et que je n'ai pas de réchaud à gaz sous la main, je rassemble ma collection de chandeliers, j'allume toutes les bougies disponibles, bien alignées sur la table, rouges, dorées, lumignons et chandelles parfumées, et je commence l'opération. Le papillon ne bronche pas sur le mur, même quand l'allumette s'approche, il ne bouge pas, les ailes repliées.

Je pourrais aussi lui faire la surprise d'inviter d'autres convives. J'en concocte mentalement la liste, songeant à convoquer au petit bonheur deux de ses collègues qui, à la réflexion, ne cadrent pas avec l'occasion, une amie à lui, passionnée d'équitation, un spécialiste des affaires avec le Moyen-Orient qui est d'ailleurs un ami d'enfance à moi, une autre de ses connaissances, actrice entre deux hommes, et puis la pianiste Audur, ma fidèle amie. Aucune des veuves, ni sa mère ni la mienne, car ce n'est pas un dîner d'union mais le dernier repas, où l'une et l'autre prendraient fait et cause pour leur rejeton de trente-cinq ans.

Le cou pendouille du bord de la table. C'est une oie spéciale, capturée de manière tout à fait inhabituelle, peut-être un petit peu cabossée, avec une épaule démise bien sûr, mais pas trop amochée, pas davantage qu'après une mitraille de chasseurs. On ne perdra pas son plombage en dévorant cet oiseau sans plombs dans l'aile qui sera d'une tendresse exceptionnelle, n'ayant pas eu à fuir des tireurs d'élite sur de longues distances ni même à sécréter d'adrénaline avant l'instant où j'ai freiné car il n'était guère possible pour l'oie de prévoir le choc subséquent.

Ce qui pourrait manquer sera compensé par la farce. On sauve toujours les meubles avec une farce bien relevée. Ne pas lésiner sur les épices, mais sans dépasser les limites – notion qui échappe à beaucoup d'hommes. Je ne les dépasse pas, même si je n'en suis pas loin. Je n'irais pas jusqu'à empoisonner mon mari, et faire un orphelin de l'enfant à naître, tout de même. Non, un enfant a besoin d'un père, un garçon a besoin de son papa.

Le médecin a rigolé. Pas de père, hein ? Ça s'est donc fait tout seul, comme pour la Vierge Marie au temps jadis ? Ma parole, tu es une fille maline, qui deviendra une femme sacrément séduisante avec les années. Si tu pouvais seulement rester tranquille une seconde sans te tortiller sans arrêt comme un ver.

En ce moment, je me demande : mon mari a-t-il du goût pour la bonne chère ? Était-ce une preuve de goût de m'avoir choisie ?

L'un des grands avantages d'être l'épouse d'un homme qui voyage souvent à l'étranger pour affaires, c'est qu'il y a toujours des réserves dans le bar du salon pour arranger un plat un peu raté ou pour sauver une sauce. Et puis un alcool avant le repas émousse le jugement des convives et accroît l'assurance de celle qui s'active aux casseroles, encore que je ferais bien de ne pas écluser un verre de plus de cette bibine jaunâtre au citron.

L'oie n'a pas faisandé assez longtemps, c'est clair. Je scrute sa peau à la recherche de taches brunes qui pourraient indiquer que l'animal était malade. Ça n'irait pas jusqu'à entraîner la mort, juste une sévère diarrhée.

À la réflexion, sans doute vaudrait-il mieux découper les blancs, faire une épaisse sauce gibier bien crémeuse afin de camoufler l'empreinte des pneus. Mais il verra bien le dessin des chevrons sur la viande quand il écartera un peu le nappage de sauce. Ce sera comme de trouver l'amande dans le riz au lait de Noël ou du porridge léger comme une plume à la table du petit déjeuner. Je détournerai alors son attention, je lui ferai lever les yeux – pas forcément vers les miens – et je lui dirai :

— Eh bien, bonne et heureuse nouvelle année à l'avance, et merci pour nos quatre années de mariage, plus deux cent quatre-vingt-cinq jours et sept heures.

J'ouvre enfin la volaille, j'en arrache le cœur sanglant, surprise de plonger le regard au plus profond de ses entrailles. Le cœur est si petit qu'il tiendrait dans la paume d'un nouveau-né.

Je baise la petite paume sanglante et colore mes lèvres de rouge sang. C'est comme ça qu'était Bergsveinn, mon camarade de classe au cours moyen, avec des lèvres rouge sang. Moi j'avais les cheveux bruns et longs, avec une frange. Une fois le prof d'enseignement religieux lui a dit qu'il avait des lèvres à baiser. Bergsveinn a rougi, accroissant encore l'afflux du sang à ses lèvres. Le prof d'enseignement religieux était un homme marié, il nous semblait évident qu'il plaisantait pour le compte des filles de la classe. Après de tels propos, nous savions, nous les copines d'école de Bergsveinn, que les lèvres ne convenaient pas toutes aux mêmes usages. C'est ainsi qu'une femme apprend de but en blanc ce qu'on peut attendre de la vie.

Détacher les doigts minuscules du cœur en les saisissant un par un, comme une sage-femme retire un nouveau-né sanguinolent des bras d'une mère de quinze ans pour le livrer à l'adoption, sans qu'on puisse distinguer, aux vagissements de l'enfant qu'on emporte, si c'est un garçon ou une fille. Certains disent que les pleurs des garçons sont plus fragiles et ténus, plus délicats que ceux des filles. Ceux qui n'ont pas le moindre duvet sur la tête, on les coiffe d'un petit bonnet bleu ciel. Mais lui, au contraire, arbore un gros toupet foncé. La femme vient de l'est du pays, plus très jeune, je ne me la représente qu'un bref instant et ne dis rien, la tête cachée sous mon oreiller. Pas sûr qu'on perçoive longtemps les pleurs, le couloir est si long, de plus la cafetière électrique bourdonne et le chant du pluvier fraîchement arrivé de l'hémisphère sud entre par la fenêtre. Car c'est le printemps, on devine le parfum de la femme qui s'en va, emportant l'enfant. Elle est assise à l'arrière de la voiture, tenant

*le bébé emmitouflé dans un petit édredon bleu ; son
mari est tout seul à l'avant.*

Je pourrais certes me référer à toutes sortes de
variantes régionales de recettes de poulet, de pigeon
ou de canard, faire mariner l'oie, la saisir rapidement dans du beurre, la saupoudrer de poivre
moulu et de thym arctique ou bien la laisser rôtir
lentement dans le four, très lentement, à basse température, et aller pendant ce temps-là à la piscine et
au bain de vapeur, passer ensuite à la librairie voir si
ma commande est arrivée. J'envisage également de
suivre une recette irlandaise qui consiste à laisser
l'oiseau mijoter dans une cocotte pendant quatre
heures avec des oignons et de la farce, histoire d'effacer les traces du crime, avant de la mettre à rôtir.
Soudain, la solution s'impose à moi : je me lance
dans la fusion de plusieurs recettes, mêlant à l'intuition des goûts divers.

L'obstacle majeur, la pierre d'achoppement en
fait, de l'art culinaire, c'est de couper les oignons.
Ma vulnérabilité à l'égard de l'oignon n'est comparable à rien de ce que je peux éprouver en
d'autres circonstances de la vie. L'oignon trône
encore non épluché sur la table que je me suis déjà
mise à pleurer. J'ôte mon alliance et la pose sur la
paillasse de l'évier derrière les entrailles de
l'animal. Je brandis le couteau et mes yeux s'em-
plissent aussitôt de larmes, je ne vois plus rien, je

poursuis mon travail à l'aveuglette, tâtonnant pour saisir le deuxième oignon, puis le troisième. Il y a belle lurette que je ne distingue plus une ligne du livre ; je louvoie au pifomètre dans la salle à manger cherchant la porte du balcon où la ciboulette pousse encore dru dans son pot en plein mois d'octobre.

« Tu es bien trop sensible pour l'existence », m'a dit un jour ma voisine du dessous, en constatant une fois de plus les mauvais traitements infligés à mes yeux par l'oignon, alors que j'errais dehors entre les plates-bandes en m'efforçant de rassembler mes idées sur la vie. C'est le genre de choses que les femmes se disent. Même les femmes qui couchent avec votre mari. Au bout de quelque temps, elles vous appellent au téléphone pour dire : « Il n'est pas tout à fait comme je croyais, *sorry.* » Et elles souhaitent même qu'on se rencontre au café pour fonder un club de lecture.

HUIT

Lorsque mon mari ouvre la porte, avec une autre cravate neuve au cou, j'ai déjà débouché les deux bouteilles de vin qu'on avait prévu de boire à la première grande occasion – dans un proche avenir.

Il remarque tout de suite la drôle d'odeur que l'oiseau bien épicé qui cuit dans le four ne parvient pas à masquer. C'est vrai qu'il reste des plumes dans la cuisine et la salle de bains, il y en a même une dans le lit, comme je m'en apercevrai plus tard dans la soirée, et aussi quelques gouttes de sang par-ci par là sur le parquet. L'entreprise a été difficile.

D'habitude nous nous asseyons à table face à face pour nous sentir proches l'un de l'autre, mais cette fois j'ai ajouté deux rallonges et nous sommes assis aux deux extrémités, d'une part parce que nous allons divorcer et d'autre part pour faire plus festif. Nous sommes terriblement éloignés l'un de l'autre, la distance est immense entre conciliation et séparation. Sur la table nappée de blanc se dressent de nouvelles bougies dans leurs hauts chandeliers de laiton et il y a six sortes d'accompagnement, tous ceux qu'il aime : pommes de terre caramélisées, chou rouge confit maison, haricots verts, purée de carottes, salade et gelée de groseilles extra faite avec les fruits du jardin d'Audur.

Il me vient à l'idée que c'est la dernière occasion de s'enquérir de ce qui fut négligé jusque-là.

— Comment va ta mère ?

— Bien, merci. Et la tienne ?

— Très bien.

— Je te remercie pour tout, dit-il l'air ému.

Dès qu'il demandera la parole, je la lui donnerai,

car je suis une femme et je sais me taire au bon moment. Il n'a pas préparé de discours.

— Bon appétit.

— Je veux seulement que tu saches que je ne t'oublierai jamais.

Il ne dit pas qu'il me gardera au plus profond des ventricules rouges de son cœur, parce qu'il ne formulerait jamais les choses de cette façon. Je le remercie en prenant soin de ne pas répondre *moi de même*. Dans des moments pareils, on ne dit pas forcément ce qu'on pense.

— Sans aller jusqu'à dire que ton oie soit exactement comme celle de maman, elle a quelque chose de spécial, de personnel.

— Je te remercie.

— Ça a été un vrai plaisir de te connaître... je veux dire, de t'épouser... et de vivre avec toi... mais parfois les choses évoluent autrement que ce qu'on avait prévu... différemment. Tu as aussi été plutôt occupée ces derniers temps... on ne s'est pas beaucoup vus...

Il s'est levé et je remarque alors à quel point il est grand. Littéralement courbé au-dessus de la table, il me tend un petit paquet enveloppé de papier cadeau doré qu'il a sorti de la poche intérieure de sa veste. Je vide deux verres avant de l'ouvrir – en une seule journée, j'ai absorbé ma ration d'alcool de l'année.

C'est une montre.

— Je te remercie, il ne fallait pas, je n'ai rien à t'offrir.

— Il y a un calendrier, tu verras à la fois l'heure et les mois qui passent. Une femme avertie en vaut deux, ajoute-t-il en souriant.

Outre le calendrier, la montre a deux cadrans, le plus grand est marqué HOME et le petit, LOCAL, l'heure locale étant sans doute celle de l'endroit où l'on se trouve à un moment donné. Chacun des cadrans fonctionne donc à son heure.

— Un petit peu comme toi, dit-il avec, ma foi, une certaine chaleur dans la voix.

C'est vrai que je n'avais pas de montre ; je ne sais pas toujours l'heure qu'il est à la minute près, mais la boussole que j'ai dans la voiture m'a toujours permis de retrouver ma route.

Je suis assise à table et il est debout derrière moi, une main reposant légèrement sur mon épaule tandis qu'il m'explique le fonctionnement de la montre. J'éprouve une faiblesse croissante et il m'apparaît soudain que cette union a encore une chance, laquelle tient essentiellement au fait que je réussisse à cacher que je sais déjà lire l'heure. C'est là que réside ma force en cet instant : parvenir à dissimuler que je sais lire l'heure. Car je suis une femme et il est mon mari.

— Ainsi tu peux avoir le temps qui te plaît sur l'un des cadrans, du temps libre, du temps pour toi, dit-il d'une voix douce. L'autre cadran en revanche indique la même heure que pour nous autres, humbles et ennuyeux mortels.

« Vous pouvez choisir l'heure » s'est écrié le vendeur de rue qui a retenu mon attention l'espace d'un instant tandis que je ralentissais devant son stand. C'est incroyable la facilité avec laquelle les hommes arrivent à me faire changer d'avis, à me refiler leur camelote. « Cinquante euros, dit-il, soixante avec les batteries. Elles durent six mois. » Il avait l'air convaincant. Six mois, il aurait aussi bien pu me dire deux ans ; peut-être a-t-il vu d'avance que je ne tarderais pas à repasser par ici.

—As-tu des projets ?

—Je songe à prendre des vacances d'été tardives et à partir en voyage, dis-je, sans y avoir pensé avant de l'avoir dit. Je sais en tout cas quelle heure il est, dis-je en agitant la montre en or.

—Je vois que tu as déjà enlevé ton alliance ?

C'est vrai que j'ai ôté mon alliance au moment de vider l'oiseau. Il me suffit d'un coup d'œil à l'évier bien astiqué pour me rendre à l'évidence qu'elle n'y est plus, qu'elle a disparu avec les entrailles de l'oie et les épluchures de légumes. Demain, quand je serai en meilleure forme, je chercherai dans les ordures, je ferai en chercheur d'or une nouvelle inspection des tripes et boyaux de l'animal. Il ne semble pas affecté par cette histoire d'anneau. Il pense déjà à autre chose.

— Si on allait s'allonger un peu ?

NEUF

Je le suis dans la chambre à coucher, la montre à deux temps au poignet, pour le dernier mélange de nos fluides corporels. Le lit est double, c'est celui d'une femme et d'un homme qui se sont bien entendus, d'une femme qui lui a baisé le ventre et d'un homme qui l'a tenue serrée dans ses bras, qui lui a aussi baisé les seins et plus encore. Et c'est là même que, tout en chassant de mon souffle une poussière du nombril, je vérifie pour la dernière fois ce que je connais si bien. Sans pour autant qualifier cela de mauvaise conscience, pourquoi cacherais-je que ma pensée est allée un instant à Nína Lind ? Bien qu'on puisse considérer la chose comme une répétition ou une ultime révision, il n'en demeure pas moins que mon mari est en train de tromper la future mère de son enfant et que moi, je suis sa nouvelle maîtresse.

Un peu plus tard, nous évoquons un moment les égratignures de la jeunesse et les cicatrices réciproques ; or en dépit de quatre ans et deux cent quatre-vingt-huit jours de mariage, je n'avais jamais remarqué la cicatrice qu'il a sous l'omoplate et j'ai beau l'interroger de toutes les manières possibles et avec toute la ruse dont je suis capable, c'est peine perdue. Il ne veut rien trahir de ce qui a pu lui arriver.

— Ça revient au même à présent, bonne nuit.

— Bonne nuit.

Il se tourne de l'autre côté. Je me demande comment empêcher qu'il ne s'endorme et cherche quelque chose à dire pour attirer son attention.

— Bonne nuit.

— Tu m'as déjà dit bonne nuit.

— Oui, j'ai eu envie de te redire bonne nuit, je ne savais pas si tu m'avais entendue.

— Si, si, je t'ai entendue et je t'ai dit bonne nuit.

— Bonne nuit.

La tête sous l'oreiller, une jambe dépassant du lit, avec des poils partout sauf sur la plante des pieds, il est à moitié recouvert par la couette. Ses vêtements sont en tas par terre. À voir le pli du coup de fer sur son caleçon, sa mère a dû se remettre à laver son linge. Il a la conscience tranquille, cet homme-là, couché à mes côtés, son bras velu en travers de mon ventre. Quand il est bien endormi, je déplace son bras pour prendre mes aises. Maintenant que nous allons divorcer, il serait temps que j'apprenne à connaître mon mari. Je regarde son expression s'effilocher, les traits du visage se fondre en une absence de forme originelle, la bouche entrouverte.

J'examine ce qui reste du petit garçon et cela suffit, en fait, à combler mon désir d'enfant. Je contemple la poitrine et sa toison. Qui sait si ce n'est pas un cœur d'enfant qui bat là-dessous ? Si peu de chemin parcouru depuis le balbutiement des premiers mots, ceux qu'on ne maîtrise pas et dont on ne sait pas toujours se servir à son avantage. La bouche esquisse soudain une petite moue et il me semble qu'il doit faire un mauvais rêve, quoique le souffle lourd n'en laisse rien paraître. J'essaie de me rappeler ce que nous avons pu faire au cours des cinq dernières années, bien en peine de remplir toutes les alvéoles du passé. Je sais, même sans avoir de souvenirs précis, qu'il n'a jamais passé l'aspirateur. Ni moi d'ailleurs, nous n'avons pas de moquette. Presque toutes les évocations finissent au lit. La vie à deux pour moi, c'est le « bon » corps et la « bonne » odeur ; le foyer n'étant que l'habitacle des corps de chair et non un lieu d'expression des conceptions de la vie et autres palabres. Après quoi, il faut quand même remplir la machine à laver et faire la cuisine pour donner au corps ce dont il a besoin.

Je le revois pourtant m'apporter du thé avec sollicitude. Il sort de la cuisine à pas comptés, le breuvage jaune clair dans la porcelaine tintinnabulante, son grand corps voûté au-dessus de la frêle tasse à fleurs bleues, les genoux fléchis, les épaules arrondies, tant il met de soin à placer un pied devant l'autre, comme s'il avait l'œuf de la vie entre ses mains, comme s'il tenait le corps glissant d'un nouveau-né, tout son être rassemblé autour de la tâche qu'il s'est proposé de mener à bien. En dehors de cela, c'est le matin, nous sommes en train de nous dire au revoir et, tout de suite après, de nous souhaiter bonne nuit : ça manque nettement de consistance entre les deux. Je pourrais à la rigueur me remémorer encore un quart d'heure par-ci, un quart d'heure par-là, mais rien de plus. Si l'on me forçait, si l'on m'enfermait entre les quatre murs d'une vieille salle de classe mansardée, avec pour pensum de faire le compte-rendu de quatre ans et deux cent quatre-vingt-huit jours de vie conjugale, j'arriverais peut-être à rassembler des faits et des mots, histoire de remplir, disons, un tableau de trente jours en tout. Combien cela compterait-il de pages dans un manuscrit à double interligne ? On retrouverait d'ailleurs toujours les mêmes mots. On ne peut pas dire que la vie à deux profite à la création lexicale.

Je soulève la couette tout doucement, comme on découvre un bébé nouveau-né dans son berceau, pour le voir tout recroquevillé, en position fœtale, avec ses petits chaussons au crochet. Je pose la main à plat sur le ventre chaud. Il pousse un soupir assourdi et se tourne sur le dos, puis sur le ventre, émettant le son grave de la corne de brume d'un navire en partance pour des pays lointains.

Je le consigne à présent tout entier dans ma mémoire avant qu'il ne parte, je scrute son cou, ses omoplates, son dos, ses reins, ses fesses, ses cuisses, le pli du genou, les mollets et la plante des pieds, sans qu'il s'en doute, sans qu'il se réveille. Je vagabonde clandestinement en divers endroits, j'étudie ce corps comme une carte en relief, je l'explore et l'enregistre vertèbre après vertèbre, je note tout ce que je vois, je le capte en ses moindres détails, je recense chacun des poils et les convoque à ma guise, je m'approprie le moindre de ses cheveux : ils seront tous à ma disposition jusqu'à ce qu'un jour l'envie m'en passe, jusqu'à ce que je ne me rappelle plus la texture de sa peau au toucher, parce qu'un autre corps l'aura peut-être remplacé.

Un son nouveau s'est introduit dans la chambre à coucher, d'abord indistinct, puis enflant et variant de registre pour devenir un bourdonnement avéré et soutenu. Pas d'erreur possible, deux grosses mouches au moins voltigent autour du lit conjugal. Au même instant, l'une d'elles se pose sur la tête de l'homme, plonge la patte au creux de la fossette du menton, déambule dans la friche de la barbe naissante. Je l'éloigne d'un geste, elle se pose à nouveau, front, joue, nez, menton, je souffle dessus, j'essaie de l'écarter du visage de mon époux sans le réveiller. Je tends le bras vers le recueil de poèmes posé sur la table de nuit, *la Tête de la femme,* pour m'en servir d'éventail et éconduire la mouche, avec délicatesse, comme une diva lasse de l'insistance d'un soupirant dans une opérette. La mouche redouble d'ardeur, je fais du livret un rouleau et l'écrase du premier coup sur la lèvre supérieure, où elle n'est plus qu'une tache noire informe juste sous le nez. Mais le choc l'a réveillé, il saute sur ses pieds, prenant sa tête à deux mains, comme il est recommandé sur les consignes de sécurité des avions en cas d'atterrissage forcé.

— Tu m'as frappé ?

— Excuse-moi, il y avait une mouche sur ta lèvre, je l'ai tuée.

— Une mouche, à la fin octobre ?

Il me regarde incrédule, l'air flottant, détendu pourtant et encore amolli, les contours vagues, un petit gars sans pyjama, à la poitrine velue. Il est déjà en train de se remettre, il s'alanguit et se rendort promptement.

Je me couche de tout mon long sur le corps tiède, avec précaution, je m'étire dans le dessein de recouvrir l'homme dans sa totalité, mais j'ai beau m'ajuster et me dilater, il dépasse de partout. Il ne bronche pas, sa respiration est profonde, régulière. Et puis tout à coup se réveille une partie de lui dont je sens l'impulsion contre mon ventre. Il cesse alors de respirer un moment et je retiens, moi aussi, ma respiration. Rien ne se passe jusqu'à ce qu'il m'enserre de ses bras.

Lorsqu'il se rendort, je m'enhardis à régler l'autre

cadran – celui qui est libre et marche à volonté – selon ma conscience. À l'honneur de celle-ci, il faut bien dire qu'en cette nuit d'octobre ma conscience est plus constante que mon cœur, c'est pourquoi je règle les deux cadrans à la même heure. Ils indiquent tous deux trois heures dix-sept lorsque je m'étends au creux du coude de mon mari, me mets à l'aise comme si rien ne s'était passé, le bras en travers de la cage thoracique qui s'élève et s'abaisse si bien que le réveil sur la table de nuit apparaît et disparaît tour à tour. Puis j'abandonne comme d'habitude la position tendue de mon épaule en ramenant le bras à moi avant de tourner le dos au dormeur. Son bras pesant accompagne ce mouvement.

Quand j'y pense, on ne peut vraiment pas dire qu'il ait jamais été méchant avec moi.

DIX

Je me réveille aux côtés d'un inconnu qui m'est proche, je bouge avec précaution dans le lit, j'appréhende à tâtons le jour naissant qui menace. J'ai presque oublié sous la couette que nous ne sommes plus des amants. Il a les yeux ouverts et, pendant les trois quarts d'heure qui suivent, lui aussi a l'air de l'avoir oublié. Lorsque je me glisse hors du lit, il s'est rendormi ; je tends la main vers ma nouvelle montre et vois que l'heure de ma conscience s'est arrêtée à sept heures cinq. C'est à cette heure-là que je suis née, il y a exactement trente-trois ans et trois semaines, jour pour jour. Je regarde la montre comme si c'était le cœur de l'oie qui avait cessé de battre.

Chaque chose a son temps, dormir a son temps, aimer a son temps, divorcer a son temps. Courir a son temps. Je quitte sur la pointe des pieds la tiédeur conjugale pour ouvrir la porte sur la froide pénombre du point du jour, mes chaussures de sport à la main. Ma voisine du dessous est sur le parking, son enfant sur le bras, une bouilloire fumante dans l'autre main. Elle verse de l'eau bouillante sur la serrure de la portière et sur le givre du pare-brise afin d'y ménager un hublot qui laisse filtrer le regard sur la route de la maternelle. La vapeur de la bouilloire s'échappe avec la respiration dans le clair-obscur qu'elle colore un instant d'un gris laiteux avant de s'y fondre.

— Je ne comprends pas comment j'ai pu avoir l'idée de verrouiller la voiture dans notre allée, dit-elle en me faisant signe de la main.

La bouilloire trône sur le capot.

— On prévoit un réchauffement et de la pluie, dis-je, comme pour ranimer dans le cœur de mon prochain l'espérance en des temps meilleurs.

Au moment où je m'engage sur le trottoir, le chien de l'étage au-dessus vient à ma rencontre et me fait fête. La poignée de sa laisse dans la gueule, il me la présente, sachant à peine sur quelle patte danser à force d'excitation et de joie. Je le flatte mais sans saisir la laisse, car cette fois je vais courir seule. Il pleure après moi et tourne en rond, tout désorienté, près du portillon du jardin.

Je me mets au pas de course le long du terre-plein qui sépare les deux voies carrossables. Dans les voitures, les visages sont muets et las. Les clignotants se reflètent sur la fine pellicule de glace des flaques du carrefour.

Je dépasse en courant une file de onze voitures immobilisées au feu rouge. Personne ne s'embrasse dans l'air gelé, pas même ceux qui mettent leur voiture dans un garage chauffé. Pourtant les gens sont généralement braves au moment du réveil et ils le sont encore au moment de démarrer leur voiture, tout gonflés de sommeil, les yeux luisants de rêve. Il y en a peu, par exemple, qui ont déjà commencé à chercher des noises à leur prochain ou à se disputer avec leur conjoint avant huit heures du matin. À ce que j'imagine. Du moins tant qu'ils n'ont pas d'enfant ensemble. La plupart sont en voiture mais ceux qui marchent traînent les pieds dans le verglas, penchés en avant, sans lever ni le talon ni la pointe du soulier : comme sur des skis de fond minuscules, ils glissent de trois à six centimètres à chaque pas.

Le portail principal est fermé mais je ne me donne pas la peine de chercher d'autres voies d'accès. Bien que le mur d'enceinte indique *sous surveillance*, ce n'est qu'un jeu d'enfant de l'escalader comme j'en ai l'habitude, pour me faufiler dans le jardin des morts. J'atterris près de la tombe du trésorier municipal et de sa veuve. Voilà une chose que mon ex-époux n'imiterait pas, il n'est guère du genre à escalader les murs. J'ai la jouissance exclusive du jardin, dans la paix et la sécurité, entre gens de bonne compagnie – nombre d'entre eux ont sûrement été esseulés. En regardant de plus près la pierre tombale du couple, je calcule que l'épouse aura été veuve durant près de soixante ans. Il ne me paraît pas impensable que leurs années de mariage aient été au nombre de quatre et leurs enfants au nombre de trois.

Une fine couche de neige recouvre tout mais les semelles accrochent bien et je me mets à courir sur le gravier de l'allée à la lumière des projecteurs, tel un prisonnier qui fait son tour de cour quotidien derrière des murs infranchissables surmontés de fil de fer barbelé. Il me semble distinguer des gardiens armés de mitrailleuses sur les toits de tôle ondulée multicolores. Le centre-ville est encore plongé dans l'obscurité mais une mince rayure mauve s'élargit dans le ciel.

Quand j'indique le chemin à des étrangers en

train d'éplucher un plan près du cimetière, ou de scruter les environs sans apercevoir la moindre boutique de souvenirs ni le moindre café qui laisserait espérer la proximité du centre ou même d'un axe quelconque de la ville, tandis que le vent brunâtre souffle du nord, je leur dis : *Yes, if you want to go to the centre of the town, you must go through the cemetery first. Then you go to the lake. Everybody has to go through a cemetery in his life. That's correct, you turn to the right and then to the right again and then you turn to the left – but only after you have passed the cemetery. Yes, that's right. This is Reykjavík.* Il vous faut un cimetière pour traverser la vie.

Alors ils reprennent leur route, les étrangers, et comme je les suis des yeux, je les vois tous sans exception esquiver le cimetière, comme s'ils n'avaient aucun intérêt pour la mort et que cela suffisait à leur bonheur de fouiller du regard dans toutes les directions, par la mince fente ménagée pour les yeux et le nez dans la capuche de leur parka, bien au-dessus de nous autres qui avons notre vie terre à terre ici-bas, comme s'ils pensaient qu'il y avait quelque chose à voir là-haut.

J'ai une ligne droite d'environ cent mètres le long du sentier, à condition d'enjamber une ou deux tombes herbues abandonnées depuis longtemps. Je fais demi-tour ensuite au bord d'une tombe minuscule fraîchement creusée entre les sépultures de deux frères adultes ; c'est un bébé prématuré que l'on a déposé en terre cette semaine près de ses arrière-grands-oncles. Je retourne en zigzaguant entre les arbres avant de réitérer seize allers-retours sur mes propres traces, sans pause, plus vite à chaque fois, jusqu'à en avoir le souffle coupé au milieu du cimetière entièrement piétiné, jusqu'à ce que je sente vraiment les battements de mon cœur dans ma tête et mes oreilles. J'ai alors la sensation d'être une personne vivante au sein du jardin des morts. Ici, je suis indubitablement en vie.

Il me semble soudain que je ne suis plus seule, la neige craque derrière moi, un rameau se brise alors qu'il est loin de faire encore jour. Je sens un souffle lourd et haletant tout près, dans ma foulée, puis à côté de moi ; nous courons de concert, lui et moi. L'instant d'après, le corps chaud et musculeux me frôle, sa langue mouillée est dans ma paume. Dans l'ardeur de son adoration, il se presse contre moi au point de m'aplatir contre une colonne de granite sous laquelle repose une mère et son fils. C'est Max le molosse, mon ami de l'étage au-dessus, un bâtard d'inoffensive crédulité islandaise et de rigueur étrangère, ni chien de berger ni chien de garde.

Il a emmené le chien avec lui et l'a lâché à mes trousses. Lui-même est tranquillement adossé à la statue du poète national. Le bout de sa cigarette rougeoie.

—Arrête-toi une seconde, j'ai à te parler.

Mon ex-époux a une nouvelle cravate ornée d'un Mickey jaune. J'accélère l'allure, qu'est-ce qu'il peut me vouloir au milieu des morts ?

—Encore un dernier parcours, dis-je.

Il agrippe la manche de mon pull dès que je ressors de l'ombre en courant. Mon souffle est chaud et rapide, j'ai un goût salé dans la bouche et il y a du sang dans la glaire que je crache entre les chaussures bien cirées de l'homme campé sur ses jambes écartées.

Je me penche en avant, devant le poète national et lui, les bras pendants, mes cheveux touchent presque la neige. Puis je me redresse, m'étire en hauteur et pose la paume à plat sur son front. Mes doigts effleurent le vert-de-gris du visage givré, ils descendent du nez au menton, passent sur le torse, palpent cuisses et genoux, le caressent tout entier de haut en bas. Il porte un long pardessus entrouvert et un pantalon au pli marqué. Les traits du visage sont ciselés avec précision et un demi-sourire figé se perd dans la joue depuis la commissure des lèvres. Pour finir je le cogne pour voir de quoi il est fait. C'est du bronze. Le poète national est creux à l'intérieur, raide et froid. Aurait-il voué à son amante un amour aussi ardent que celui qu'il avait promis dans un certain quatrain aux rimes embrassées ?

Mon mari tend alors la main comme pour me

caresser la joue. Je fais un pas en arrière.

—C'est comme si tu te réveillais sans aucune expression, la forme de ton visage ne se précise pas avant midi, parfois seulement en fin de journée. À certains égards, c'est captivant de vivre avec une telle femme.

—Mais ?

—Mais ça fait trop d'éléments d'incertitude pour un homme ordinaire.

Je ne dis rien, suivant du regard l'aube qui se dilate au-dessus des toits.

—Ah, j'ai oublié de te demander. Ça te va si j'emporte le matelas et le sommier ? À cause de mon dos.

—D'accord.

—Je prendrai sur moi l'adultère, ça accélérera le divorce.

—D'accord, dis-je en me jetant par terre sur l'herbe blanche et craquante.

Les grandes décisions sont vite prises. En revanche nous n'avons pas encore réussi, en bientôt cinq ans de vie commune, à nous mettre d'accord sur la couleur des murs de l'entrée.

—Je mets l'appartement en vente.

—Entendu.

Il hésite un peu sur le gravier pâli de neige.

—Ça t'embêterait de donner mon manteau à nettoyer ? Il est accroché dans le couloir.

ONZE

Mon ex-amant dit qu'il a appris la nouvelle. Il télé-phone au milieu de la nuit : il veut venir m'apporter son soutien personnel.

— Quelle nouvelle ?

— Le divorce.

— Tu l'as sans doute appris avant moi, comme tout le monde.

Il appelle trois fois de suite depuis son portable, la dernière pour m'apprendre qu'il s'appuie du coude à mon bouton de sonnette et demander si je compte vraiment le laisser dehors. Je lui rappelle que ce n'est pas moi qui lui ai claqué la porte au nez, qu'il a dit lui-même il y a une semaine que c'était la dernière fois. Quoi qu'il en soit, je n'ou-vrirai pas. S'il tient à me voir, il faudra qu'il soit sobre et que ce soit en plein jour. Par exemple sur le lac, en patins à glace, dis-je impulsivement, sans trop savoir d'où me vient cette idée. Probablement à cause des patins que maman a mentionnés au téléphone.

C'est notre dernière chance d'aller patiner car la météo annonce un gros dégel après le week-end. Bien des choses changeront alors. Il y a d'ailleurs longtemps que je me suis procuré de nouveaux

— 78 —

patins ; je les garde au bureau et descends parfois au lac faire une glisse quand je bute sur un mot dans une traduction.

Et puis, pour enfoncer le clou, j'ajoute :

— J'y serai demain à partir de dix-sept heures zéro, zéro.

— Je ferais tout pour toi, dit-il, même patiner sans avoir bu, tu sais que je t'aime.

— Tu me diras ça demain, sans avoir bu, en face de l'îlot.

Les patins que ma mère m'avait remis étaient accompagnés d'un pantalon bien plié au bas duquel elle avait cousu jadis une bande fleurie, quand j'avais quatorze ans.

Je ne lui ai pas encore parlé du divorce. Elle a, en tout cas, raison de dire que je n'ai guère le gabarit pour être mère. Je peux encore mettre le pantalon à fleurs de mes quatorze ans.

— Le soir précédant ta naissance, je suis allée faire du patin avec ma copine. Nous avons fait trois ou quatre boucles, bras dessus bras dessous. Je portais un manteau en laine rouge et j'avais relevé mes cheveux.

Elle confond, bien sûr, avec le bal où elles s'étaient rendues quelques mois auparavant, mais je ne dis rien.

— C'est alors que j'ai eu faim tout à coup, parce que je n'avais mangé que du riz au lait au dîner. Au bout du quatrième tour, la pointe de faim était devenue une sensation de famine aiguë et j'ai décidé de rentrer seule à la maison manger du fromage blanc et boire un verre de lait. Si j'avais choisi de patiner trois tours de plus, tu serais venue au monde sur le lac gelé, au milieu de la ville.

En causant avec sa mère, on peut échapper au poids du présent pour rejoindre un temps plus originel. Je me sens à l'étroit dans les eaux amniotiques et j'ai les yeux gonflés.

—J'ai souffert énormément quand je t'ai eue, j'ai mis trente-six heures pour accoucher de toi, cinq seulement pour ton frère. Après ta naissance, il m'a fallu quatre mois pour me remettre, rien que physiquement. À certains égards, j'avoue me sentir plus proche de ton frère, il me téléphone plus souvent aussi.

DOUZE

Dans cinq minutes, j'aurai fait mon deuil de mon ex-amant, non que j'aie pu croire un seul instant qu'il viendrait. Il n'y a de toute façon personne sur la glace, avec le dégel croissant. Les enfants sont à la patinoire, à l'écoute de radio FM 957, léchant des sucettes glacées vertes et violettes. Le trou dans la glace où les canards s'ébattent est en train de s'élargir ; à chaque boucle, je glisse un petit peu plus près de l'eau.

Me voilà debout sur la glace scintillante, la dent d'acier du patin vers le bas pour me stabiliser, quand il arrive tranquillement dans son long pardessus en laine, portant ses patins sur l'épaule, comme sur les vieilles cartes postales des Alpes d'il y a un siècle. Jusqu'au foulard frangé à rayures rouge et blanc. Sous le manteau, il est en costume-cravate. Il y a belle lurette que l'ombre a gagné la glace près de l'îlot, mais les rues résidentielles avoisinantes éclairent un peu les alentours. Il a laissé tourner le moteur de sa voiture au bord du lac ainsi que les phares pour éclairer sa route sur la glace, parce qu'il n'en a pas pour longtemps, à peine plus d'une minute. Il vient tout bonnement me chercher, il compte me ramener chez lui pour me consoler.

Vu de loin, en chaussettes à quelques pas de sa voiture, il n'est pas bien grand. Le voilà qui s'assied sur le muret ceinturant le lac afin d'enfiler et lacer ses patins. Il s'avance maintenant avec précaution sur la glace. Il n'est pas aussi novice que je le croyais, du moins dispose-t-il de la technique nécessaire pour me suivre, même si ses patins sont aussi neufs que sa voiture bleue au bord du lac.

Je ne m'étais pas préparée à ça. La persévérance et la vigueur de l'offensive sur glace de mon ex-amant suscitent en moi des sentiments mêlés. Je ne suis pas certaine d'assumer quoi que ce soit en ce moment. Tout bien considéré, c'est ma première expérience d'épouse au bord du divorce. En revanche, si l'on se montre bien intentionné à mon égard, doté de sensibilité virile et de force de persuasion, j'aurai du mal à rester indifférente.

Devant nous la glace est d'un bleu argenté et je suis prête à me lancer dans quelque figure, ridant la surface du lac d'une fine broderie à la lueur des phares. Là, je jouirai encore d'une certaine supériorité technique, bien que je sente qu'il se rapproche dans mon dos comme la pleine lune sur une mer de glace. Il essaie de me rejoindre et s'essouffle, je sens sa respiration dans le noir mais ne sais pas quoi lui dire. J'ignore encore si je l'accompagnerai chez lui parce que je ne sais pas davantage si j'aime mon ex-mari ; je tâche donc d'avoir une foulée d'avance. Si j'avais les deux possibilités écrites noir sur blanc sur une page d'épreuves à corriger, il suffirait de barrer l'une d'elles.

En jetant un coup d'œil par-dessus mon épaule sur la glace striée de blanc, je vois se dessiner un motif évoquant la jonction de la ligne de vie et de la ligne de tête au creux de ma main. Au fil des patins, je pourrais aisément continuer de tracer un message important à l'intention de mon partenaire et même, dans une volte-face, me laisser glisser jusqu'à lui, ciselant dans la glace ternie une ligne de cœur incurvée.

Au lieu de quoi, je me lance dans la direction du trou dans la glace. Les écouteurs aux oreilles et la musique à plein volume, je reserre mes cercles, me rapprochant de l'eau libre. Il essaie de m'appeler au téléphone ; ça sonne dans la poche latérale de mon pantalon.

Personnellement, je peux aisément éviter ce trou d'eau. La question est de savoir si je suis en train de le mettre en difficulté en m'approchant dangereusement de l'eau, si je cherche à créer du suspense inutile, pour gagner du temps, parce que je ne sais pas encore quoi lui dire. Même si je connais beaucoup de langues, peut-être trop, je n'ai jamais su spécialement me servir des mots, en tête à tête, face à un homme. Bien consciente qu'une phrase demande ordinairement un sujet, un verbe et un complément, et qu'il faudra au moins trois conjonctions pour lui donner toute sa complexité, ma maîtrise des mots ne va pas si loin, je n'arrive pas à les trouver, à dire le mot juste, celui qui compte. Je n'arrive même pas à dire à un homme les paroles indispensables telles que « prends garde à toi » et « je t'aime ». Dans cet ordre.

Au moment où il n'y a plus rien devant nous que le trou noir et qu'il est urgent de prendre une décision, la différence très nette entre mon ex-amant et moi apparaît ; je ralentis et me prépare à virer de côté, à décrire un demi-cercle, juste à la limite du trou d'eau ; lui freine à mort sur sa ligne droite, passant si près de moi que je ne parviens à l'esquiver qu'au prix d'un grand virage qui m'amène presque au pont.

Il m'attrape au moment où je fléchis les genoux pour foncer sous l'arche du pont et m'enroule dans son foulard fin de siècle. Je sens son souffle chaud sur mes paupières. Tout baigne dans une clarté rougeâtre et je suis, malgré tout, une femme dont le cœur bat la chamade. Je pourrais tout aussi bien m'en aller avec lui.

— Tu n'as plus envie de me voir ? demande-t-il, à bout de souffle.

— Si, j'en ai envie, mais c'est un moment un peu difficile, et puis je suis sur le point de partir en voyage, dis-je parce qu'à cet instant précis m'est venue l'idée que je devrais peut-être partir en voyage, justement.

Il demande s'il peut m'accompagner. Je réponds que c'est impossible.

— Est-ce que je peux venir te voir, alors ?

— C'est tellement loin, bien au-delà des antipodes, dis-je, surprenant non seulement les hommes de ma vie, mais moi-même aussi, par ce stratagème inattendu.

J'ajoute que je serai longtemps absente, comme pour accentuer le poids et le sérieux de mes paroles. Pour qu'il n'y ait pas de marche arrière possible.

— Mais je t'enverrai quand même des cartes postales.

Il se propose alors de préparer pour moi des spaghetti à la carbonara.

— Après, on pourra aller au cinéma.

Je réplique que c'est un peu tôt, à mon sens, pour
aller au cinéma avec lui.

— Alors on pourra y aller à la séance de dix
heures.

TREIZE

Mon mari se tient sur les marches, derrière une
pile de cartons. J'en compte dix, tous de même
taille, la plupart marqués au nom de la société pour
laquelle il travaille : des cartons fiables, avec un
fond solide. Il arrive toujours bien préparé pour la
tâche à accomplir, toujours précis et organisé. Moi,
je serais venue avec trois cartons de rebut, piqués au
passage à la supérette du coin, parfumés à la banane
et aux biscuits à la crème, en tout cas inadaptés au
transport de livres. Je l'aide à emballer, debout
derrière lui, tandis qu'il retire les livres des étagères.
De temps à autre, nous ouvrons un livre à la page
de garde pour voir s'il est marqué au nom de l'un de
nous deux ; la plupart de ceux que nous nous
sommes offerts mutuellement n'ont été lus ni par
l'un ni par l'autre. J'aurais juré que certains

bouquins lui appartenaient, mais je découvre à l'intérieur une dédicace à moi destinée – de sa main.

Les livres de voyages sont sur l'étagère du bas, toute une rangée – les meilleurs clients des agences de voyages n'ont pas d'enfants. Le schéma de nos achats est révélateur : *Explorateurs des Pôles, les Régions du Nord, Aventure groenlandaise, Mes années en Sibérie, l'Alaska inconnu,* tout l'hémisphère Nord s'engloutit dans les cartons. Je n'ai rien contre l'univers blanc de la banquise mais je préfère être pieds nus dans mes chaussures avec le moins de bagages possible. D'un point de vue climatique, il a toujours été pour le froid, et moi pour le chaud. Pendant qu'il contemple divers icebergs de teinte verte, je feuillette un ouvrage sur la faune d'une petite île des mers du Sud qu'il a laissé sur l'étagère. C'est tout le contraire pour la toilette, mes douches sont à peine tièdes, tandis que ses bains sont bouillants. Rien que cela suffirait à expliquer l'absence d'enfants, si je ne m'y étais employée systématiquement. L'avantage d'être une femme, c'est de pouvoir contrôler l'imprévisible.

Il feuillette parfois un livre ou bien en ouvre un au hasard et se met à lire en silence tout en remuant les lèvres. Chose que je ne l'ai jamais vu faire.

—Écoute-moi ça, dit-il.

Et il me lit à haute voix un extrait des vieux souvenirs d'un explorateur du Groenland, le combat avec l'ours blanc. Lire pour moi, ça non plus il ne l'a jamais fait. Il change, c'est un autre homme, il attend un enfant.

Je feins de ne pas le voir embarquer des livres que j'avais reçus à quelque distribution des prix, pour avoir été bonne en tout, pour n'avoir été particulièrement bonne en rien de spécial, pour avoir du mal à préférer une chose à une autre, pour ne pas savoir exactement ce que je voulais à cette époque de ma vie. Ce qui, dans le fond, n'a peut-être pas beaucoup changé.

Le soir, lorsqu'il s'agissait de choses que mon frère et moi n'étions pas censés comprendre, papa et maman s'entretenaient en danois. Ils s'étaient en effet connus au Danemark, à l'université populaire. «Han må da være en god elsker, der er í hvert fall noget hun ser ved ham » (Il doit être un bon amant, en tout cas elle lui trouve quelque chose) est la première phrase que je me souviens avoir apprise dans cette langue. À l'âge de cinq ans et demi, je pouvais à peu près me débrouiller pour parcourir le magazine Bo Bedre.

Quand j'avais six ans, j'ai tondu un jour la pelouse de notre voisin avec une vieille tondeuse à main. C'était un prof d'allemand qui prenait parfois chez lui des élèves recalés aux examens de fin d'année pour leur donner des leçons particulières pendant l'été. Au lieu d'un bon d'achat de friandises à la boutique du coin, je lui demandai de me donner deux leçons d'allemand en guise de salaire – parce que j'avais coupé

*l'herbe devant et derrière la maison. Il me proposa
donc deux séances de quarante-cinq minutes, le mardi
et le jeudi en fin de journée, après le départ de ses
autres élèves. L'enseignement se déroulait à la cuisine
et lorsque j'arrivai la première fois, il avait mis à
cuire des pommes de terre. Il vivait seul et savait qu'il
pouvait compter sur les boulettes de poisson que je lui
apporterais de la part de maman.*

*Une fois assise sur le coussin de la chaise à côté de lui
et le livre ouvert sur la toile cirée, il me montra l'image
d'un petit garçon aux cheveux blonds, en culotte
courte à bretelles, en train de ratisser le pré.* Das ist
ein Kind, *fut la première phrase que j'appris en
allemand. Il me parut singulier que le même mot,*
kind *(mouton en islandais et enfant en allemand),
pût signifier des choses différentes dans ces deux
langues, que les gens pussent ainsi l'utiliser inconsi-
dérément sans qu'il soit possible de se prononcer sur le
bien-fondé de leurs propos. Puisque le même mot
signifiait des choses différentes, deux individus pouvaient à la fois avoir raison et tort en même temps
sur le même sujet. Cela, je l'ai su dès l'âge de sept ans.*

*La leçon particulière tirait à sa fin et les pommes de
terres cuisaient à gros bouillon dans la casserole,
couvrant de buée toutes les vitres, lorsque le professeur
de langue montra du doigt l'image d'une femme nue
qui se baignait dans un ruisseau. Elle n'était pas dans
le manuel, mais dans une revue. Je n'eus pourtant
aucun mal à appréhender le rapport entre l'image et le*

texte. Das ist eine Frau, *dit-il.*

Puis il ajouta toujours en allemand : Eine heisse Puppe *(littéralement : une chaude poupée).*

J'aurais cru que les dix cartons suffiraient pour tous les livres que nous possédons, mais il en reste pas mal, près de la moitié.

— Ça ne te fait rien si je prends aussi celui-là ? Il est épuisé chez l'éditeur.

— Vas-y, je t'en prie, dis-je, même si cela me fait quelque chose.

— Il manque des pages à celui-ci, dit-il.

— Je sais, c'est moi qui les ai arrachées.

— Tu les as arrachées ?

— Oui, je les ai arrachées.

— Attends, attends. J'ai bien entendu ?

— Oui, ce livre est à moi, c'est moi qui l'ai acheté et j'en ai arraché quelques pages au fur et à mesure que je les lisais ; j'allais les donner et puis j'ai changé d'avis.

— Pourquoi est-ce que tu ne les as pas toutes arrachées ?

— Je n'ai pas lu le livre en entier, mais juste assez.

— À qui voulais-tu les donner ?

— Ça n'a plus d'importance maintenant, dis-je.

Il a l'air vexé.

Je ne me rappelle pas exactement comment ça s'est passé, si je l'ai heurté par mégarde en tendant la main pour récupérer le dictionnaire des synonymes que je venais d'acheter et qu'il avait emballé par erreur bien que l'ouvrage fût trop spécialisé pour lui être d'aucun usage, ou bien si c'est lui qui louvoyait avec un carton pour m'éviter.

— Pardon, dis-je.

— Non, c'est moi, dit-il.

Et au même instant, on entend des sirènes au dehors. C'est un fait bien connu que diverses circonstances extérieures, telles que la sirène d'une ambulance ou les girophares d'une voiture de pompiers peuvent susciter le rapprochement inattendu de deux individus face à une incertitude qui leur est étrangère et soulever quantité de questions commençant par qui, comment, pourquoi, combien, quel âge, interne ou externe. Le frisson provoqué par l'idée d'un crime inconnu ou des blessures dues à un accident peut rapprocher les gens, la compassion pour la victime peut même pousser les protagonistes d'un ex-couple à tomber de nouveau, pour un bref instant, dans les bras l'un de l'autre. À cette heure crépusculaire, il n'y a guère d'enfants en train de jouer dehors. Imaginons plutôt qu'il s'agisse d'un vieillard incapable d'ouvrir sa porte, qui ne sait plus manœuvrer le verrou de sécurité pour sortir, ou bien qui a dérapé sur le carrelage mouillé de la salle de bains après le passage de son aide ménagère.

Quoi qu'il en soit, sans crier gare, nous nous sommes retrouvés nus sur le canapé en cuir. Ce fut vite expédié. Après quoi je l'ai aidé à scotcher les cartons. C'est bien ça : dix cartons représentent la moitié des livres du foyer – mon mari est juste et précis. Nous nous commandons ensuite un repas thaïlandais que nous mangeons avec les fourchettes en plastique, directement dans l'emballage cartonné.

— Est-ce que c'est d'accord si je prends le canapé ?

— Mais bien sûr.

Alors Nína Lind s'assiéra dessus avec ses chips pour regarder la nouvelle série télé danoise, amour et adultère, sans soupçonner les antécédents du meuble ni sa contribution aux multiples jouissances de la vie conjugale. Elle ne sait pas non plus, bien sûr, que c'est moi la traductrice attitrée de la série. Pas de problème pour qu'il embarque son ensemble canapé et fauteuils aux coussins rembourrés, aux bras sur-capitonnés – ce n'est pas moi qui les ai choisis. Je suis plutôt pour la sobriété.

— Mais la table du canapé ?

— Oui, absolument, elle va avec.

— Et c'est bon si je prends le buffet ?

— Oui, je n'en ai rien à cirer.

— Tu as entendu la météo pour le week-end ?

— Non, pourquoi ?

— Nína et moi, nous pensions faire un tour à la campagne ; c'est la dernière occasion d'admirer les couleurs d'automne.

Jusqu'ici, mon ex-mari ne s'était jamais particulièrement exprimé sur les couleurs des saisons.

— Je crois qu'on annonce un réchauffement et de la pluie, dis-je, me rendant compte tout à coup que mes échanges avec les gens se résument pour l'essentiel à leur transmettre les prévisions météo.

— Je peux prendre les sacs de couchage ?

— On a oublié de les aérer cet été.

Les sacs de couchage sont encore attachés l'un à l'autre par leurs fermetures Éclair pour ne former qu'une grande poche pour deux, depuis le voyage en camping de l'été passé. C'est ainsi que le sac géant lui restituera mon odeur, des vestiges de mousse, l'odeur de la mousse, des vestiges de moi.

— Alors, je peux prendre les sacs ?

— Vous n'irez pas à l'hôtel ?

— Il se pourrait qu'il faille se contenter d'un hébergement de fortune.

Je ne comprends pas qu'il puisse y avoir de l'affluence dans les auberges en novembre, même les oiseaux de passage ont déjà quitté l'île depuis longtemps. Après dix allers-retours pour porter les cartons jusqu'au véhicule de sa société, il me tend la main, que je serre en lui souhaitant bon voyage.

— Merci beaucoup, dit-il, je ne t'oublierai jamais.

C'est la troisième fois en trois jours. Il faudrait lui signaler qu'il commence à se répéter.

— Je viendrai chercher le reste après le week-end.

Il a déposé son alliance sur l'étagère, sur la liasse des factures impayées. Il se retourne dans l'entre-bâillement.

— J'ai laissé l'after-shave que tu m'as offert dans la salle de bains, pour que tu ne m'oublies pas tout à fait, l'odeur est ce dont on se souvient le plus longtemps. Jusque sur son lit de mort, quand tout le reste s'est envolé, on sent les odeurs. Ah, encore une chose, ça ne t'embêterait pas de faire une machine avec ce qui reste de moi dans la corbeille à linge sale ?

QUATORZE

Après cette dernière machine à laver, il ne dépend plus que de ma propre conscience que je fasse ou non des lessives à l'avenir.

C'est relativement simple de séparer le linge propre sur les étagères, qui sont au nombre de huit dans l'armoire, quatre pour l'homme, quatre pour la femme. C'est une autre paire de manches quand il s'agit du contenu de la corbeille à linge sale, mes sous-vêtements en boule avec ses chemises, un caleçon d'homme contre un T-shirt à moi, des chaussettes dépareillées par-ci par-là, ce qu'on met à laver ensemble d'habitude, à la fois parce que c'est de la même couleur et aussi parce que nous étions mariés, parce que nous formions une unité. Mais il y a également des zones grises : que faire, par exemple, des housses de couette ornées de nos initiales entrelacées sous les ailes de deux colombes blanches brodées au point de croix ? Faut-il demander à maman de défaire l'ouvrage où elle a mis tout son cœur ?

Prise d'une sensation de faim, je jette un coup d'œil dans le frigo. Le spectacle des restes d'une oie et de son accompagnement s'offre à moi. Comme cela ne me semble pas être le plat qui convienne à une femme seule à un nouveau tournant de son existence, je décide d'aller faire des courses à la supérette.

On ne peut pas dire que ce soit mon genre de pleurer sur la voie publique, et c'est encore plus minable là où je me trouve, plantée au rayon des légumes à remplir un sachet de poivrons, à bonne distance du bac des oignons. Je suis là, pesant et soupesant dans mes mains un poivron jaune et un poivron rouge. Je laisse une main descendre et l'autre remonter, tenant les légumes en équilibre un instant sur mes paumes, telle une déesse nue cherchant la vérité avec sa balance. L'idée était de les mettre au four avec de l'huile d'olive et du sel. Le regard d'un homme se lève des champignons pour se poser sur moi, comme si j'étais cette même déesse aux yeux mouillés de larmes derrière ses lunettes de lecture. Une vieille femme tâte de ses mains osseuses quelques bananes bien mûres. Elle finit par en choisir deux tachetées qu'elle met dans le panier à côté d'un petit pot de fromage blanc.

Au moment où je noue la pochette des poivrons, j'ai déjà pris deux décisions importantes. D'une part, me procurer des lentilles de contact pour considérer carrément les hommes dispersés çà et là dans le magasin, d'autre part, partir momentanément en voyage dans des contrées lointaines, comme je l'ai annoncé par deux fois. En réalité, je n'ai jamais pris de vraies vacances d'été. Il n'y a d'ailleurs aucun obstacle à ce que je parte aussi longtemps qu'il me plaît ; je peux emporter mon boulot avec moi, changer de méthode et cesser d'imprimer, arrêter aussi de livrer à domicile. Mon gîte de travail près du port n'était, je m'en rends compte maintenant, qu'un prétexte pour avoir vue sur la cale sèche et les bateaux.

QUINZE

J'ai décidé ce que je vais faire quand le camion de déménagement aura fait sa marche arrière pour sortir de l'allée et que je serai seule dans l'appartement presque vide. Je vais prendre un bain.

J'attends cinq minutes de plus avant d'ouvrir le robinet et me déshabiller. Le placard du haut est vide et béant, instruments de rasage, savons et eaux de Cologne pour homme ont été évacués, mais il a tout de même laissé sa brosse à dents et son after-shave.

J'ai maintenant tout mon temps rien que pour moi, et peux faire ce qui me plaît. Je me sens vraiment bien toute seule ; le bain sera bientôt prêt. J'ajoute de l'eau chaude dans la baignoire et y déverse un cocktail composé du contenu de flacons que mes amies – principalement Audur – m'ont offerts en diverses occasions : huiles relaxantes, perles de bien-être, sels de bain énergisants, essences de romarin, camomille, lavande, jasmin. Je vais chercher la bouteille de cognac et la pose sur le bord de la baignoire.

La première heure, à la case départ d'une nouvelle vie, se prête bien à la détente du bain, à laisser l'eau baigner la nuque, caresser le visage, puis le cou, toute la personne, à laisser les sels mousser tout autour de son corps pâle. Se contenter de tremper au milieu de la baignoire et bannir toute pensée, toute image. Quelle mère de famille pourrait, à l'heure même où la plupart des maternelles ferment leurs portes, s'allonger dans un bain chaud et moussant, les yeux mi-clos, enveloppée d'eau, sereinement, en terrain neutre ? Un rebord de quinze centimètres me sépare du monde extérieur, des guerres et des scènes de ménage éventuelles.

Vue sous cet angle, je suis une femme sans traits particuliers ni cicatrices visibles, tout juste un grain de beauté minuscule sur sa peau pâle, des cheveux bruns, des yeux verts, ainsi qu'il est signalé sur mon passeport. Comme je n'ai pas à aider un enfant à se brosser les dents ni à enfiler son pyjama, ni à lui lire ensuite la même histoire pour la soixante-dix-neuvième fois, je pourrais tout aussi bien me faire couler un autre bain au bout de deux heures. Ou bien rester couchée là. La question que je dois toutefois me poser, c'est de savoir si on me regretterait au cas où je déciderais de ne plus refaire surface. Et aussi : une jeune femme peut-elle se noyer dans son bain sans crier gare, est-il imaginable de mourir d'un excès de félicité dans un bain moussant ? Et lui, en serait-il chagriné ? Est-ce que je rate quelque chose ?

Je me souviens avoir regardé la cane qui glissait sur l'eau et compté autant de canetons à la queue leu leu que j'en étais alors capable – quatre. Je sais aujourd'hui que les canes s'occupent des petits les unes des autres ; celle-ci pouvait donc avoir été la mère des deux premiers et son amie celle des suivants.

Mais je ne pensais pas encore ainsi parce que je n'avais que deux ans, ou moins ; j'étais si petite que l'on comptait encore mon âge en mois. Il n'y a pas si longtemps que j'ai entendu ma mère dire que j'avais vingt-deux mois. Mon frère qui, lui, a six ans, doit me garder, mais il est occupé à quelque chose de plus important : la pêche aux lançons. C'est pourquoi je suis toute seule à flageoler sur les dalles du bord du lac, au centre de la ville, dans mes bottes pointure 23, bien trop grandes en fait, parce que ce sont celles de mon frère, tout comme le pantalon bleu que je porte. Et puis je m'allonge sur le ventre et tends la main pour caresser le doux duvet. Je suis si petite que lorsque je vois les canetons nager devant moi, nous nous regardons dans les yeux et je suis loin de trouver ces pelotes jaunes plus petites que moi. Ils réunissent toutes les caractéristiques de ma propre famille, ils sont minuscules comme moi, doux comme ma mère et pelucheux comme mon père. J'éprouve une profonde empathie à leur égard, même si je ne connaîtrai la signification de ce mot que bien des années plus tard ; j'ai beau être la sœur de mon frère, je ne trouve pas invraisemblable d'être aussi une des leurs, nous sommes tous de la même famille, les canetons-pelotes et moi. Du fait que je suis une petite fille, je peux comprendre les autres êtres vivants et me mettre à la place de n'importe lequel, je peux m'adapter et me fondre dans mon environnement immédiat, je ne suis pas distincte du monde et il ne l'est pas de moi, le temps n'est pas entré en moi et les distances ne sont que des rides à la surface de l'eau, c'est pourquoi je peux émettre le même cri que le canard. C'est pourquoi je décide de rejoindre mes amis et me lance directement dans l'eau profonde. L'espace d'un instant, je marche sur l'eau verdâtre mais je coule aussi vite. Au-dessous de la surface, on voit les pattes palmées orange s'activer à qui mieux mieux.

Ce n'est qu'au moment où je commence à me noyer, où j'expérimente la mort pour la première fois, au moment où ma couche en tissu et mon pantalon se sont imbibés en grande quantité d'une eau vaseuse d'un beau vert clair, que je constate n'être point un canard, que je suis d'une autre espèce.

Désormais seule et à ma propre charge, il ne dépend que de moi de parvenir à attirer l'attention de celui qui tente de capturer des lançons pour les mettre dans un bocal. Mon sort futur de femme est entre les mains de mon frère.

Bien que mon âge ne se compte encore qu'en mois, j'appréhende à cet instant ce qui est au cœur de l'anti-thèse dans les relations entre homme et femme. Primo, il me faut éveiller l'intérêt du pêcheur, secundo gagner son admiration, et tertio faire en sorte qu'il réagisse favorablement. Tandis que je bois la tasse dans la vase au milieu de la ville, sachant qu'il ne sert à rien d'user des quelques mots que je connais officiellement, un autre facteur clé des relations humaines m'apparaît, à savoir qu'il y a loin entre l'intérêt et l'action, que l'ad-miration peut motiver dans certains cas l'absence d'initiative et même l'inertie. Les vaines attentes de la part de l'autre entraînent la déception et finalement la *destruction et la mort. Aussi impensable que cela puisse paraître aujourd'hui, je savais déjà alors, à deux ans à peine, que j'étais une future femme, une femme d'avenir.*

— Il cancane comme un vrai canard, dit l'agent de police qui finit par me sortir de l'eau.

Au moment où il me prend dans ses bras, un jet de vase verdâtre jailli de ma bouche l'asperge ainsi que son collègue.

— Ce n'est pas rien, ce qu'il a pu avaler comme eau, la voiture va être inondée.

Et là, chiffe molle pendue sur son épaule, je perçois qu'il y a un monde derrière les maisons colorées alentour et que c'est là que réside mon avenir. Loin d'être un chaos informe, l'univers se présente sous la forme de multiples strates, comme les anneaux qui rident la surface de l'eau, et je me découvre bien à l'intérieur des cercles. Plus tard, j'aurais à voyager loin et à boucler de nombreuses boucles.

— C'est pas un garçon, c'est une fille ! dit le collègue en m'ôtant le pantalon trempé.

Il m'enveloppe dans une couverture de laine brune avant de me porter à l'intérieur bien chaud de la voiture de police. Pendant ce temps, à l'avant du véhicule, mon frère unique manipule menottes et matraque.

Je baigne à moitié immergée, sans souffrir, ou si peu. J'ai à peu près accompli tout ce qui devait l'être et m'apprête à prendre mes congés d'été en novembre, qu'est-ce qu'une femme peut désirer de plus ?

C'est juste à ce moment où, étendue, les mains sur mes genoux mousseux qui émergent tels deux îlots des mers du sud, alors que je me creuse la tête pour trouver le moyen de rendre ma vie simple et accessible – juste au moment où je pense pouvoir enfin m'orienter en plein océan –, que le téléphone sonne.

J'ai la flemme de me hisser hors de la mer des Caraïbes avant la huitième sonnerie, personne d'autre que maman ne laisserait sonner si long-temps. « Tu aurais pu être en bas, dans la buanderie, en train d'étendre du linge », dirait-elle.

Ce n'est pas maman au bout du fil, mais un hom-me de la Société des sourds, un bien-entendant qui m'apostrophe par mon nom et me demande si je suis bien moi.

— Nous avons depuis peu adopté une nouvelle formule qui consiste à nous mettre directement en rapport avec les gagnants de notre Loterie de la Société des sourds, poursuit-il.

Et de m'expliquer que les chiffres du tirage d'automne ont été pour la première fois person-nalisés et composés avec le début des numéros de sécurité sociale, de téléphone et d'immatriculation de la voiture des acquéreurs de billets. C'est pourquoi il a le plaisir de m'annoncer que je suis l'heureuse détentrice du deuxième billet gagnant de la Loterie d'automne de la Société des sourds, dont le prix consiste en un chalet d'été complet avec cuisine américaine, terrasse et barbecue, intégralement construit par des artisans sourds. Le chalet étant prêt-à-monter, il peut être transporté où que ce soit dans le pays, pourrais-je venir le réceptionner dès que possible et, au plus tard, le quinze de ce mois ?

Je suis agenouillée, le récepteur à la main ; une traîne d'eau luit derrière moi sur le parquet du couloir. La petite table du téléphone est partie avec le camion de déménagement.

Il n'est pas impossible que ce billet soit en ma possession, du fait que j'achète tous les billets de tombola qu'on me propose. Pour trois motifs principaux : celui qui se tient sur les marches de mon seuil est bleu de froid ; il est trop jeune pour être tout seul dehors dans le noir ; ou encore il est en peine pour une raison quelconque, qu'il soit aveugle, sourd ou en fauteuil roulant devant un magasin. Ensuite, j'oublie les billets sans me préoccuper du tirage des numéros gagnants.

L'eau du bain est devenue tiède lorsque je m'y replonge, mais je ne pense pas à la réchauffer tandis que je réfléchis à la localisation éventuelle d'une résidence de vacances avec tout le nécessaire, dans ma nouvelle vie. Il ne faut pas se moquer du destin : en un seul et même jour, j'ai perdu mon foyer et, comme il est apparu, un passé bien rangé. Au lieu de quoi, voilà que je récolte une cabane en rondins toute neuve qui, certes, s'accorde mieux, pour des raisons évidentes, à un creux de lande islandaise ou à une toundra qu'à la forêt tropicale ou à la barrière de corail de mes projets d'avenir.

Bien que j'aie la chair de poule, je reste allongée dans mon bain, le bonheur a décru, je peux désormais distinguer mon corps à travers la mousse et souscrire à l'avis de maman qui me trouve fluette.

Je vois s'ouvrir de nouvelles possibilités, de nouveaux plans de voyage. Peut-être devrais-je tenter de découvrir l'île en hiver, profiter de la clarté déclinante, faire durer le jour si court, esquisser quelques pas hors de la voiture de temps à autre, dans la nature en friche, aller même jusque dans l'est du pays. Cela fait dix-sept ans que je n'y suis pas retournée. Pour une raison ou une autre, je n'ai pas eu l'occasion de repasser par là. Je n'ai pas davantage multiplié les sorties dans les champs de lave hérissée ni dans les dunes de l'île ; je me suis contentée des deux nuits de camping annuelles avec mon ex-mari dans des sacs de couchage jumelés, quelque part où il jugeait bon de rester allongé sous l'auvent de la tente, face à la végétation rase, avec une bouteille et le gril encore chaud devant lui, attendant que la bécassine des marais se taise un moment dans la nuit d'été pour qu'on puisse enfin s'endormir. Quand j'y repense, je ne crois pas être sortie de la ville au-delà du cimetière de Gufunes depuis début novembre. Je puis en revanche fort bien imaginer qu'après quelques centaines de kilomètres au volant d'une voiture, le ménage se fasse dans la tête, automatiquement et sans effort.

Rien ne dérange plus mes plans, sauf mon ex, manifestement toujours en possession des clefs. Le voilà qui passe la tête dans l'entrebâillement de la porte, alors que je suis encore en train de mariner dans mon bain.

— J'ai pris quelques casseroles, le wok et le mixeur, mais j'ai laissé le gril à croque-monsieur.

— D'accord.

— Bon, alors à bientôt.

Je le vois passer avec le costume de Père Noël plié sur le bras. Il avait eu beaucoup de succès au bal de Noël du personnel l'an dernier, lui, le seul employé sans enfant, comme il le souligna ce soir-là, avec des reproches dans la voix, à son retour à la maison. « Si tu en avais eu, tu n'aurais sûrement pas été choisi », fut tout ce que j'avais alors trouvé à lui répondre.

— Puisque je suis là, dit-il, je vais peut-être prendre une douche, vite fait.

SEIZE

Je ne comprends rien à mon ex. À peine a-t-il quitté les lieux avec tout le saint-frusquin que le voilà revenu chercher quelque chose. Tout le temps à oublier un truc ; la troisième brosse à dents qu'il vient chercher, c'est la mienne qu'il embarque à tous les coups, celle à peine sortie de son emballage que je viens tout juste d'étrenner. Je passe mon temps à en acheter de nouvelles pour qu'il puisse venir les prendre, ainsi qu'un livre sur l'accouplement des insectes et autres bagatelles.

Je n'arrive pourtant pas à saisir la raison qui le pousse à se doucher à chacune de ses visites.

Avant d'aller se laver, il met le disque avec notre air dans le lecteur et monte le volume assez haut pour l'entendre sous le jet.

Comme s'il n'y avait rien de plus naturel, mon ex se balade tout nu dans l'appartement, ceint d'une toute petite serviette qui ne cache que le devant ou le derrière, mais pas les deux. Comme on peut s'y attendre chez un homme jouissant d'une situation plutôt confortable, sa silhouette présente déjà les signes d'un certain renflement au niveau de la taille.

Il ouvre tous les placards sur son parcours à travers l'appartement, comme pour vérifier si une nouvelle vie a commencé d'y germer. Le fait est que la plupart sont vides puisque, Dieu merci, il a enlevé tout ce qui autrement y serait encore. Il reste peu de choses, à part ses poils noirs dans le bac de la douche. La prochaine fois qu'il viendra chercher une brosse à dents, j'aurai débouché la bonde. La question qui se pose à moi est la suivante : combien de temps les maris partis peuvent-ils continuer à venir prendre une douche ? Et s'il poursuit ce manège longtemps après s'être mis en ménage, de même que moi de mon côté, éventuellement avec un homme au torse glabre, comment ferai-je pour expliquer la présence répétée de ces bouchons de poils tenaces ?

DIX-SEPT

Au seuil d'une nouvelle vie, il est important de se débarrasser de tout ce dont on n'a pas besoin ; les vêtements qui n'entrent pas dans l'unique valise iront aux organismes de bienfaisance, de même que les meubles et les divers ustensiles qui me reviennent. Une demi-feuille de papier quadrillé suffit pour dresser la liste de mes biens, ce qui me procure un réel soulagement. Qui aurait pu soupçonner, au départ, que ma liberté serait si grande. Inutile de louer une camionnette : les cartons trouvent tous place sur le siège arrière de la voiture. Deux descentes au port, deux étages à monter et les voilà bien alignés le long du mur, en face du canapé-lit, dans mon studio de travail, jusqu'à ce que l'idée me vienne de les vider ou de déménager à nouveau. Je me retrouve avec le strict nécessaire, même si je n'arrive pas à mettre la main sur le batteur qui doit me servir à faire la mousse au chocolat quand Audur viendra en visite.

Alors que je bataille en bas pour ouvrir la porte d'entrée, un carton en équilibre sur le genou, mon voisin apparaît soudain sur le palier du premier étage. En chaussettes noires, il descend quatre à quatre les marches de l'escalier recouvert de lino récuré de frais qui embaume l'ammoniaque. Il me tient la porte ouverte et offre de coltiner les cartons jusqu'au deuxième étage. À vue de nez quinquagénaire, il sent l'alcool et l'after-shave. Tout en grimpant, il m'expose les éléments les plus significatifs de sa vie.

—Le petit avait trois ans à notre divorce. Dans dix-neuf jours, ça lui fera dix-sept ans. Il va passer son permis de conduire et, tous les deux, on ira à la chasse. C'est lui qui conduira la bagnole, tandis que son vieux père se prélassera sur le siège arrière avec sa flasque de gnôle. Quand je lui ai payé les leçons de conduite, on s'est mis d'accord là-dessus : il m'emmènera à la chasse aux oies, on aura alors l'occasion de se connaître comme il faut, de rattraper le temps perdu, ça fait longtemps qu'on y pense.

Le voilà maintenant qui entre dans la cuisine et sort de sa poche le mètre pliant pendant que je range les affaires.

— Si on déplaçait le frigo et si on enlevait la cabine de douche, il y aurait la place pour une petite baignoire, dit-il en mesurant l'endroit en hauteur puis en largeur.

Il tire de sa poche un petit carnet et prend des notes avec un crayon.

— Vous, les filles, vous aimez tellement les bains moussants, dit-il d'un air malicieux. C'est que les femmes, ça me connaît! ajoute-t-il en passant une main professionnelle le long du chambranle laqué blanc de la porte.

Il ne s'en faudrait que d'un petit degré dans le niveau de notre relation pour qu'il ait déjà commencé les travaux.

Peu de temps après, mon voisin frappe à nouveau, une bouteille de rhum Captain Morgan à la main et un cadre doré dans l'autre. C'est la photo d'un jeune échalas boutonneux, la mine ensommeillée, le toupet ébouriffé, les membres disproportionnés, avec, juste au-dessus des yeux, un bandeau qui n'arrive pas à cacher complète-ment de grandes oreilles. C'est tout juste si j'arrive à sortir quatre mots.

Je refuse poliment son rhum et le remercie une fois de plus pour son aide, impatiente de le voir tourner casaque. J'aimerais profiter de la solitude et méditer sur mes plans d'avenir les plus immédiats.

— Oui, je voulais seulement vous le redire : bienvenue à la nouvelle résidente permanente de l'immeuble. C'est toujours agréable d'avoir une dame dans la cage d'escalier.

Dix minutes plus tard, un livre de recettes sous le bras, il est de nouveau à la porte. Je lui refile deux œufs et du lait, sortis du sac à provisions.

À sa quatrième et dernière apparition, il apporte les crêpes roulées et le sucrier. Je pose mes papiers pour les réceptionner. Vêtu d'un anorak, mon voisin ne compte toutefois pas s'inviter car il est en route pour le vidéo-club. Il sort de sa poche le DVD qu'il va rendre et l'agite.

— Je ne peux pas dire que j'aie été emballé, dit-il.

Je connais ce film : *No Man's Land* parle de guerre sans victoires.

— On sait pas dans quel camp on doit être, il y manque autant le héros que l'ennemi. On sait même pas qui est l'acteur principal…

À l'appui de ses propos il indique du doigt la distribution sur la boîte. Puis il la renfonce dans sa poche et fait craquer ses phalanges.

— Bon, eh ben, vaut mieux le leur rendre, le DVD. Quand je suis seul, d'habitude, je me contente de faire des petites *lummur* à la poêle avec des restes de riz au lait.

DIX-HUIT

Mon petit chez-moi actuel fait trente-six mètres carrés, deux des murs sont d'un jaune qui rappelle le drapeau de je ne sais plus quel État sud-améri-cain, les deux autres sont violets – je n'ai pas touché aux couleurs quand j'ai emménagé. La plus grande pièce, où se trouvent le bureau et l'ordinateur, dispose d'un coin cuisine et d'une fenêtre qui donne sur le port. Dans la chambre attenante, il y a un canapé-lit, une table, un miroir et une télé Blaupunkt avec un écran seize pouces noir et blanc qui appartenait à maman. Je ne me sens pas mal du tout dans mon logement.

Le téléphone sonne trois ou quatre fois avant que je réponde.

Il me dit qu'il est en bonne voie de se remettre de la séance de patinage et qu'il a préparé du roastbeef, une salade de pommes de terre, débouché une bouteille et mis le couvert pour deux. Je lui réponds que je suis en train de me rétablir et que j'ai besoin d'être seule pour réfléchir à ma nouvelle vie. Je serai d'ailleurs assez occupée au cours des prochains jours, totalement même, car il me faut achever quelques travaux avant mon départ pour une durée indéterminée. Je ne lui dis pas que je songe à modifier mon itinéraire. Il demande alors s'il peut m'apporter le repas.

Après avoir raccroché, je retourne aux affaires sérieuses et m'empare du programme télé.

Kathleen est poursuivie par un homme. Elle inverse les rôles et se met à le pourchasser, il s'ensuit un accident qui aura pour effet de remettre l'homme à la poursuite de la jeune femme. Entre-temps, son ex-mari lui fait une scène.

J'éteins la télé et déplie le canapé-lit. L'un des fondements de la vie d'une femme est le sommeil. Je n'ai pas encore changé la housse de ma couette ; si j'y plonge le nez, je sens encore l'odeur de mon ancienne maison, du lit conjugal. Je ne vais tout de même pas me laisser aller à regretter un meuble et je change la housse de ma couette. Puis je secoue l'oreiller, le cale sous ma joue. J'ai devant moi huit bonnes heures et, dans la ligne de mire, une pile de travaux de traduction.

La première nuit est bonne, malgré l'absence de rideaux et l'ampoule du réverbère qui clignote au dehors ; les sons qui me parviennent par la fenêtre ouverte n'évoquent rien de familier, l'odeur est la même qu'au travail.

Des gens se parlent deux étages plus bas, si près que c'est comme si l'on me chuchotait quelque chose à l'oreille ; l'un est un homme, j'ai du mal à distinguer si l'autre est une femme. Le son reste suspendu en l'air.

— C'est comme je te le dis, il a sans doute peur.

— Tu es sûr de ne pas vouloir entrer prendre un thé ?

— Non merci. Pas question.

— J'ai du cake pour manger avec.

Je jette un coup d'œil furtif par la fenêtre, me penche peut-être un peu trop, oscillant comme sur une poutre de gymnastique, mais ne distingue rien. Incapable de m'endormir, je vais chercher un roman du siècle dernier, un drame familial qui s'étale sur trois générations et étend ses ramifications jusqu'au sud des Pyrénées. Je termine la première partie à quatre heures et demie et me lève pour me faire du thé et du pain grillé. Demain, j'achèterai du cake à la boulangerie.

Lorsque je m'endors enfin, je fais un de ces rêves totalement absurdes : j'y parle le gaélique ancien et lâche un bonjour du bout des lèvres à mon voisin sur le palier. Je tiens soudain une petite bouteille de Coca vide que j'ai envie d'aller vendre, mais je me retrouve alors sur un terrain bosselé, en pleine nature. Tout éveillée d'un coup, c'est l'heure où les premières brioches sortent du four, à la boulangerie d'en bas.

DIX-NEUF

C'est Audur au bout du fil.

À l'occasion de la nouvelle, entendue aux informations, selon laquelle les recherches en génétique ont révélé que la femme joue un plus grand rôle que l'homme dans l'évolution humaine, elle a l'intention de venir baptiser la cuisinière de mon studio de travail en y préparant le déjeuner – elle se présentera en conséquence demain avec de l'eau bénite puisée dans les fonts baptismaux de l'église où elle joue de l'orgue pour en asperger mon logis. Aussi, m'explique-t-elle, parce qu'on invite tout le temps les ex-maris à manger, on s'en occupe, on leur demande si l'on ne peut pas passer la serpillière chez eux. Le front de soutien dispensateur de soins aux hommes est étonnamment bien fourni en mères, sœurs, amies, femmes d'amis, ex-épouses, amies d'ex-épouses, ex-belles-mères et sœurs d'ex-belles-mères. On dit aux nouveaux divorcés d'apporter leur linge sale, on peut toujours faire tourner une ou deux machines à laver pendant qu'ils savourent le repas. Et puis les enfants passent la nuit chez leurs hôtes pendant que les papas sortent entre copains. Audur parle d'abondance, chaque paragraphe se subdivise en nombreuses subordonnées ; à tous autres égards, elle est adorable.

Il s'est mis à pleuvoir et le verglas est redoutable. Juste avant l'arrivée probable de mon amie, je fais un saut au magasin ; outre le café et un cake, il manque du gros sel pour saupoudrer les marches verglacées, en pensant au facteur à bandeau rouge qui donne un coup de sonnette quand les épreuves à corriger n'entrent pas dans la boîte aux lettres et qui cause volontiers de ce qui lui tient le plus à cœur : le saut à la perche.

De retour, cheminant sur le trottoir, mon sac en plastique à la main, je trouve mon amie, la belle musicienne, assise de guingois sur les marches non déblayées et non salées qui mènent à la porte d'entrée. Elle se tient le pied. Elle est tombée sur une plaque de verglas ; son pied gauche forme un angle anormal au-dessous d'elle. Elle me fait quand même signe de la main avec un sourire crispé. Accroupie à ses côtés, la première idée qui me passe par la tête est de remplir mon devoir civil en tirant la boîte de sel du sac à provisions afin d'en saupoudrer l'espace autour d'elle pour délimiter un périmètre. Comme on fait quand on dessine à la craie la silhouette des cadavres dans les séries policières écossaises dont je suis la traductrice officielle. Je tracerais alors en blanc les contours d'une femme à son sixième mois de grossesse qui marchait sur le trottoir devant mon logement provisoire.

— Ce ne sont sûrement que les ligaments, dit-elle, tandis que nous contemplons l'enflure anormale de sa cheville gauche.

J'éprouve un profond sentiment de culpabilité et je pense alors – Dieu sait pourquoi – au rêve de la nuit passée. Je m'entends dire que tout ira bien et je lui demande si elle peut marcher. Il lui est impossible de poser le pied à terre, j'essaie de la soutenir pour l'aider à se remettre debout, mais elle s'effondre avec un gémissement étouffé, si bien que je monte en courant appeler une ambulance.

Ils l'ont emballée dans une couverture de laine sur le brancard, les courroies serrées au-dessous de son gros ventre rond devenu soudain énorme, comme un ballon gonflé sous le plaid. Elle tourne la tête en direction d'un sac en papier brun sur les marches.

— Pardon, dit-elle, je n'ai apporté que du prêt-à-réchauffer. Je te promets de faire moi-même la cuisine la prochaine fois.

La souffrance crispe son visage tandis qu'on emporte le brancard, je l'accompagne jusqu'au véhicule. Elle me presse la main pour me dire adieu.

— Je voudrais te demander d'aller chercher Tumi à la maternelle et de le garder pendant le week-end, je te fais confiance. Je préfère ne pas mêler maman à tout cela, pas tout de suite, à cause de son hypertension. La seule chose à laquelle il faut faire attention, c'est qu'il est somnambule : il est capable de pousser la porte pour disparaître au coin de la rue, et même de se mettre en danger : je l'ai retrouvé une fois là-bas, tout près du lac. Il ne faut surtout pas le faire sursauter dans ces cas-là.

Je lui dis que je m'en occuperai de mon mieux.

— Il aime bien qu'on lui mette une mèche de cheveux sur le visage au moment de s'endormir, ajoute mon amie à la longue queue de cheval. Il me semble même que ça diminue le risque de le voir marcher dans son sommeil.

— J'y penserai.

— *Hakouna matata !* me crie-t-elle. C'est du swahili et ça veut dire : « T'en fais pas », ça vient du *Roi Lion*, son film préféré.

Elle me salue de la main, souriant jusqu'aux oreilles.

Je reste plantée au milieu de la gadoue non salée, dans la clarté blafarde de midi, avec dans les bras du riz complet, un plat de légumes bio, de la compote d'abricot en petits pots de carton.

Plutôt que de ne rien faire, je secoue le paquet de sel au-dessus des marches.

VINGT

Sans vouloir aggraver les soucis d'Audur, compte tenu de la situation, il faut qu'il soit dit clairement et sans détours que je ne m'y connais pas du tout en matière d'enfants. Je n'avais ni frère ni sœur plus jeune que moi. Le quartier implanté de longue date où j'ai été élevée était surtout peuplé de gens âgés ; personne ne venait me demander de garder des petits cousins ; à la campagne dans l'est du pays, les gosses étaient du même âge, il n'y avait pas de petits pour se mêler de nos affaires dans le grenier de la grange.

Le ciel et, il faut l'espérer, le Tout-Puissant au-dessus de ma tête, je me mets en route pour la maternelle. Tout un week-end c'est sacrément long, seule avec un enfant, on peut dire que c'est un service de garde permanente, quarante-huit heures d'affilée, sous responsabilité continue. Il faut compter au minimum huit repas, dont quatre chauds, brossage des dents cinq à six fois, impossible de s'organiser au-delà d'une demi-heure ; les jeux d'un enfant ne dépassant pas cinq minutes, il s'agit d'inventer toujours autre chose. J'imagine que tout se trouve ralenti et qu'on ajourne le reste de ses occupations.

La Maison des petits nains porte bien son nom – la construction en bois, basse et multicolore entre de hauts immeubles, contraste avec l'environnement. À l'intérieur, tout est à l'échelle, le monde s'est nanifié, on pénètre ici comme Gulliver à Lilliput en faisant bien gaffe à ne pas poser le pied sur le petit peuple qui y mène sa petite vie de huit à dix-sept heures, cinq jours par semaine.

Je le remarque tout de suite, il se distingue du groupe par sa tête singulièrement grosse par rapport au tronc fluet, les omoplates un peu en arrière. Équipées d'un appareil auditif vieillot pour un si jeune enfant, les oreilles décollées dépassent des cheveux : sa maman m'a expliqué qu'il tient à les garder longs, pour couvrir les oreilles. Né deux mois et demi avant terme, il est nettement plus petit que les gosses de son âge ; les proportions du tronc sont également étranges, un petit vieillard dans un corps d'enfant.

« Je lui achète en général des vêtements de deux ou trois tailles au-dessous de son âge ; il n'y a guère que les tailles françaises qui lui aillent », déclare Audur.

En outre, le garçonnet porte des lunettes attachées derrière les oreilles par des branches à ressorts qui voisinent avec les prothèses auditives. Les yeux remplissent presque les verres correcteurs. À ce que m'a dit Audur, son aspect attire l'attention et suscite souvent la compassion, en particulier des vielles dames qui lui donnent parfois un bonbon tiré de la poche de leur manteau.

Tumi me reconnaît aussitôt et se montre visiblement satisfait de me voir, il entoure ma taille de ses bras l'espace d'une seconde et lève les yeux sur moi d'un air concentré pendant qu'il s'exprime, attendant patiemment de ma part compréhension et reconnaissance de son existence. Comme j'ignore la langue des signes, il s'efforce de parler clairement, ainsi exagère-t-il chaque mouvement des lèvres pour constituer un son dont il n'entend lui-même qu'une infime partie, et c'est la même application pour chaque mot. Néanmoins sa voix résonne bizarrement et j'ai du mal à le comprendre ; je m'accroupis pour que nous puissions au moins nous regarder dans les yeux pendant qu'il s'exprime.

— Aujourd'hui, le thème de notre journée était le champignon, traduit la maîtresse d'école, bien que je sois sûre que Tumi est en train de me raconter tout autre chose.

Peu de gosses ont voulu manger les champignons au menu du déjeuner et l'un d'eux pris de nausée a même vomi sur la table. Elle m'éclaire davantage sur l'affaire : cette semaine, l'école travaille sur le sens du goût en lien avec la mondialisation, avec le concours de la Maison de tous les peuples.

— Nous privilégions ce mélange de national et d'international maintenant que les frontières s'ouvrent aux investissements ; on propose un buffet garni de toutes sortes de bonnes choses piquées de cure-dents, ainsi les petits doigts peuvent-ils approcher les olives noires, la baleine aigre, la mozzarella, la feta, le fromage de chèvre français, le boudin de mouton, le poisson séché et les champignons.

Le petit me remet consciencieusement quelques

dessins de champignons, vus d'en haut et de côté, comme pour illustrer le récit de son institutrice. Il tient un sachet en plastique contenant deux champignons qu'on a coupés en deux pour observer l'intérieur.

Les questions exigeant une solution rapide se pressent en moi. Par exemple, deux champignons suffiront-ils au repas du soir d'un enfant de quatre ans ? Dois-je l'aider à enfiler sa combinaison imperméable ou en sera-t-il vexé ? Veut-il plutôt s'habiller tout seul ? Et ce qu'il veut, est-ce ce vraiment mieux pour lui ? Cela va-t-il de pair ? Dans le cas contraire, comment ferai-je pour voir la différence ?

Audur a téléphoné à l'école avant mon arrivée et la maîtresse semble vouloir me mettre au parfum de manière détaillée.

— Nous avons pour ligne directrice, ici, à la Maison des petits nains, de considérer que chacun est unique et différent. Nous croyons en la force de ceux qui sont faibles, qui ont dû surmonter des épreuves et qui, d'une certaine manière, se révèlent plus forts que les autres. Quand un sens fait défaut, un autre prend le relais et devient ultrasensible, comme l'ouïe chez les aveugles, par exemple, ou la vue chez les sourds.

Je n'ose mentionner dans une même phrase les lunettes et les prothèses auditives de Tumi.

— Si on est différent, on peut aussi ne pas être tout à fait comme les autres, lance une petite bonne

femme bien éveillée en train d'enfiler ses chaussettes en laine.

— Exactement, Geirthrúdur ! confirme la maîtresse avec fermeté. Nous travaillons là-dessus en
groupe.

— Moi, j'ai des taches de rousseur et mon grand-
père a le cancer, poursuit la petiote.

— Exactement, voilà le hic.

D'un geste, il est signifié à l'enfant que son
apport à la conversation est terminé. L'institutrice
se tourne à nouveau vers moi.

— Nous avons un enfant dont le père est séné-
galais et puis, bien sûr, Tumi qui est très
malentendant, nous avons une foule d'individus
hyperactifs ou souffrant de troubles du développement, des enfants à gros surpoids et quelques-
uns de parents homosexuels.

Je m'enhardis enfin à vêtir Tumi de sa combinaison imperméable et de la cagoule qu'il me tend
– ça au moins, je sais le faire. La température a
augmenté de huit degrés depuis la veille.

— Si l'on en croit la météo, dit l'enseignante, il
faudra encore mettre le pantalon imperméable la
semaine prochaine, on aime tellement les flaques,
pas vrai Tumi ?

Elle pivote une fois encore vers moi et chuchote
du ton de la confidence chaleureuse :

— Certains détestent se bagarrer, d'autres
adorent patauger. À dire vrai, le manque de contact

de Tumi avec ses petits camarades nous donne du souci, il préfère de loin s'isoler ou alors il joue dans le coin aux poupées avec les filles. Nous travaillons à fortifier son ego mais il refuse absolument de se battre, il n'y a nulle trace en lui du chasseur ou du conquérant, il est toujours au dernier rang du groupe, évitant les affrontements. S'il était un phoque, il serait le premier à être tué par les mâles et n'arriverait jamais à se reproduire. Il faut que l'agressivité trouve un exutoire de bon aloi pour qu'on puisse la canaliser de manière créative et nous avons essayé divers moyens d'aguerrir Tumi. Même si les armes ne sont pas tolérées, nous fermons les yeux quand les garçons se servent de bouts de bois en guise de fusils. Tumi, lui, fait parler les bouts de bois entre eux en langue des signes : ce sont le grand-père et la grand-mère.

« Pan ! Je suis morte », dit-elle alors au petit.

Elle se laisse tomber par terre, ou plutôt s'affaisse sur les genoux, puis décide d'en rester là. La voilà de nouveau sur pied, essuyant la poussière de ses genoux. Elle sourit avec chaleur.

— Les garçons aiment bien jouer aux gendarmes et aux voleurs.

Tumi se glisse derrière moi.

— Pas Elísabet et moi.

— Ni Elísabet ni lui, traduit pour moi l'institutrice. Ah non ? Elle me regarde droit dans les yeux tout en s'adressant au garçonnet : Mais Illugi Már, lui, il aime bien se faire tirer dessus, il aime bien faire semblant d'être mort, pas vrai ?

VINGT ET UN

Audur m'appelle alors que nous sommes en route vers le magasin pour acheter les éléments de base du week-end, nous constituer un fonds pour le petit. Elle dit être encore en observation, avec un bandage compressif au pied, on examine à présent d'autres parties de son corps, le milieu, qui est du ressort d'un autre service et d'une autre spécialité. Elle ne peut pas parler longtemps et veut savoir si tout va bien avec l'enfant.

Elle baisse la voix :

— Ah, encore une chose. Pourrais-tu m'acheter une bouteille de rouge, dans le service 22 B on ne nous donne que du lait à boire avec les repas.

Il n'y a pas à s'y tromper quand il s'agit de savoir qui sont les papas de week-end. Bien qu'ils n'aient pas encore acheté à manger à sept heures et demie le vendredi soir et qu'ils doivent ensuite rentrer à la maison et cuisiner pour les enfants exténués, ils prennent quand même le temps de me prêter attention, de me dédier des regards lourds de sens par-dessus les rouleaux de Sopalin. Moi aussi, je les suis des yeux, mais pour des raisons purement pratiques : je regarde ce qu'ils achètent et comment ils s'y prennent. C'est pourquoi j'en épingle un dans le lot, avec deux enfants timides en combinaison imperméable assis dans le caddie, et je lui emboîte le pas. Je note sa façon de ranger les marchandises en commençant par les bords du chariot, de les jeter ensuite sur le côté près des enfants, puis de ranger sous leurs genoux la faisselle, le fromage blanc de Superman, les bananes, les saucisses Youplà, le fromage des Filous, le pain des P'tits coquins, le lait des Mouflets, le pâté des Bouts de chou, les nouilles alphabet, les biscuits Mignons ; il glisse les sachets de charcuterie entre les mioches et empile les rouleaux de Sopalin à leurs pieds, sur les bottes.

Lorsque j'essaie de me remémorer comment c'était d'être enfant, il ne me revient pas grand-chose de marquant. J'ai tout de même l'idée d'acheter des flocons d'avoine parce que papa préparait toujours du porridge le matin pour mon frère et moi ; c'était probablement la seule chose qu'il savait faire. Et puis j'ajoute quelques pilons de poulet grillés, tout simplement parce que le petit me fait comprendre qu'il en a envie. Il pointe ensuite le doigt sur un bocal d'olives ; il veut des olives avec le poulet. Une fois arrivés dans la queue près de la caisse, j'ajoute encore une poupée Barbie de sexe masculin en tenue de plage avec un enfant dans les bras, parce que je vois qu'il la regarde longuement. Si mes souvenirs sont justes, l'enfance se résume à avoir envie de choses qu'on ne peut pas obtenir ; je ne laisserai pas cela arriver au protégé dont j'ai la responsabilité pour un week-end. C'est bien moins compliqué que je ne pensais de faire les courses pour un enfant : j'achète simplement ce dont il a envie, il opine du bonnet ou secoue la tête alternativement. Sur le chemin de la maison, je m'arrête au vidéo-club du coin. J'ai de la chance : c'est moi qui ai gardé le lecteur de DVD, Nína Lind en avait un neuf. Pendant que je tourne entre mes mains deux films que le travesti préposé à la vente recommande chaudement – l'un comme l'autre pour célibataires ou divorcés, dit-il –, le petit a vite fait de choisir la sienne.

Je pénètre ensuite dans la petite boutique adjacente où un jeune homme aux cheveux dressés en cône avec beaucoup de gel est chargé de la vente des billets de loto. Le petit choisit les chiffres, je le soulève au niveau du comptoir et il coche cinq cases en professionnel, à l'aide d'un crayon mal taillé.

— On partagera fifty-fifty, lui dis-je, tu auras une moitié et moi l'autre.

Il est trop occupé à soigner l'écriture et ne remarque même pas que je lui parle.

— Le gros lot est septuple et les chances sont toujours des chances, aussi faibles soient-elles, glisse le jeune homme, apparemment plus mûr que ses boutons ne le donnent à penser.

Nous ressortons avec *le Roi Lion* et *la Pianiste*, chef-d'œuvre sado-masochiste déconseillé aux âmes sensibles mais, comme l'annonce le coffret, tout simplement inoubliable pour celles qui le sont moins.

VINGT-DEUX

J'enlève ses chaussures au petit garçon. Il a l'air content et en moins de deux, s'est déjà trouvé deux cachettes dans le petit appartement : la cabine de douche et l'unique placard. Il manifeste aussitôt un intérêt exclusif pour les cartons et je lui signifie qu'il peut bien regarder ce qu'il y a dedans. Puis il apparaît brusquement devant moi, tenant à deux mains un verre d'eau rempli à ras bord, qu'il dépose sur la table. Il hésite en se caressant le lobe de l'oreille, puis glisse la main dans la manche de mon pull, cherchant le coude, il caresse enfin de sa paume d'enfant mes cheveux courts. Il disparaît et revient aussitôt avec un peigne et des ciseaux, s'immobilise devant moi, l'air interrogateur. Pour l'instant je comprends tout.

— Tu peux me peigner, dis-je, mais pas couper. Je laisse pousser mes cheveux.

Jusqu'ici, nos échanges se sont déroulés sans heurts, au-delà de toute espérance. Je sens croître entre nous de la compréhension et même une communion de pensée. Une femme avec un enfant n'a nul besoin d'autre compagnie.

Après avoir regardé une fois et demie *le Roi Lion* avec lui, je l'installe pour la nuit sur le canapé que j'ai la flemme d'ouvrir en version lit. Nous partagerons un édredon ; il mâchonne un coin de l'oreiller, suce le bout de la housse de couette. Lorsqu'il s'endort enfin, je me lève pour aller verrouiller la porte d'entrée et parer ainsi au risque de le voir s'échapper. Il a empilé les livres des cartons en deux hautes tours sur le plancher.

Pluie et vent. Il y a quelque part un vantail de fenêtre qui bat, qu'on a oublié d'accrocher ; il se pourrait que l'occupant des lieux travaille de nuit. Mon balcon, qui en temps ordinaire a place pour un tabouret de cuisine plus un livre, est inondé – l'évacuation est bouchée, l'électricité vacille. Tout est une question de responsabilité quand on est avec un enfant. Dès qu'il s'est endormi, je sors dégager le balcon de la bouillasse et de la glace pour que mon logis provisoire ne soit pas inondé. Dans la maison d'en face, une femme armée d'une pelle à poussière fait le même travail ; il semble y avoir à chaque étage une femme qui ne dort pas et qui lutte contre les éléments dans sa maison imbibée d'eau.

Le petit est agité; il repousse la couette de ses jambes chaque fois que je le borde. J'ai peur qu'il n'attrape froid, c'est pourquoi je me tiens éveillée et fais les cent pas en étudiant son sommeil. Sa respiration me donne du souci, il me semble qu'elle ralentit anormalement, comme s'il retenait son souffle ou avait cessé d'inspirer. J'évalue sa respiration par rapport à la mienne en état de relaxation, mais ce n'est pas comparable. Et puis à l'instant où je m'apprête à intervenir, il inhale l'air soudain très profondément tandis que sa poitrine s'élève et s'abaisse de manière distincte. Je replie la couette un petit peu pour suivre les mouvements de la cage thoracique de mon protégé, bien que je ne perçoive aucun souffle à hauteur du visage. Il me faudra la moitié de la nuit pour comprendre ce qu'est la respiration d'un enfant, avant que je m'endorme enfin par terre au pied du canapé avec un coussin, sous une couverture de laine à carreaux.

Lorsque je me réveille, il me semble n'avoir fait qu'un petit somme. Mais le matin sombre s'est levé et je m'occupe à nouveau d'un enfant qui ne m'est pas apparenté. Je me brosse les dents sans allumer la lumière et ouvre le robinet de la douche. Enfin je vais chercher l'enfant endormi, lui enlève son pyjama; il tremble, tout nu sur le sol froid, même si j'ai posé sur lui mon pull l'espace d'un instant. Je l'emmène donc, tout pâle, sous la douche et le savonne de haut en bas. Le petit commence par protester, puis tout à fait réveillé, il se met bientôt à taper des pieds dans l'eau en applaudissant. Je le soulève pour le poser sur un tabouret avant d'essuyer la buée du miroir afin qu'il puisse se voir tandis que je le peigne et m'applique à lui faire la raie sur le côté. Ses cheveux dégoulinent dans la nuque. Je n'y connais vraiment rien aux enfants mais j'essaie d'exécuter correctement la mission qu'on m'a confiée. C'est la même chose pour maman, qu'on ne peut guère qualifier d'amie des chats – elle prétend même leur être allergique –, elle ne ferait jamais de mal à un matou, tapotant ou caressant tous ceux qui viennent se frotter contre elle, allant jusqu'à leur servir du lait crémeux sous l'auvent de l'entrée.

« Il avait l'air tellement mal en point, le pauvre », dira-t-elle en se débarrassant des poils du félin.

Abandonnant derrière moi une serviette trempée sur le sol, je cours chercher les vêtements du petit et fais sur lui un signe de croix alors qu'il ne me viendrait d'ordinaire jamais à l'idée de me lier à la divinité de pareille façon ; je l'enduis de crème et dépose derrière ses oreilles une goutte d'eau de Cologne pour homme dont le flacon est resté en ma possession. Enfin je lui enfile un collant, un pull, et l'assieds devant moi près de la table dans le coin étroit de la cuisine.

Les matins d'hiver sont silencieux et sombres. Le temps s'est calmé ; comme si, au lendemain de la dépression qui a balayé l'île, une torpeur s'était abattue sur les hommes marquant l'arrêt de la vie active, comme si tout était au degré zéro et que chacun dormait encore du sommeil de la Belle au bois dormant. Je prépare du porridge et du café. Il est juste en train d'enfourner la quatrième cuillerée lorsqu'il pointe l'index vers la pendule au-dessus du réfrigérateur et lève quatre doigts de la main gauche, puis trois doigts de la main droite et un de la gauche et enfin les deux pouces en hochant vigoureusement la tête dans la direction de la pendule murale. Il n'y a pas à s'y tromper, elle affiche quatre heures sept, et incontestablement il fait encore nuit noire.

Je le ramène donc sous l'édredon avec moi, vêtu de son collant. Il ne sert à rien de rester couché tout éveillé, alors j'allume la télé et introduis un DVD dans l'appareil. Le billet de loto est resté dans le sac en plastique. Un peu plus tard, je stoppe le déroulement de l'histoire en pleine action, au moment précis où l'héroïne est en train de se couper les veines avec une lame de rasoir sur le bord de sa baignoire, car il m'est venu tout à coup à l'idée de regarder le numéro au dos du billet et d'appeler le répondeur automatique.

— Un seul joueur a tous les bons numéros. Il gagne le gros lot intégral, dit la voix d'hôtesse de l'air dans le combiné, quarante-quatre millions cinq cent vingt-trois mille six cent vingt-deux couronnes.

Sur le billet, j'entoure d'un rond les chiffres de la troisième rangée et téléphone de nouveau à la voix. C'est la même qu'avant et ce sont les mêmes chiffres. L'idée me prend d'aller voir si la bouillasse a disparu du balcon, puis d'aller à la cuisine boire un verre de lait, puis de vérifier si les lumières sont allumées dans les maisons alentour, puis de m'asseoir pour regarder la suite du film.

Cette fois ce n'est ni le père de cinq enfants, avec une pension d'invalidité et en situation de faillite après avoir cautionné l'emprunt de son ex-beau-frère, ni la bonne grand-mère, domiciliée à Selfoss avec onze petits-enfants pour la plupart en train de fonder un foyer et ayant besoin de ci et de ça, qui ont acheté un billet cinq minutes avant la clôture et qui partagent entre eux le plus gros lot de toute l'histoire du Loto islandais, mais c'est une femme relativement jeune, laquelle partage sa chance avec un petit garçon de quatre ans, sourd et devin, à la vue déficiente et pourvu d'une jambe plus courte que l'autre de trois centimètres, ce qui rend sa démarche saccadée lorsqu'il n'est qu'en chaussettes. On ne peut pas dire, en revanche, que cette femme soit vraiment en difficulté au sens conventionnel du terme, bien que sur le point de redevenir célibataire, ni qu'elle ait en aucune façon un besoin particulier du gros lot.

S'il s'agit de la loi du pur hasard, on peut escompter que, de même qu'il est possible de

souffrir de déveine deux fois de suite, on peut bénéficier de la chance à deux reprises. L'infortune
suscite parfois des malheurs à la chaîne, de même
que la veine peut attirer la veine.

« Les probabilités statistiques qu'une femme
maîtrisant onze langues, dont plusieurs slaves,
puisse gagner à deux loteries à la fois sont néanmoins infimes, d'un ordre comparable à celles de
rencontrer un elfe dans un récent éboulis rocheux
sur la Nationale 1, dira mon amie Audur. Mais,
ajoutera-t-elle, dans certaines conditions et pour de
rares élus, ces infimes probabilités peuvent devenir
la réalité pure et dure. »

VINGT-TROIS

Ma mauvaise conscience ne s'est pas encore
dissipée lorsque je vais la voir à l'hôpital, c'est
pourquoi il y a un grand bouquet de roses blanches
sur le siège avant, de la part de son petit garçon,
avec le dessin d'une trompette. Il est clair pourtant,
comme Audur le fait remarquer, qu'elle a eu
beaucoup de chance de se tordre la cheville sur les
marches de mon escalier, sinon les médecins ne lui
auraient pas découvert une déformation du bassin,
des contractions douloureuses, un début de dilata-

tion du col et un taux de tension artérielle bien trop élevé. Il est évident, en tout cas, qu'elle ne quittera pas l'hôpital de sitôt.

Elle se tient sur le seuil, dans une sorte de camisole dûment marquée « propriété de la blanchisserie de l'Hôpital national » ; sous sa chemise de patiente, je vois qu'elle a mis un gros pull, comme si elle allait partir pour le week-end dans une maison de campagne. Son pied droit dans une chaussette de laine, le gauche emmailloté d'un bandage compressif, elle se comporte exactement comme si elle était poursuivie par un gang impitoyable de truands endurcis, comme dans un film américain sur la mafia. Elle attend de moi que je participe au spectacle et que je démarre en trombe, la portière grand ouverte, avant même qu'elle soit tout entière montée à bord. Ça prend pas mal de temps de l'installer confortablement, les genoux écartés comme ceux d'un vieux loup de mer, le nombril proéminent au travers du pull tricoté dont le motif est tout distendu sur son ventre dilaté qui semble atteindre le tableau de bord à six mois à peine de grossesse. Elle trouve que c'est mieux d'être assise comme ça, le ventre entre les genoux.

— Il y en a deux, dit-elle sans ambages avant d'avaler sa salive. C'est comme avoir l'abdomen rempli de chatons, je ne peux plus me coucher sur le ventre, les bras autour de l'oreiller.

Je m'efforce d'envisager les conséquences de cette information sur le sort de mon amie et de mon protégé de trois nuits. En même temps, j'essaie de poser des questions sensées.

— Tu as eu la permission ?

— Personne ne le remarquera si je m'esquive un moment. Tu as apporté la bouteille ?

Je conduis et mon amie me dit où je dois tourner. Nous passons pour la quatrième fois devant l'église et descendons la rue Skólavördustígur ; elle a déjà éclusé plus de la moitié de la bouteille de rouge. Un tel comportement se justifie dans mon esprit par le fait que les femmes de France et d'Italie mettent au monde des enfants bien portants depuis des siècles et ne souffrent probablement pas d'anémie autant que les femmes des pays nordiques. Sagement assis sur le siège arrière, une boîte de raisins secs enrobés de chocolat sur les genoux, le petit suit des yeux sa mère qui boit au goulot. L'accordéon qu'elle m'avait demandé d'apporter est sur le siège à côté de lui.

— Je voudrais te demander de me rendre un grand service.

Je sais d'avance ce que c'est, j'ai de l'expérience en la matière, comme lorsqu'elle est partie à Amsterdam pour un stage de musique de cinq semaines. Elle va me demander de payer pour elle les factures qui sont sur l'étagère dans l'entrée, de lui ramener toutes sortes de crèmes, de petits trucs et de machins, d'arroser les fleurs, le yucca dans le coin de la télé – deux cruches entières, il faut détremper la terre et la laisser bien sécher entre deux arrosages, le prochain pas avant la semaine prochaine. Il en va autrement pour les fleurs de la fenêtre du salon : il faut les arroser tous les jours, une demi-tasse chacune, il ne faut pas que ce soit trop mouillé ni trop sec, sinon celle du milieu ne fera pas ses fleurs mauves en février. *Last but not least*, elle va me demander de lui apporter le lecteur CD de voyage et des disques, ne pas oublier Clara Haskil qui a la même sensibilité d'interprétation qu'elle – ce qu'elle s'abstient toutefois de dire.

— Je voudrais que tu gardes Tumi pendant que je serai à l'hôpital.

J'accuse le coup et il ne me vient rien d'autre à l'idée que de m'engager dans la rue Bergthórugata.

— Mais ça va durer au moins trois mois ?

— Peut-être que oui, peut-être que non. J'ai l'impression que ce ne sera pas si long, tout au plus deux et demi. Tumi sera à l'école pendant que tu travailleras.

— Mais je n'y connais rien aux enfants, je ne sais pas m'y prendre avec eux.

— Tu as bien été enfant une fois. N'est-ce pas ton ex qui trouve que tu es toujours une enfant terrible ?

Je rassemble tout ce qui me vient à l'esprit et j'ouvre les vannes. Il pourrait mourir entre mes mains, finis-je même par dire. Audur considère la décoration des vitrines, tandis que nous descendons l'artère commerçante de Laugavegur.

— Je n'ai pas la fibre maternelle, d'ailleurs je ne pense pas avoir d'enfant un jour. Je n'ai même pas l'allure d'une mère.

— Les mères n'ont qu'une chose en commun : ce sont des femmes qui ont couché avec un homme au moment de l'ovulation sans prendre les précautions adéquates. Pas même besoin de le faire deux fois, en tout cas avec le même homme.

— Je le négligerais, il n'aurait pas assez à manger, pas assez de sommeil, je suis en train de divorcer et de déménager.

— Être mère, c'est se réveiller le matin, faire de son mieux, puis se coucher le soir en espérant que tout ira pour le mieux. C'est ce que j'ai vu dans un film américain.

— Mais, et son papa ?

— Aux dernières nouvelles, il habitait à Hvera-gerdi.

— En plus, je m'apprête à partir en voyage – en congé prolongé – et je serai absente six semaines au moins, peut-être jusqu'après Noël. Je dois trouver un emplacement pour un chalet d'été dans l'est. Il va d'ailleurs prendre la route incessamment, ce chalet, en pièces détachées, dis-je, histoire d'augmenter le poids et la fiabilité de ces informations.

J'essaie de penser vite, n'empêche que ça sonne

faux quand je lui explique que j'ai besoin d'être seule, que je me prépare justement à partir dans l'inconnu pour me retrouver moi-même.

— Tu n'as qu'à le prendre avec toi ; c'est l'enfant le moins embêtant qui soit, il n'a besoin de rien pour s'amuser. Il reste assis tranquillement sur le siège arrière, c'est tout juste si l'on sait qu'il est là, il ne te tanne pas pour obtenir quelque chose, il ne quémande pas, il ne chante même pas comme les autres enfants, il suffit de lui donner à boire de temps en temps, de lui refiler une banane tous les cent kilomètres et d'enfoncer la paille dans sa briquette de Chocolait.

— Je ne connais pas la langue des signes.

— Il entend un tout petit peu, il lit sur les lèvres et se sert d'images gestuelles et de mots pour parler à ceux qui ignorent le langage des sourds-muets. C'est un génie des langues, comme toi : il en parle trois et n'a que quatre ans. Tu n'auras qu'à apprendre la sienne, pour en ajouter une à ta collection. Sérieusement, tu pourrais comprendre un dromadaire.

Je ne lui avoue pas le mal fou que j'ai à communiquer avec certaines personnes bien-entendantes et bavardes. Ça ne serait pas forcément pire avec un petit enfant partiellement sourd et muet.

— Le moment n'est-il pas venu pour la linguiste distinguée de se pencher sur l'aspect et la forme des mots, de voir à quoi ressemblent les concepts en trois dimensions, d'apprendre à fabriquer des mots avec le corps, sans la voix ?

J'ai derrière moi l'expérience d'avoir eu un enfant sur les bras pendant tout un week-end ; ça ressemble assez à la solitude. Même pas besoin de faire la cuisine, on achète simplement quelque chose de tout prêt et on le partage en deux. L'enfant ignore l'heure des repas, n'a rien à redire à la préparation, mange seulement ce qu'on lui tend, à peu près comme un petit singe au zoo.

À ce point de l'histoire, mon amie s'est rapprochée de moi, elle est pratiquement assise sur le frein à main, et me tient par les épaules.

— Mais toi, tu ne crois pas qu'il va te manquer ? dis-je.

— J'ai bien assez à faire avec moi-même et je ne pourrais guère m'en occuper. D'ici à la naissance des jumeaux, il faut compter deux mois et demi, et je dois rester couchée tout ce temps. Sinon, on risque de voir se répéter l'histoire de Tumi : couveuse, caisson d'oxygène, dysfonctionnement des reins et la suite. Il n'a pas pleuré avant six semaines, et c'était plutôt comme un miaulement de chaton.

— Mais lui, pourra-t-il se passer de toi si longtemps ?

— Tout ce que je peux faire, c'est attendre en regardant des feuilletons mélo américains et des émissions sur les animaux jusqu'à en crever d'ennui.

Et assommer tout le monde parce que je déprime trop quand je ne peux pas jouer de piano. Je n'ai rien à donner au petit.

La bouteille est déjà plus qu'à moitié vide.

— Et puis sa compagnie te fera du bien. Tu verras, il va te changer.

— Comment ça ?

Elle préfère éluder la question.

— En plus il aime ton odeur.

— Hein ?

— Il m'a dit qu'il voulait être comme toi quand il serait grand, tu lui plais beaucoup.

La mauvaise conscience est difficile à gérer, c'est pourquoi une femme ne tire pas de conclusions logiques, elle ne voit qu'un aspect des choses. C'est mon amie intime, elle s'est choisi un mode de vie non conventionnel : mère célibataire et deux autres enfants sans père en route, très cultivée, professeur de musique, avec un petit faible pour la picole ; à six mois de grossesse, elle tombe devant chez moi, à midi, sur les marches non salées, avec un plat de légumes indien et une barquette de riz pour deux, et se casse la cheville. Et c'est elle qui était venue me réconforter. Je pourrais naturellement retourner le problème, comme aime le faire Audur, et déclarer qu'elle a eu de la chance de tomber et de bénéficier d'un examen médical complet. Si l'on s'en tient à une vue d'ensemble ou, comme il est dit mot pour mot dans l'article dont je suis en train de relire les

épreuves, « si l'on considère la globalité des solu-
tions » – formule que je n'ose encore me décider à
corriger – toutes ces circonstances empêcheront
mon amie d'avoir d'autres enfants pas comme les
autres, de ces enfants qui demandent à ce qu'on
lutte pour qu'ils survivent et dont on doit prouver
ensuite que cela en valait la peine, même s'ils sont
comme ils sont. Il va donc de soi que moi, l'amie
qu'elle était venue chouchouter lorsqu'elle s'est
cabossée en roulant au bas de mes marches, je
m'occupe du petit garçon qui adore mon odeur.
Les femelles veillent sur la progéniture les unes
des autres, c'est en tout cas ce que font les canes
du lac.

Je jette un coup d'œil dans le rétroviseur. Le petit
a l'air soucieux, il ne voit que l'arrière de nos têtes et
ne soupçonne pas que nous sommes en train de
régler son sort. Je n'ai sans doute pas d'autre choix
que d'emmener l'enfant en voyage avec moi.

— Tu es ma meilleure amie, la meilleure
personne que j'aie jamais connue.

— Tu ne crois pas que tu as assez bu ?

— Je n'aurai pas beaucoup d'occasions dans les
mois qui viennent, et c'est bon pour le sang.

Je risque une ultime tentative.

— Je ne vais même pas pouvoir coucher avec
quelqu'un.

— Comme ça, on sera à égalité. Du reste, je sais
par expérience que ce n'est pas la mer à boire. Tu

n'es pas obligée d'avoir le petit avec toi dans ton lit. Et puis, je croyais que tu étais en plein divorce et que tu partais en voyage pour changer d'air, pour être seule, en route vers l'obscurité de Noël dans l'est du pays, aussi revigorant que cela puisse être.

Je me tais mais n'en pense pas moins ; qui sait si un homme ne se trouvera pas sur ma route, à portée de main, quelque part près des cascades ou des éboulis finement râpés au flanc de la montagne et tombant à pic dans la mer, qui sait s'il ne se tiendra pas, l'air décidé, appuyé à un éclat d'iceberg au milieu du sable noir, un homme avec qui on peut discuter. Il surgirait là brusquement, fraîchement divorcé, père de deux enfants dont il assumerait la responsabilité et n'en désirant pas d'autres, en tenue de chasse avec une carabine, et au lieu de disséminer les plombs dans la viande, par-dessus la tête de ses compagnons de chasse ou dans son propre pied, il regarderait l'oie bien en face avant de l'abattre d'un seul coup ajusté entre les deux yeux. Une bonne part du suspense consistant à débusquer un tel homme.

— Tu as laissé Thorsteinn tout prendre ?

— Non, seulement ce qu'il voulait emporter, des affaires.

Elle est manifestement ivre maintenant. Le petit commence à s'agiter sur le siège arrière, malgré la glace à la fraise que je lui ai achetée en cours de route à une station-service.

— Tu es ma meilleure amie, la seule personne qui n'essaie pas de me changer. Personne d'autre n'aurait eu l'idée de m'apporter une bouteille.

— C'est toi qui me l'as demandé.

— C'est notre progéniture qui nous rendra immortels.

Elle est descendue de voiture devant le bâtiment du service d'obstétrique, un pied en chaussette blanche, l'autre en bandage compressif, l'accordéon dans les bras, mais la voilà qui repasse la tête par la portière.

— Ah, encore une chose. J'ai oublié de te dire que j'ai cueilli des tonnes de camarines noires cet automne et que je les ai mises à macérer dans deux bidons. Tu peux les prendre, il faut seulement les retourner, s'en occuper un peu, ça sera prêt dans pas longtemps ; si on les manipule correctement, le goût sera comparable à celui du montagne saint-émilion, cru 2002.

VINGT-QUATRE

Nous sommes tous les deux côte à côte devant la petite cuisinière à préparer un riz au lait bien épais lorsqu'elle m'appelle de la cabine téléphonique de l'hôpital, pour s'excuser d'abord pendant dix minutes, puis pour me remercier pendant les dix suivantes en déclarant que je suis la meilleure personne qu'elle connaisse, détail qu'elle avait oublié de mentionner. Je m'efforce de verser le lait dans la casserole tout en remuant, le portable coincé sous l'oreille, tandis que le petit répand le contenu du paquet de raisins secs dans la bouillie.

— Beaucoup de raisins secs, dit-il de manière audible.

Il m'aide à mélanger la cannelle et le sucre dans un verre ; ça crisse et ça se répercute dans le téléphone.

— Et puis souffler dessus.

— Il y a encore une chose ! ajoute sa mère en criant dans le combiné parce qu'il lui semble que la communication est mauvaise. Je lui avais promis un animal en guise de compensation, pas trop encombrant, mais avec des poils quand même ; ça pourrait être un hamster, un cochon d'Inde ou même une souris, personnellement je ne suis pas trop pour la souris.

Je lui dis les choses comme elles sont : je ne peux absolument rien envisager de poilu qui soit plus petit qu'un homme, même pas à titre temporaire. Elle me répond que c'est une longue histoire, qu'elle et son fils sont passés par toutes les phases du processus.

— D'abord, l'animal devait être grand et poilu. Il fallait qu'on puisse le caresser et même s'asseoir sur son dos et le peigner. Peu à peu les exigences ont diminué, mais il fallait toujours qu'il ait des poils, des poils qui colleraient au canapé vert et s'incrusteraient dans les vêtements.

Mon amie croit savoir que ce n'est pas le cas avec les hamsters ou les souris, qu'il est même possible de se procurer des souris à pelage ras, le seul problème étant qu'elles ont tendance à disparaître pour toujours derrière les machines à laver. Dans cette perspective, toutes les bêtes à poil, des plus grandes aux plus petites, avaient été passées en revue pendant des semaines.

Audur s'excuse abondamment.

— Je te serais très reconnaissante si tu voulais bien faire un tour avec lui à l'animalerie pour acheter quelque chose de transportable avec vous en voyage.

Quand nous avons fini de manger le riz au lait et la saucisse de foie de mouton, j'explique au petit que nous allons partir en voyage, je parle lentement et distinctement en accentuant les mouvements des lèvres ; nous ne pouvons pas emporter un hamster car on le perdrait à la première station-service. Je dessine une souris, l'encadre dans un panneau de signalisation routière barré en biais : impossible.

Il dessine le portrait d'un animal à quatre pattes qui a le profil d'un chien, mais la queue d'un cheval. Ça remplit toute la feuille.

— On pourra monter à cheval en cours de route, dis-je histoire de faire une proposition. Il y aura certainement des locations de chevaux sur le trajet.

Mais je ne suis pas sûre qu'il m'ait bien comprise.

Nous dessinons pendant deux heures et demie une pile d'animaux sauvages et faisons des offres à tour de rôle, comme au souk de Marrakech. Ses dessins sont plus ou moins des variations du même quadrupède, de couleurs variées, avec des motifs pouvant être des taches, des rayures ou des zébrures. Il y passe bien plus de temps que moi, ne remet aucune esquisse inachevée.

Nous arrivons à la boutique une demi-heure avant la fermeture. J'accepte de passer en revue une foule de malheureuses bêtes à poil, avant de le diriger vers les aquariums et tenter un amerrissage forcé sur les bêtes à écailles. Il me tire dans une autre direction. Le vendeur est dans son camp.

La tortue fait sept centimètres de long actuellement, mais elle peut atteindre soixante-dix kilos et un mètre de longueur si on s'en occupe correctement, avec la bonne température, des compresses humides, une bonne alimentation et surtout beaucoup de temps, explique consciencieusement le vendeur.

Lui-même est très velu ; les poils apparaissent non seulement à l'encolure, entre les boutons de sa chemise et au bout de ses manches, mais lui sortent aussi des narines et des oreilles.

— Toute une vie de femme, dis-je sous forme d'interjection.

Longtemps après que le petit aura atteint l'âge d'homme, la tortue sera encore dans l'eau du bain de sa mère.

— Les gens découvrent de plus en plus les qualités apaisantes de la tortue comme animal de compagnie, réplique le vendeur. Elle a également l'avantage de pouvoir se conserver vivante jusqu'à trois semaines au réfrigérateur si l'on part en voyage – tant qu'elle est encore petite. Il est rare que les familles tiennent le coup ensemble pour des vacances plus longues.

— Nous serons absents bien plus longtemps, dis-je. De plus, il n'est pas sûr, à l'heure qu'il est, qu'il y aura un réfrigérateur dans notre chalet d'été, ni même l'électricité.

— Pour l'achat de deux cochons d'Inde, on gagne en prime un flacon de liquide à bulles ; si l'on achète deux cochons d'Inde et deux hamsters, on a droit à un bon-cadeau valable pour un menu enfant chez McDonald's ; avec un chien : deux hamburgers gratuits et deux billets pour un film de dinosaures interdit aux moins de dix ans. Pour un chien, deux hamsters et deux cochons d'Inde, on a un flacon de liquide à bulles, les billets pour le film des dinosaures et deux boissons alcoolisées dans un bar du centre-ville.

Je signale au petit que la boutique va bientôt

fermer et le dirige à nouveau, gentiment mais fermement, vers les aquariums. Le compromis est souvent humiliant et ne correspond, en tout état de cause, au désir d'aucune des deux parties. Comme de juste, le préposé au rayon des poissons a de petits yeux extraordinairement ronds, d'un bleu aquatique et quasiment dépourvus de paupières.

Avec les poissons, on n'a rien en prime.

— Choisis, dis-je en soulevant le petit pour qu'il puisse contempler les aquariums de l'étagère du haut. Ça veut dire que tu peux avoir n'importe quel poisson – nous mettrons un couvercle sur le récipient et nous l'emporterons avec nous en voyage –, gobie, poisson-disque, poisson-aspirateur qui avale tous les autres, pompe électrique, éclairage permanent, plantes, coffre au trésor, pierres, sable, jouets pour les poissons, nous remplirons le récipient de grottes sous-marines pour qu'ils aient un refuge, une vie de famille, qu'ils puissent frayer en paix, élever leur progéniture. Au lieu d'un animal tu en auras plusieurs et puis nous irons quand même manger un hamburger avant d'aller voir ensuite le film sur les dinosaures. On n'a pas besoin de baby-sitter pour les poissons pendant qu'on est au cinéma.

Mais cela je ne le dis pas, je dis autre chose, qu'on verra bien en cours de route pour l'achat d'un chiot.

Nous quittons l'animalerie avec trois poissons rouges dans un sachet en plastique, un aquarium sans couvercle, du sable, trois plantes artificielles et une boîte de nourriture.

L'homme aux yeux de merlan me glisse un billet sur le pas de la porte :

« Sur présentation de ce bon, boissons gratuites au bar », est imprimé d'un côté. Au verso, on peut lire : « Rendez-vous ce soir, si vous voulez », en lettres bleues, onduleuses et ornées.

Le lendemain, je téléphone à la maternelle et j'annonce que le petit sera absent pour une durée indéterminée. Audur leur a raconté que je suis sa plus proche parente et que je vais m'occuper de Tumi.

VINGT-CINQ

On dit adieu pour toujours à son conjoint d'une franche poignée de main, et puis on tombe sur lui le lendemain matin à la boulangerie en train d'acheter des petits pains aux graines de bouleau, dans la queue à la banque le midi, à la piscine en fin de journée, au bureau de l'état civil plus tard dans la semaine, le week-end suivant au théâtre avec sa nouvelle, on est tout le temps, inévitablement, en train de se caramboler.

Nous n'avons pas encore renouvelé complètement notre garde-robe, les sous-vêtements sont d'habitude la première chose que les gens remplacent quand ils divorcent, tout le monde s'achète du nouveau linge de corps, ceux qui s'en vont comme les délaissés. Je ne sais naturellement pas jusqu'où va son imagination, si elle se glisse, par exemple, au-dessous des vêtements, mais mon ex peut voir que mes cheveux courts ont poussé au point de recouvrir mes oreilles, ils seront bientôt plus longs que les siens. Les deux parties d'un couple dissous deviennent plus indulgentes avec elles-mêmes, celle qui part non moins que celle qui reste. C'est un grand malentendu de croire que la partie laissée pour compte ne se gratifie pas de bonne chère tout autant, sinon plus, que l'autre : elle mange au restaurant, déguste des filets d'agneau grillés pour elle toute seule au déjeuner du lundi, boit du cognac au goulot et engloutit un demi-litre de glace à la vanille nappée de chocolat chaud et saupoudrée d'amandes effilées en dessert.

Pendant qu'on fait la queue à la banque, il observe les signes extérieurs de changement. Bien que tout soit net et lisse en surface, je suis nouvelle et autre, je ne suis plus celle qu'il connaissait et qui était sienne et je serai sous peu encore autre et encore plus nouvelle, à tel point qu'il me faudra un certain temps pour m'habituer moi-même à celle qui regarde son nouveau moi dans la glace le matin. Lui m'a l'air, ma foi, d'avoir une excellente mine, il semble reposé et plein d'énergie. Au jugé, il a pris un kilo et demi. Je vois maintenant à quel point nous formions un couple bien assorti. Nous nous demandons réciproquement des nouvelles de la santé de nos ex-belles-mères.

— Bonjour, et ta mère, comment ça va ?

— Bonjour, très bien merci, et la tienne ?

— Bien, à ma connaissance. Tu viens payer des factures ?

Je ne vais pas lui expliquer que je m'apprête à ouvrir deux nouveaux comptes en banque pour y mettre mes millions et ceux de mon compagnon de route sous tutelle, vingt-deux millions deux cent soixante et un mille huit cent onze couronnes chacun. Aussi je préfère dire :

— Non, je viens chercher des devises.

— Tu pars en voyage ?

— Oui, on peut le dire, en grandes vacances tardives.

— Tu vas où ?

Il me paraît tout à coup d'une importance primordiale qu'il ne sache rien de cette histoire de chalet d'été. Qu'il ignore que je possède une résidence secondaire bien à moi, tout comme il a une femme bien à lui, ce qui me paraît s'équivaloir. Dans la queue, devant moi, il y a une femme asiatique, petite, avec des cheveux brillants, d'un noir de jais ; elle tient par la main une petite fille métissée.

— Très probablement en Asie du Sud-Est, Thaï-
lande, Birmanie, Vietnam, Cambodge, Malaisie,
Singapour.

— Ça alors ! Tu seras partie longtemps ?

— Au moins six semaines, peut-être plus, six
mois, peut-être.

— Eh ben, dis donc.

Pour pouvoir régler mes affaires en paix, je laisse
passer quelques personnes avant moi, j'attends qu'il
soit sorti, monté dans sa voiture et qu'il ait mis le
moteur en marche. Je lui ai trouvé l'air fatigué,
stressé, amaigri, les yeux cernés, il ne dort sans
doute pas très bien. Je vois à présent à quel point
nous sommes mal assortis.

La caissière numéro quatre me scrute du regard
quand je dépose le chèque sur le comptoir en lui
demandant de le partager sur deux comptes différents, quarante-quatre millions cinq cent
vingt-deux mille six cent vingt-deux couronnes.
Et puis je demande deux millions en espèces, de
préférence en billets de mille. Je trouve inutile
qu'on puisse me suivre à la trace. Les collègues de
ma caissière ralentissent leur comptage dans les
cages de verre voisines.

— Cela fera deux mille billets de mille, dit-elle
avec lenteur, vingt liasses.

— Oui, dis-je, sans prendre la peine de recomp-
ter, c'est juste.

Puis elle me dit « un instant » avant de s'éclipser,

d'abord à la cafétéria du personnel pour conférer avec ses collègues. Enfin au sous-sol pour chercher les liasses. Pendant son absence, ses quatre collègues jettent un coup d'œil de mon côté à des fins de vérification globale.

— Il vaut mieux garder les grosses sommes dans des réceptacles discrets, en tout cas pas dans un sac Gucci, dit ma caissière à son retour, ça éveille moins les soupçons, par exemple dans un sac en plastique usagé provenant du supermarché ou de la bibliothèque.

En me tendant le sac bourré de billets par-dessus le comptoir, elle ajoute :

— Le directeur de l'agence vous présente ses salutations et s'excuse pour les miettes de pain, c'est le sac qui contenait son casse-croûte.

VINGT-SIX

Par ailleurs, je n'emporte pas grand-chose avec moi, l'essentiel étant de ne pas s'encombrer de vieux trucs. Je n'ai pas le projet de fuir quoi que ce soit, je pars seulement en reconnaissance de mes territoires les plus intimes ainsi que de terres inconnues avec mon petit compagnon de voyage de quatre ans malentendant et malvoyant, à la recherche de nou-

velles sensations dans une résidence d'été fraîchement installée au flanc d'une ravine terreuse. Ce
qui compte le plus, c'est de ne pas regarder en
arrière, de ne dormir qu'une fois dans chaque lit et
de n'utiliser le rétroviseur que par obligation technique et non pour me mirer dedans. Alors, quand
je reviendrai, je serai une personne nouvelle,
changée, et il n'est pas impensable que mes cheveux
auront poussé jusqu'à toucher l'épaule.

Je flanque mes vêtements dans un sac, en
revanche je ne peux faire preuve de la même insou-
ciance à l'égard de l'équipement et de l'habillement
du petit. Sans être experte en la matière, je vois
bien qu'il est devenu trop grand pour sa vieille
combinaison d'hiver. Je lui en achète une autre de
deux pièces, la plus chère du magasin, plus deux
pantalons, ainsi que deux sacs de couchage bleus en
duvet, un pour moi, l'autre pour mon petit compagnon de voyage. Je récupère mon pantalon à
pattes fleuries et me glisse dedans.

Pas besoin de remplir la voiture d'affaires, nous
partons avec des sandwichs, deux bouteilles d'eau
et quelques livres, deux animaux en peluche
préférés et deux pyjamas favoris et puis quelques
jouets que nous choisissons ensemble, de l'opti-
misme, de la bonne humeur, quelques CD, et enfin
– à ne surtout pas oublier – une boîte à gants
bourrée de billets de mille couronnes. C'est ainsi
qu'on procède pour voyager sans laisser derrière

soi une piste jonchée d'indices ; on pourrait sans doute appeler cela un voyage sans promesses, mais pas sans finances, car j'en ai plus qu'il n'en faut.

Mais d'abord, il faut absolument que je rapporte à mon ex l'after-shave, l'alliance et le grille-pain qu'il a oubliés. Je gare la voiture sur une place de parking à côté de la Subaru de Nína Lind et j'appuie sur la sonnette. Leurs noms sont là, super-posés, le sien au-dessus, et gravés sur plaque, ce que nous n'avons jamais réussi à faire en quatre ans et deux cent quatre-vingt-huit jours de vie commune. Les lunettes du garçonnet installé sur son siège à l'arrière jettent un éclat ; il suit de près mes agissements tandis que je me tiens, en pull-over, sur les marches du perron, un sac en plastique de supermarché à la main. C'est dimanche, il va bientôt être midi et mon ex-mari ouvre la porte en pyjama rayé. C'est la première fois que je le vois en pyjama. L'odeur de l'appartement me prend également au dépourvu, c'est une odeur tout à fait nouvelle et inconnue.

— Je te remercie, ce n'était pas la peine, dit-il sans regarder dans le sac, mais les yeux fixés, au-delà de moi, sur la voiture.

Le menton du petit n'arrive pas à la hauteur de la vitre, on n'aperçoit en fait que la partie supérieure de sa cagoule qui lui tombe sur le nez. Lorsque je sors en marche arrière de la place de parking, il est toujours à la porte, en pyjama rayé, à me suivre des yeux, comme s'il n'osait pas refermer tout de suite.

Sans connaître encore exactement ma destination, je sais du moins que je prends la direction de l'est, sous le soleil toujours plus bas d'un jour toujours plus court. Je m'engage ensuite sur la Nationale 1 dans le noir et la pluie sans avoir besoin de choisir la route, car sur cette île, il n'y en a qu'une, la route circulaire qui longe la côte. Je ne suis pas, en tout cas, du genre à rouler hors des routes, ni à crapahuter sur des chemins de traverse non bitumés. Sur la Nationale 1, il y a peu de croisements et un nombre infime de stops.

Oui, bien sûr que nous emmenons les poissons. On ne peut pas trahir la promesse faite à un enfant.

Nous avons mis les trois poissons rouges dans le plus grand bocal muni d'un couvercle qu'on ait pu trouver ; le contenu orangé clapote par secousses car les poissons ont des réactions brusques et rebondissent contre les parois du récipient qui restreint leurs évolutions. Le sable et les graviers, plus deux coquillages que le petit est allé chercher dans les trésors de sa collection privée et qui devaient donner à l'intérieur du bocal la tonalité d'un foyer, ne font que rendre l'eau plus trouble.

Nous nous sommes entraidés pour caler le bocal dans le coffre à côté des deux bidons de lambic de camarine et des quatre plantes vertes que nous allons mettre en pension chez maman en sortant de la ville. C'étaient les cadeaux d'une belle-mère à son gendre, en diverses occasions, et je trouve bien normal qu'elle s'en charge. Tout ce qui meurt chez moi prospère chez maman. Sans être une méchante femme, mais sans la moindre aptitude à soigner ou à élever quoi que ce soit, je ne décèle guère en moi l'instinct d'encourager ce qui pousse : j'arrose trop ou trop tard et c'est toujours limite. Tandis que dans sa maison à elle, la vie s'épanouit sur tous les murs.

— Les fleurs poussent mieux dans le vide des pensées, aime-t-elle dire, sans doute en référence à quelque ouvrage populaire de sagesse orientale.

À la suite d'un voyage en Chine avec une amie l'an dernier, elle a commencé à apprendre le chinois, sa seule langue étrangère après le danois.

— Quand j'ai vu à quel point ils étaient nombreux, dit-elle, j'ai pensé qu'il n'y avait rien de mieux à faire. Pour l'avenir.

VINGT-SEPT

Elle est tout sourire, elle a soixante-huit ans, et toutes ses dents. Elle est pleine de vitalité et sa bouche affiche une trace de rouge à lèvres brun rosé. Elle étreint son unique fille et le petit garçon.

— Tu aurais pu les laisser derrière toi, dit-elle tandis que nous apportons les plantes, le garçonnet tenant la plus petite. Elles sont en plastique, cette fleur-ci est en soie, l'autre est en tissu.

Voilà qui explique pourquoi elles commençaient à moisir : j'ai arrosé des plantes artificielles. Pas étonnant que tout soit devenu si factice autour de nous, que notre union se soit fanée : l'amour ne s'épanouit pas au milieu d'une végétation rose-mauve pâle et toujours fleurie. J'aurais pu trouver cela toute seule.

— Il y a longtemps que j'ai cessé d'offrir de vraies fleurs à Thorsteinn, tu n'aurais fait que les tuer.

Ma mère collectionne pour moi des articles sur des sujets intéressants, découpés dans les journaux, parce qu'elle pense que je suis bien trop occupée pour avoir le temps de lire les quotidiens. La table du salon est couverte de coupures à mon intention classées par thèmes : substances toxiques dans les produits alimentaires, procédure à suivre dans la manipulation du poulet cru pour éviter la salmo-nellose, éducation, brimades, protection des jeunes enfants, protection des animaux, protection de la nature, et aussi des réflexions sur différentes reli-gions, chacune pouvant occuper jusqu'à une double page. Enfin et non des moindres, des articles sur le bénévolat international.

— Encore une guerre de plus pour assurer la

paix, dit-elle, sauf qu'ils se sont mis maintenant à évaluer à l'avance le nombre des blessés et des infirmes avec des graphiques en colonnes et des tableaux par groupes d'âge pour que les entreprises pharmaceutiques puissent prévoir leur budget.

Je me souviens que, du temps où mon frère et moi étions petits, ma mère plantait des pommes de terre et semait des carottes au printemps, au moment où la terre cessait d'être gelée, qu'elle nous désinfectait aussi les paumes et les pansait après en avoir extrait les gravillons rouges du parc à jeux, mais il ne me souvient pas qu'elle se soit exprimée sur les affaires du monde comme elle le fait aujourd'hui. Ma mère est une femme engagée dans la vie. Elle s'est trouvé sur le tard une nouvelle sphère d'activité, le bénévolat dans le monde – une veuve qui travaille en faveur de ceux qui souffrent. Elle soutient Médecins sans frontières, est membre d'associations qui s'emploient à créer des points d'eau en maintes régions d'Afrique, elle fait des collectes pour un hôpital au Sri Lanka et se passionne pour les mines antipersonnel et les membres artificiels. Son principal centre d'intérêt reste toutefois la scolarisation des filles dans le tiers-monde.

— Parce que la femme est l'avenir de l'homme, dit-elle.

Elle a maintenant sept filles adoptives sur quatre continents, des photos d'elles et des lettres de remerciements sur toutes les étagères à bibelots et appuis de fenêtres. Elle a toutefois un garçon. La braguette ouverte sur la photo, il a perdu deux dents de devant à la mâchoire supérieure et pose, avec un grand sourire, devant l'unique arbre du jardin aride d'un foyer pour enfants, son jean retombant en larges plis jusqu'à ses orteils bruns malgré le double ourlet du bas.

—J'avais demandé une fille mais ils m'ont envoyé ce garçon. On ne peut tout de même pas rendre un enfant.

Le médecin se remet à rire. T'es-tu vraiment imaginé que tu pourrais te débarrasser de l'enfant en courant ? Pensais-tu qu'il disparaîtrait si tu courais assez vite, sur un assez grand nombre de tours ? Tsst, tsst, c'est incroyable ce que l'imagination d'une fille de quinze ans peut inventer. Il pousse désormais à l'intérieur de toi, que cela te plaise ou non. Tu l'as caché trop longtemps. On ne peut plus rien faire. Et puis il faudra que tu le fasses sortir de toi le moment venu. Crois-moi, l'accouchement transforme les fantasmes en douleur.

Le tapis à grands motifs du salon est encombré de vieilles machines à coudre et de bobines de fil au kilo, prêtes à rejoindre avant Noël un conteneur en partance pour l'Inde.

—Là-bas, ces machines serviront de base à l'indépendance économique d'une foule de filles, m'explique-t-elle. Elles assureront ainsi leur subsistance et des perspectives d'avenir.

Le petit fait les cent pas entre les machines, leur manifestant un intérêt sans mélange.

— Oui, ce n'est pas rien ce que les gens conservent comme appareils encore utilisables dans leurs cagibis.

J'avais annoncé notre visite et elle a cuisiné des boulettes de poisson, pas moyen de faire autrement que d'emporter celles qui restent.

— Mais nous partons en voyage.

Elle tapote le petit sur la joue et moi ensuite.

— Comment va-t-il, ce pauvre chou ? Partout ailleurs, il aurait été abandonné.

— Maman, c'est un enfant parfaitement intelligent et réussi, simplement il entend mal et porte des lunettes.

— Est-ce qu'il prend des comprimés de calcium ? Il est tellement pâlot.

Elle porte la cocotte contenant les boulettes jusqu'à la voiture et la cale à côté des poissons rouges. Elle va se charger des deux bidons de camarines de mon amie Audur, en personne qui prend soin de ce qui lui est confié. Si je lui avais apporté une plante vénéneuse et un lézard vivant, elle s'en serait occupée avec le même zèle et la même sollicitude, la plante donnerait des fleurs jaune poison et le lézard se multiplierait par cinq.

— Tu me rendras la cocotte quand tu reviendras. Ne va pas trop loin à l'est et surtout ne va pas… – elle baisse soudain la voix en regardant par terre –… remuer de vieilles histoires. À quoi bon fourrager dans de vieux souvenirs, on n'y changera plus rien désormais.

Après coup, je ne suis plus du tout certaine de ses paroles. Mais je suis sûre qu'elle a dit :

—As-tu un mouchoir pour essuyer les lunettes du petit ?

VINGT-HUIT

En fait, il manque très peu de choses à mon bonheur et à ma joie de vivre. Il n'est même pas nécessaire d'y voir clair, il n'y a qu'à mettre les essuie-glaces à plein régime et le chauffage à fond la caisse pour que la buée se dissipe peu à peu sur les vitres. C'est une grande liberté que de ne pas savoir exactement où l'on va en s'abandonnant à la sécurité de la route circulaire où tout s'enchaîne, pour revenir ensuite simplement à la case départ, presque sans s'en être aperçu.

Comme nous sommes compagnons de voyage, le petit est assis devant, à côté de moi, il atteint à peine la hauteur du tableau de bord. Il a fière allure avec son paquet de raisins secs ouvert sur les genoux, la ceinture de sécurité un peu trop haut, malgré le coussin sur lequel je l'ai juché. Au lac de Raudavatn, des policiers m'arrêtent pour vérifier le fonctionnement des phares, les ceintures de sécurité et prodiguer de bons conseils.

— Il n'y a pas grand monde sur les routes aujourd'hui, dit l'homme en uniforme sous l'averse.

Le petit passe de bon cœur à l'arrière, tandis que je dois littéralement fouiller parmi les billets de mille pour trouver mon permis de conduire. L'espace d'un instant, je me demande si je ne devrais pas agir comme dans un mauvais film et tendre au policier une petite liasse de billets bien tassée avant de prendre le large sans un mot à travers le champ de lupins fanés devant nous, et me perdre dans le brouillard et la nuit qui gagne du terrain sur le jour à chaque kilomètre.

Une fois le siège avant libéré, j'en profite pour y déployer la carte routière de l'île.

— Chien, dit le petit garçon en pointant le doigt sur la carte.

C'est vrai, l'Islande est dessinée là, couchée comme un pauvre clébard perdu et mouillé qui replie ses pattes sous lui.

J'attaque au ventre : c'est là que commence mon voyage, notre voyage, là où s'achève le champ de lupins. Quand nous partions vers l'est au début de l'été et étions déjà loin de la ville, – ayant pris la route depuis un bon moment, une heure au moins –, papa avait l'habitude de dire : « Eh bien, nous voilà partis. »

Je suis encline à croire que c'était une fois qu'on avait dépassé le champ de lupins. Il lançait alors un coup d'œil à maman et tous deux souriaient tandis qu'il lui tapotait légèrement la main avec l'air d'un homme heureux.

Dès qu'il se met à pleuvoir, les contours du monde s'estompent, de vagues points de repère se substituent à l'horizon. En fait, le pays tout entier est plus ou moins inhabité une fois passé le quadrillage des rues de la ville. Des étendues de sable noir, des champs de lave noire, l'océan noir tout près et le ciel noir par-dessus. Il est bon alors d'avoir un objectif. Pour l'instant, il consiste à appuyer modérément sur l'accélérateur et à tenir sa droite, sans jamais franchir la ligne brisée qui divise la route ; nul besoin de prendre de décision pour la suite, il n'y a qu'à s'enfoncer à la vitesse autorisée à travers sables et lave, dans l'avenir qui vient à vous tout aussi normalement que la prochaine station-service, aussi naturellement que la rencontre avec son futur mari qu'on trouve appuyé d'un air résolu au garde-fou d'un pont ; de telles choses sont déjà arrivées. En soi, ce n'est pas une petite affaire pour une femme que de rouler en tenant bien sa droite, car c'est la raison qui mène le jeu et pas le cœur.

Pour l'instant, je me concentre sur les poteaux phosphorescents du bord de la route et les feux arrières d'une vieille Jeep tractant une remorque à chevaux devant moi. Je ne quitte pas ces feux des yeux, sans pour autant coller au train du véhicule dont les éclaboussures de boue m'empêcheraient de voir. Il semble que nous sommes le seul convoi sur la Nationale 1. Rien que cela crée une sorte de solidarité – imaginons, par exemple, que nous continuions à rouler de concert plus loin vers l'est, que le feu des entrailles de la terre réussisse à se frayer un passage à travers la surface du glacier, que les sables soient recouverts par l'eau de fonte. Le petit, moi et l'homme de la vieille Jeep – que je ne connais ni d'Ève ni d'Adam –, partagerions alors sur un iceberg commun le demi-paquet de biscuits aux flocons d'avoine que j'ai emporté. Les autres habitants de l'île ne prennent pas leurs vacances d'été en novembre ; à cette époque-ci de l'année les gens ont d'autres chats à fouetter que de resserrer les liens avec leur pays ténébreux. J'allume la radio, on passe un dernier morceau avant la météo, *If there is a road, there is a way.*

Sur le siège arrière, le petit ne dit pas mot et refuse d'enlever sa cagoule bien qu'il fasse une chaleur à crever dans la voiture. Je constate dans le rétroviseur qu'il est tout de même attentif, qu'il scrute le noir droit devant lui. Ne pas oublier qu'un enfant mutique ne se manifeste pas comme les autres gosses et demande à ce qu'on s'occupe de lui autrement.

La Jeep freine soudain à mort et la remorque vacille sur l'asphalte battu par l'averse ; c'était imprévisible et je dois l'imiter pour ne pas l'emboutir. J'oblique illico vers le bord de la route et coupe le contact.

L'homme saute hors du véhicule. Après avoir vérifié quelque chose sous sa Jeep et donné un coup de pied à la remorque renfermant le cheval, je ne suis pas surprise qu'il vienne frapper à ma vitre ruisselante. Je reconnais son visage dégoulinant tout contre la glace, c'est le type de l'animalerie, celui des poissons, l'auteur du message aux lettres ondulantes.

— Non, dis-je, il n'y a pas de problème, loin de moi l'idée de vous suivre, je fais seulement une petite pause.

Tout en sachant par expérience qu'on arrivera bientôt à l'endroit d'où je distinguerai, de l'autre côté de la lande, les lumières des serres du village, j'ajoute que j'aime bien savoir qu'il y a quelqu'un d'autre sur la route, à distance respectable, et regarder le rouge des feux arrière, si cela ne lui fait rien.

— N'y voyez aucune indiscrétion de ma part.

Pourtant je ressens le besoin de parler encore, d'avoir affaire à lui pour une question importante, l'idée me vient alors de lui demander l'heure. C'est peut-être absurde, mais j'ai soudain ressenti, à cet endroit précis où les points de repère naturels deviennent inexistants, l'urgence de savoir l'heure. L'espace d'un instant, j'ai oublié que j'avais une montre au poignet de la main qui tient le volant, la montre à deux temps du divorce qui saute aux yeux de l'homme par la fenêtre. Sans daigner me répondre, il repart en courant, s'engouffre dans sa voiture, claque la portière et démarre sur les chapeaux de roue. Il est assurément quatre heures et quart.

VINGT-NEUF

La visibilité est absolument nulle et c'est justement là, au sommet de la côte, que mon petit compagnon de voyage a besoin de faire pipi.

Il ne veut pas sortir dans la pluie et la pénombre et il ne veut pas non plus attendre. À en croire la carte déployée quasiment sur mes genoux, il y a vingt-cinq kilomètres à parcourir à travers lave et sables jusqu'à la prochaine station-service où l'on peut aller aux toilettes. Après, on pourrait éventuellement s'acheter des saucisses qui auront mijoté dans leur marmite tout le week-end.

Ça ne sert à rien d'élever la voix, il ne m'entend pas : chaque fois que nous avons quelque chose à nous dire, je mets le clignotant et me gare sur le bas-côté afin qu'il puisse regarder mes lèvres muettes remuer et former des mots, la bouche s'ouvrir et se fermer. Je me demande si je dois lui donner les renseignements en unités de longueur ou de temps.

— Retiens-toi, il y a vingt-cinq kilomètres d'ici à la prochaine station, il faut compter quinze minutes pour y arriver avec cette mauvaise visibilité.

Et s'il me demande : vingt-cinq kilomètres, c'est loin comment ? Ou bien : quinze minutes, c'est long comment ?

Vingt-cinq kilomètres, avec un gosse qui est malade en voiture, c'est plus long qu'avec une vieille femme qui va subir une opération de la hanche, un peu fatiguée de la vie et reconnaissante de n'avoir pas à se rendre à pied à l'hôpital régional en passant par des zones marécageuses et au travers de clôtures en fil de fer barbelé alors qu'elle est en jupe, assise bien droite sur son siège à côté du chauffeur. Elle tient entre ses doigts aux phalanges noueuses l'anse du sac à main contenant le strict nécessaire – son médicament pour la tension, une boîte de pastilles Ópal et du rouge à lèvres.

Le silence après l'amour est long à passer si la femme n'aime plus l'homme, ou l'homme la femme. Le temps est à peu près aussi long à passer quand on roule avec un enfant qui a le mal des transports. Le silence s'éternise quand on a quatorze ans dans une classe mixte de trente élèves à qui on a dit de se taire pendant trois minutes pour présenter au monde ses condoléances, parce que des choses effroyables se sont passées de l'autre côté de l'océan, la lenteur du temps est alors intolérable.

Quand on est assis en voiture à côté de son amour, vingt-cinq kilomètres sont comme le battement d'ailes d'un papillon posé sur un mur, le bourdonnement d'une mouche : un temps infinitésimal, un rien de temps, pas de temps du tout.

J'ai vingt-neuf ans et je viens d'en passer neuf à l'étranger ; je lui caresse d'abord les cheveux, puis ma main descend le long de la chemise. On ne se connaît pas depuis longtemps, il ne s'en faudrait que d'un tout petit effort pour que j'aime un autre homme que lui. Mais je suis montée dans sa voiture pour aller vers le sud et je me sens bien à ses côtés.

C'est alors qu'il dit tout à coup :

— Veux-tu m'épouser ?

Comme dans un film, et sans ralenti.

J'allais parler d'autre chose ou bien dire merci beaucoup, mais je ne peux malheureusement pas — peut-être aurait-il été moins équivoque de dire seulement : non merci — je te remercie tout de même… mais le soleil d'automne m'a éblouie, aveuglant mon esprit un instant et voilà que je dis tout de go : « Oui. »

Il semble au septième ciel parce qu'il est tombé dans les trois minutes de ma vie où j'avais envie de me marier, alors qu'il s'attendait bien sûr à ce que je refuse et dise :

— Merci quand même de m'avoir posé la question.

Quand nous sommes repartis, il avait une main sur le volant et l'autre serrée autour de mon épaule et il dut ralentir à quarante pour pouvoir m'embrasser comme il faut, quoique les yeux ouverts, car des voitures roulaient dans les deux sens et, çà et là, des chiens bondissaient des bas-côtés pour se jeter sur les roues en aboyant. Il s'en est fallu de peu que nous ne quittions la route pour atterrir dans le fossé. Avec la côte découpée d'anses à ma droite et lui au volant à ma gauche, je ne pouvais qu'être satisfaite de mon sort. Nous avons roulé toute la soirée et jusque dans la nuit, à part un arrêt à la station-service du fjord. Lorsque, fiancée de fraîche date, j'ai mis pied à terre au sortir de l'obscurité de la voiture et respiré sur le terre-plein l'odeur du tas de fumier voisin, avant de pénétrer dans la lumière crue de la station, j'ai tout de suite commencé à me sentir différente. Deux semaines plus tard, l'expert-comptable et pilote amateur est venu me chercher avec les papiers et je signais peu après l'acte de mariage. Il m'est impossible de dire exactement quand mon opinion de lui a changé, ce n'est sans doute qu'après notre séparation qu'il m'est venu à l'idée que j'aurais dû essayer de connaître mon mari comme il faut.

Le garçonnet secoue la tête.

— Non, dit-il.

— Non quoi ?

Je ne le comprends pas et il ne me comprend pas non plus. Je descends de la voiture, ouvre sa portière et mène l'enfant soucieux dans le brouillard, à quelques mètres du bord de la route. Je l'aide à ouvrir la fermeture Éclair de son pantalon. Le moteur est en marche ainsi que les essuie-glaces, les phares sont allumés et la radio aussi. On y donne les prévisions météo : continuation du temps doux et pluvieux. « Les précipitations du mois de novembre sont déjà les plus importantes que l'île ait connues depuis le début des mesures », énonce une voix familière qui se propage dans la nature. À quelques mètres à peine de la voiture, je trouve la voix déjà plus attirante.

— Non, mon petit chou, il n'y a pas de lions sur la route.

Il a peur, il est désorienté et n'arrive pas à contrôler la situation, ce qui m'oblige à maintenir la petite pissette pour que le jet n'éclabousse pas le pantalon de velours neuf – un mince filet d'argent, presque transparent, se disperse dans la nuit et le brouillard. C'est la première fois que j'aide un homme à pisser. La question est de savoir si je peux faire pipi aussi au vu et au su de l'enfant.

À peu de distance dans le brouillard, il me semble distinguer un cairn. Voilà qui paraît idéal pour s'accroupir comme une aborigène qui accouche au fond de la forêt. Puis-je le laisser seul dans la voiture, la ceinture de sécurité bien attachée ? Peut-être ne faut-il jamais quitter un enfant des yeux, ni s'octroyer quelques minutes de récréation ? Et si je m'enfonce dans un trou et que mon pied y reste coincé ? Je serais tout de suite hors de vue, et lui tout seul, avec ses grandes prothèses auditives, terrorisé. Il en ferait pipi dans sa culotte si sa vessie n'était déjà vidée. Il pleurerait en émettant des sons étranges, j'imagine qu'il essaierait d'appeler sa maman ou son grand-père. Du moins le trouverait-on rapidement. L'un des prochains chauffeurs de poids lourd le transporterait dans sa cabine.

Mais il pourrait tout aussi bien défaire sa ceinture et se retrouver sans sa cagoule au beau milieu de la route, face au camion, car aucun conducteur ne s'attend à tomber sur un enfant seul au sommet de la lande ; aucune mère n'abandonnerait non plus son enfant dans le noir et le brouillard. Une femme qui ne lui est pas apparentée en serait-elle capable ? Pour finir je l'emmène avec moi et lui tiens la main, laissant le moteur en marche au bord de la route, j'entraîne le petit bonhomme avec moi sur la lande, essayant de battre la pluie froide à la course, je marche vite avec mes bottines en cuir qui s'enfoncent dans le sol détrempé ; après une petite course à mes côtés, il se met à traîner les pieds, à trébucher, à tomber sur des pierres, à se laisser traîner sur des touffes de bruyère qui griffent les mollets, à buter à chaque pas parce que le tas de pierres censé jalonner la piste où personne ne passe plus est toujours aussi loin, à cent ans de distance.

La lande est encore tachetée de blanc, malgré la pluie, mais nous évitons les fondrières remplies de neige. La couche de mousse verte de novembre jette un reflet phosphorescent tout autour sur cinquante centimètres de hauteur, éclairage artificiel s'il en fut, comme pour un film tourné en studio. Je n'ai pas froid du tout, je ne sens pas la pluie glaciale s'infiltrer dans mon col.

La confiance que l'enfant me porte est en baisse, il ne comprend pas où nous allons, je ne le comprends pas moi-même, il commence à pleurnicher, s'efforçant malgré tout de retenir ses larmes ; s'il était comme les autres gosses, il hurlerait, se jetterait par terre en refusant d'aller plus loin, il voudrait retourner sur ses pas, rentrer à la maison. Il dirait vouloir retrouver sa maman, en pleurant jusqu'à ce qu'il obtienne satisfaction. Mais il n'est pas comme les autres gosses. J'ai comme une intuition, je cesse soudain de marcher droit pour faire des zigzags, comme un renard en danger.

Et voilà qu'elle se tient là devant nous, langue pendante, la bête. Au même instant, des décharges de carabines tonnent tout autour de nous. Le seul animal qui tue ses semblables, en treillis vert de para, jaillit de la mousse : les hommes brandissent leurs fusils, nous cernent, le petit et moi, et nous mettent en joue.

Un bref instant, je pense à lever les mains au-dessus de ma tête, mais Tumi est paralysé d'effroi ; je le prends dans mes bras et me détourne des fusiliers comme cette mère juive présentant le dos au canon de l'officier allemand, seule dans un champ avec son enfant de quatre ans en culottes courtes. Je remarque qu'il y a des taches rouge rosé dans la neige, à mi-chemin entre le cairn et la voiture, ce ne sont pas des baies écrasées mais le sang des oiseaux qu'ils portent en grappe à la ceinture.

Les chasseurs de perdrix abaissent brusquement leurs armes et nous font signe dans le brouillard ; peut-être ont-ils cru voir un renne. Je suis saluée par un chœur de voix au timbre sombre et gaillard ; on sort promptement les bouteilles Thermos et, en un clin d'œil, du café bouillant archi-sucré est versé dans les timbales ; on s'empresse de nous offrir du pain de seigle avec du pâté extrait des boîtes à casse-croûte en même temps que d'autres bonnes choses sorties de leur emballage d'aluminium. On prend tout du bon côté. J'accepte une tasse, mais décline la flasque d'argent frappé qui circule. Ils s'alignent côte à côte et se présentent poliment, l'un après l'autre, avec une poignée de main, comme une équipe de football bien entraînée ou de simples soldats à la revue, postés face à leur chef d'État en visite de courtoisie. Je jauge chacun d'eux à l'aune de mon ex-mari, en commençant par la taille et le gabarit. Ne mesure-t-il pas un mètre quatre-vingt-trois ? Tout à coup j'ai l'impression de ne plus me rappeler la couleur de ses cheveux ; ils sont bruns assurément, mais est-ce brun mousse ou brun algue, brun bruyère ou brun cannelle ? Le brouillard sur la lande a-t-il estompé ma vie antérieure ? Tout en mangeant ma tartine, j'achève cette mise en équation sommaire en comparant aussi tous les hommes dans ma ligne de mire, d'abord entre eux et ensuite avec ceux que j'ai connus, en me limitant toutefois aux cinq dernières années. Le tour est vite fait.

En dernier lieu, je remarque dans le groupe un jeune rouquin qui n'a guère plus de quinze ans ; sous son bonnet, son visage est couvert de grosses taches de rousseur qui se confondent.

— Celui-là n'était pas haut sur pattes quand il a tué sa première oie, dit un homme de même souche aux cheveux sans doute roux jadis.

Le bras sur l'épaule du jeune gars, le papa tout fier poursuit :

— C'était sur la pelouse du jardin, à la maison, et il ne devait pas avoir plus de sept ans. L'oie blessée boitait ; il s'est servi d'une pelle et d'un râteau mais avant tout, il a eu recours à la perspicacité. Plus tard au ball-trap, il a atteint cent trente et un pigeons d'argile à l'âge de quatorze ans. Il n'y aura pas long à attendre avant que ce petit montre à sa maman ce qu'il a dans le ventre !

Tout en m'adressant un clin d'œil, l'homme tapote la tête cagoulée de mon protégé. La troupe pour finir nous raccompagne jusqu'à la Nationale 1. Les fusils ballottent sur l'épaule, évoquant la baguette du prof de géographie qui sautille sur la carte du monde comme si de rien n'était, entre Haïti, la Palestine et l'Irak. Ils sont gais et contents ; le petit a les joues gonflées de leur casse-croûte et tient deux beignets en plus à la main. Il ne s'est pourtant pas encore remis de cette expérience, il a l'air distrait et épuisé.

L'impression que j'avais sur la route de la lande, que la voiture était instable et déséquilibrée, se révèle fondée – ma réceptivité aux dysfonctionnements techniques ne compte pas pour du beurre – il n'y a aucun doute que le pneu avant gauche est bien crevé.

Les hommes qui m'escortent s'animent aussitôt, il y a du pain sur la planche et pas de souci à se faire, je n'ai qu'à installer le petit bien au chaud dans la voiture et c'est avec plaisir qu'ils vont m'arranger ça.

— Vous pourrez nous admirer pendant ce temps-là, fait l'un deux gaiement.

Inutile de leur dire que j'ai dans la voiture un excellent manuel illustré de dessins explicatifs, ça prendrait autant de temps d'y apprendre comment changer un pneu crevé que de se faire un rinçage colorant – l'une et l'autre opération se déroulant d'ailleurs en quatre étapes selon les schémas. Je ne vois aucune raison d'emmagasiner des connaissances qui ne serviront probablement jamais ou de me préparer à une éventualité qui n'arrivera pas. Nous mourrons tous un jour, mais il y a plein de gens qui s'en tirent toute leur vie sans jamais avoir eu à changer un pneu, j'essaie donc d'aviser en fonction des événements.

Les neuf tireurs d'élite changent le pneu comme une équipe d'infirmières et de chirurgiens bien rôdés. Ils se divisent sans un mot en ceux qui tendent les instruments et ceux qui effectuent l'intervention sur une patiente de quatre ans à cinq vitesses, récemment graissée et passée à l'antirouille. Ils trouvent la clé ad hoc, se partagent le déboulonnage, actionnent le cric sans hésitation, ont vite fait d'extirper la roue de secours de sa cachette sans avoir à me demander où elle est située, remettent tout en place, professionnellement, impeccablement. Il y en a même un qui pose une main réconfortante sur le capot tandis que les autres parachèvent l'opération. Ils s'acquittent de leur tâche avec soin et tendresse, cajolent la voiture de tapes et de caresses.

—C'est qu'elle avait un pneu crevé, la pauvre bagnole.

— Brave totoche, tu t'es fourrée dans un nid-de-poule, pas vrai ? Ou t'as roulé sur une vilaine pierre ?

— Allez mon p'tit tacot, y a plus bobo.

TRENTE

Me voilà en vadrouille dans le noir et la pluie avec un enfant qui ne m'est rien, trois animaux de compagnie dans un bocal, un petit tas de documents qui ne valent pas d'être mentionnés et, *last but not least*, une boîte à gants bourrée de billets de banque : tout baigne. Le portable délibérément oublié à la maison, le lien principal avec mon proche environnement passe pour l'instant par la météo de la radio qui annonce que le centre de la dépression pèse de tout son poids sur le milieu d'une autre dépression.

Qui je suis est indissociablement lié à *où* je suis et *avec qui* je suis. Pour le moment, je suis tout occupée à jouir de la clarté déclinante, à faire durer le jour trop court pendant que mon compagnon de voyage sommeille, la tête penchée de côté dans sa cagoule. Désormais, il s'agit seulement de décider si l'on s'arrêtera ou non, et si oui, où. Parlez-moi d'habitat dispersé le long de la Nationale 1 ; où

sont donc les habitants de cette île ? La seule compagnie en dehors du petit et des chasseurs est le
personnel de service dans les stations qui jalonnent
la route, la femme qui présente les bulletins météo
à la radio et en ce moment même la voix de velours
du responsable de l'émission culturelle qui laisse les
mots se déverser comme dans une ritournelle sans
ponctuation.

Un grand panneau publicitaire pour Pepsi
illumine soudain l'obscurité.

À cinq semaines de Noël, les guirlandes lumineuses sont déjà accrochées au-dessus de la pompe
à essence. Nous sommes les seuls clients et une
jeune fille maigre à l'air fatigué, avec de grands
yeux et une queue-de-cheval décolorée, surgit en
courant de la maison d'à côté pour servir l'essence.
Je présume que c'est son frère, un peu plus jeune,
qui arrive dans son sillage, marchant à pas lents
comme s'il traversait le courant d'une rivière, boutonneux, le bonnet de laine descendu sur les yeux,
les paupières gonflées comme au sortir d'un long
été de sommeil. Il prend le relais de sa sœur à la
pompe, l'essence c'est sa partie. Elle nous dit qu'il
y a eu un peu de passage ce week-end, que les saucisses de dimanche sont malheureusement finies
et que la machine à glaces est hors-service pendant
l'hiver. À la place, le petit peut choisir des gommes
multicolores et un bonbon de l'an dernier dans les
boîtes du comptoir.

Elísabet Marilyn se révèle être une fille habituée au monde, selon ses dires elle a été deuxième au concours de beauté du dernier bal, elle aime les bons livres et les soirées où il y a mieux à boire que du tord-boyaux, pour l'heure elle se trouve enceinte et n'a pas encore décidé si elle va garder l'enfant ou participer à d'autres concours de beauté. On lui a proposé de concourir au Golden Blonde of the World, exclusivement réservé aux blondes car il s'est avéré que les jurys ont tendance à manifester une certaine partialité en faveur des brunes, toujours mieux placées, comme récemment les Miss Inde ou Miss Brésil, ce qui est professionnellement immoral, compte tenu du fait que les membres des mêmes jurys auraient à maintes reprises laissé entendre le contraire dans des entretiens en tête à tête avec des concurrentes blondes lors des sessions préliminaires.

J'achète pour le petit un pull en laine avec une capuche ainsi qu'un puzzle représentant deux macareux se frottant le bec, et pour moi, un petit souvenir en bois : une église grande comme la paume, sculptée et peinte à la main, due à l'habileté du cousin fermier. Je la dresse au milieu du tableau de bord, Elísabet Marilyn me procure de la colle afin que le bibelot résiste à l'épreuve du déplorable réseau routier de l'île. Je me demande si je devrais acheter une grenouillère en tricot jaune exposée dans le coin des objets d'artisanat. Je donnerais rendez-vous à mon ex-mari dans un café neutre, il serait assis en face de moi avec dans les bras un nourrisson gigotant en chaussettes rayées, et je sortirais le paquet pour le lui tendre au-dessus des tasses de chocolat en disant :

— Eh bien, félicitations pour l'enfant.

— Je te remercie, c'est l'enfant que nous aurions dû avoir ensemble, dirait-il en caressant le duvet blond d'une petite tête sans ressemblance avec lui ni avec moi.

Au lieu de quoi j'en achète deux, pour les bébés à naître d'Audur.

Le petit ne veut pas de ma présence pendant qu'il aligne ses bonbons, parce qu'il est là de son propre chef, pas peu fier de faire ses achats tout seul et qu'il a l'air de trouver la vendeuse plutôt mignonne dans son T-shirt rose ; il la regarde fixement pour ne pas rater les syllabes formées par ses lèvres roses ; c'est difficile pour un petit garçon sourd de discerner les sons provenant de l'intérieur d'un chewing-gum.

Je vois à ses propres lèvres qu'il s'applique à prononcer les mots aussi clairement que possible, il s'efforce de former des sons qu'il n'entend lui-même que dans une faible mesure, mais la vendeuse ne le comprend pas et porte sans cesse un regard interrogateur sur lui, puis sur moi. Soudain il se met à tripoter son appareil auditif, essayant de le régler à nouveau. Je vois qu'il est profondément blessé, une fois ressorti sur le terre-plein, près du mur de la boutique, avec son sachet de cellophane vert qui contient tout autre chose que ce dont il avait envie. Je le rejoins pour lui proposer de s'acheter aussi du chocolat. Il n'arrive pas à choisir entre les trois sortes disposées sous le comptoir vitré, il ne parvient plus à se décider après avoir été désorienté une fois, son équilibre en a souffert et il craint de commettre un impair lourd de conséquences. Je les achète donc toutes les trois, les barres de chocolat, ce n'est pas plus compliqué que ça de faire plaisir à un enfant.

Au moment de partir, le propriétaire des lieux et père d'Elísabet Marilyn apparaît sur le terre-plein et vient confirmer les points essentiels du récit de la jeune fille au sujet de la deuxième place au concours de beauté et de la grossesse. Ce qui explique que la pauvre soit patraque, elle a du mal à supporter l'odeur de la pompe à essence ; une fois, elle a même carrément vomi sur une famille de quatre personnes qui, bien sûr, se tenaient au chaud dans la voiture.

— Par contre, grommèle l'homme, personne ne comprend ce qu'elle trouve à cet ectoplasme efféminé qui travaille à la ferme où on élève des porcs, et en plus il s'épile les sourcils.

Le petit a pardonné à Elísabet Marilyn, je crois qu'il en est amoureux, il court en rond, mimant un oiseau de grande envergure en guise d'adieu.

Une fois remonté dans la voiture, il mange une boule de gomme tirée du sachet qu'il met ensuite de côté et qu'il ne touchera plus. Quatre semaines plus tard, les barres de chocolat seront toujours dans la boîte où il garde sa collection de coquillages.

TRENTE ET UN

L'un des avantages de la route circulaire est qu'il y a peu de risque de se perdre, même sous la bruine. Il n'en va pas de même lorsqu'il s'agit de trouver quelque chose dans l'obscurité, par exemple un panneau pour indiquer l'embranchement qui mène au gîte rural. Au voisinage de l'endroit signalé par le guide, nous roulons plusieurs fois dans les deux sens, environ un centimètre sur la carte à l'est et pareillement à l'ouest ; c'est difficile de se rendre compte des distances dans le noir, aucun point de repère, je demanderais volontiers mon chemin s'il y avait quelqu'un sur la route. Dans le rétroviseur je vois combien Tumi est fatigué. Ma responsabilité est écrasante ; pire que d'être seule, me voilà garante du bonheur d'un autre être. Le pays est incroyablement sombre, nul écho de vie ne trouble le silence de ce désert.

Lorsque je coupe le contact dans la nuit noire pour éplucher une fois de plus mon *Guide de l'hébergement à la ferme*, j'entends un oiseau.

Il me vient tout à coup à l'idée que personne ne passera par ici avant les beaux jours. Que le soleil ne se lèvera pas avant le printemps, on pourra alors à nouveau distinguer des contours dans l'espace informe, entendre des bruits, rencontrer des humains.

Je sais pourtant par expérience qu'il y a là un pays, dans le noir, sous de multiples couches de nuages, un pays que les guides de voyage recommandent pour sa beauté et son étrangeté par les claires nuits d'été. Pour me remémorer la disposition du champ de lave et de la vallée, je dois faire appel à mon imagination, aux poèmes patriotiques et à l'évocation d'un affluent bouillonnant qui se déverse sur les sables. Demain matin, je me réveillerai tout étonnée devant une montagne au profil accusé dont la pente descend droit sur la fenêtre de ma chambre, si près des maisons qu'il faut renverser la tête en arrière pour en voir le sommet entre les rideaux. Je pourrai alors constater que je ne m'y attendais pas du tout la veille au soir.

C'est la guirlande de Noël qui me sauve.

Sur le panneau sont peints deux concombres souriants portant casquette et se donnant la main, « Les Concombres Inattendus » ; c'est le logo de la ferme. Nous pénétrons dans la vapeur d'un plat de choux farcis flanqué d'une saucière de beurre fondu.

La femme nous souhaite la bienvenue, elle sourit au petit, naturelle et chaleureuse – peut-être a-t-elle un cousin handicapé. Elle me dit que sur les terres de Hái-Hamar, on a trouvé de l'eau chaude il y a deux ans ; ils se sont donc fait installer une petite serre où ils cultivent des concombres, ce qui constitue leur singularité et leur fierté. Les clients aiment bien leur acheter des concombres avant de reprendre la route ; on peut même se les faire dédicacer, ou plus exactement y faire ciseler noms, messages, déclarations d'amour. L'un d'eux, un comptable de la ville, a offert à sa bien-aimée un concombre sculpté, qu'il a mis au milieu de la table du petit déjeuner. « Veux-tu » était gravé sur le concombre, il n'avait pas réussi à finir la phrase, mais tout le monde l'imaginait sans peine. Dans la salle du petit déjeuner, un groupe d'investisseurs étrangers participant à un « voyage au cœur de l'inconnu » avait applaudi.

— Les étrangers apprécient beaucoup l'ombre qui recouvre la ferme toute la journée, dit la femme. Et la pluie, il n'en est jamais tombé autant sur le pays…

L'ombre des falaises ne permet de voir le soleil – quand il fait beau – que deux heures par jour, après quoi elle s'étend sur les bâtiments ; il fait alors plus clair au-dessus des bergeries, dans les prés orientés au sud et les moutons baignent parfois dans la lumière du soleil jusque dans l'après-midi.

— Cette année, il a plu deux cent quatre-vingt-quinze jours sur trois cent vingt. Pas mal, hein ? Nous avons mis ce record dans notre brochure. De toute façon, personne ne vient en Islande pour prendre des bains de soleil.

Nous avons de la chance. À une chambre près, nous aurions dû dormir dans la bergerie, qu'il est d'ailleurs question d'aménager pour y loger trente personnes. Un chœur d'hommes d'Estonie en tournée à travers le pays pour interpréter des chants de Noël allemands remplit toute la maison. Il s'avère qu'il n'y a plus de quoi faire nos lits, qui seront donc garnis de nos sacs de couchage. La fermière ne veut rien entendre, elle nous sert d'autorité le repas du soir : choux farcis, purée de pommes de terre et chou rouge dont il reste plus qu'assez. Je regarde le petit engloutir une boulette de viande après l'autre, il a peu mangé ces trois derniers jours, à peine picoré comme un moineau. Ce soir, il mange presque autant qu'un adulte, autant qu'un pêcheur à bord du *Jenný Th. Thrastadóttir*. Pendant que je bavarde avec la patronne, il écluse trois ou quatre verres de lait au fil du repas.

Elle m'explique que les moutons n'ont pas arrêté de se retrouver bloqués sur les saillies rocheuses des falaises, que le prêt d'aide à la production de lait est parti en fumée suite à un incendie criminel, idem pour le foyer d'été pour les jeunes prédélinquants de Reykjavík, ni l'un ni l'autre n'était assuré parce que le type de l'assurance venait à peine de chiffrer le papier peint et qu'aucune prime n'avait encore été réglée.

— En fait, nous avons bouclé la boucle et tout essayé : l'élevage traditionnel, l'élevage des poulets, des bêtes à fourrure, visons et renards, la pisciculture avec bars et loups, les lapins, et pour ce qui est de l'apiculture, il fallait maintenir la chaleur des ruches tout l'hiver, une seule abeille a survécu au froid et à la pluie. On attend encore la réponse pour l'élevage des autruches.

Le repas est bon mais le café imbuvable quels que soient mes efforts pour édulcorer le breuvage. Un bref instant, tournée vers la fenêtre, il me semble voir passer une silhouette familière, de dos, comme ça, très vite. L'imagination, sous la bruine, n'a pas dit son dernier mot. Avec le café, la fermière nous offre du gâteau maison appelé « bonheur conjugal ». Un sombre nuage pèse sur toute chose, mais notre hôtesse a l'air contente.

Je fais un saut dehors pour chercher les sacs de couchage dans le coffre, la cocotte de boulettes de poisson est toujours bien calée à sa place, il n'en va pas de même pour les trois poissons rouges : leur bocal s'est renversé et le couvercle n'a pas tenu. Le coffre est parsemé de taches orange, deux poissons défunts gisent à peu près au sec, l'un des sacs de couchage est trempé. Dans un petit creux près de la roue de secours s'est formée une flaque minuscule où un poisson rouge semble présenter des signes de vie à en juger par le tressaillement de la queue. Au bout de quelques tentatives, j'arrive à le saisir et à l'enfoncer dans le goulot d'une bouteille d'eau à demi pleine, mais j'ai beau la secouer en bouchant d'un doigt l'orifice, il n'a pas l'air de se requinquer.

Après le repas le petit sort dans la cour pour sauter à la corde avec la petite fille de la maison, qui a son âge et une tête de plus. Quand je viens le chercher pour le coucher, ils sont occupés à sauver des vers de terre de la noyade dans une flaque. Je ne mentionne pas les poissons.

En montant à notre chambre, je tombe sur mon ex-amant dans l'escalier, il y a cinq, six marches entre nous.

— Chouette pantalon, sympa, la bordure fleurie. Il te va bien.

— Merci.

Il regarde le petit qui est pressé de nous dépasser.

— Je ne savais pas que tu avais un enfant.

— Non, je le garde pour une amie.

Il sourit et descend une marche tandis que j'en gravis une autre, histoire de nous serrer la main.

Il hésite, tenant toujours ma main.

— Je savais que tu avais quitté la ville, mais pas où tu allais, c'est un hasard incroyable.

— Oui, absolument incroyable.

Il me tient toujours par la main.

—Même si je l'avais voulu, je ne suis pas à tes trousses : je suis arrivé hier soir, donc avant toi.

Je lui souris.

—Déplacement pour le travail, ajoute-t-il en guise d'explication. D'ailleurs je suis sur le départ. Je comptais rentrer en ville cette nuit. Mission terminée.

Puis il me caresse doucement la joue.

—À moins que tu ne manques de compagnie ?

—Je ne sais pas, dis-je en faisant un signe de tête au petit qui se tient immobile et suit alternativement le mouvement de nos lèvres.

—Tu peux te vanter, en tout cas, d'être une bonne patineuse.

—Merci, tu n'es pas mal non plus.

Le petit a droit au sac de couchage sec, moi à une couverture, mais dès que je croiserai une coopérative, j'achèterai deux couettes en duvet, taille adulte. Le garçonnet déverse le sable et le gravier de ses chaussures dans le sac. Des carpettes à longs poils multicolores recouvrent le sol.

—Il y a une vieille odeur ici, marmonne-t-il.

À moins qu'il veuille dire que j'ai une bonne odeur. L'école lui manque déjà, et sa maman, et son grand-père qui vient parfois le chercher, mais il trouve que je suis gentille et, bien sûr, que je sens encore bon, bien que je sache pertinemment que je sens la pluie et la vie des gens du voyage.

Une fois dans son sac, il veut parler tout bas, il a envie de chuchoter en confidence, mais sa voix reste caverneuse et sonore malgré son application. Sa main est trop petite aussi pour renfermer tous les messages du monde en paroles. En revanche, moi, j'ai trois livres dans la voiture pour tout apprendre et comprendre d'un enfant sourd. Il faut seulement que je trouve le temps de les lire.

Après avoir gigoté et donné des coups de pied sous l'édredon quasiment sans arrêt toutes les nuits depuis que j'ai été le chercher à la maternelle il y a dix jours, voilà qu'il dort sans bouger d'un poil.

Je suis fatiguée, moi aussi. Au-dessus du pays, une profonde dépression atmosphérique s'appesantit et je suis en plein dans son œil. Dehors, tout est dans le brouillard. Il y a des mouvements dans le couloir, j'ai comme l'impression qu'on a frappé doucement à la porte. La torpeur du sommeil envahit mon front, puis se déplace vers ma joue ; je sens la journée s'effacer peu à peu, odeurs et bruits s'évaporent, le monde disparaît derrière une épaisse couverture en laine à carreaux bruns, du lait chaud au miel coule dans mes veines. Quelqu'un me tient serrée, je fais un songe de femme très réel. Je sens que la montagne grandiose me domine. Quand je me réveille un peu plus tard pour voir si le petit corps immobile respire, j'ai l'impression que quelqu'un referme doucement la porte derrière soi, mais je suis trop épuisée pour m'arracher au rêve et sortir du lit. Bien que j'aie jugé inutile de verrouiller la voiture pour la nuit, je me souviens avoir fermé la porte de la chambre à clef. Grand-mère, dans l'est, ne fermait jamais la petite maison bleue sur la grève quand elle se rendait au sud du pays, non plus quand elle a passé cinq mois d'hiver au service gériatrique du Centre de soins pour se requinquer. Je ne me souviens pas qu'il y ait jamais eu de clef à cette maison, elle était ouverte à tous, toujours pleine de visiteurs de toutes sortes, y passaient des ministres, des repris de justice, des minéralogistes amateurs venus de l'étranger, et tous siégeaient ensemble à la table de la cuisine, à boire du café et à manger du gâteau à couches alternées de confiture.

Lors de mon dernier été dans l'est, celui de mes quinze ans, j'ai été embrassée sur le grand matelas réservé aux hôtes de passage, au grenier, sans savoir par lequel de mes deux cousins. Ensuite, c'est à peine si l'on peut dire que ça s'est passé. C'est tout juste si j'ai ressenti quelque chose, sans ignorer pourtant que ce n'était pas convenable. Le lendemain matin, je n'étais plus vraiment certaine, je ne me rappelais pas lequel des frères avait dormi à ma gauche. Je n'ai perçu en moi quasiment aucun changement, à part ma décision de prendre, pour la première fois, une tasse de café avec grand-père, et des lummur au lieu de porridge. Grand-mère décréta tout à trac que nous

étions devenus trop grands pour le matelas des visi-
teurs. Ma première nuit passée seule au salon, je rêvai
que j'étais vêtue d'un pull blanc en laine à moitié
fini, avec des boutons en laiton. J'ai noté ce rêve dans
mon journal, en ce dernier été dans l'est. Début
octobre, j'ai eu quinze ans.

Quand le petit me réveille au matin, j'ai sur moi
un gros édredon en duvet revêtu d'une housse
bleue. La couverture, soigneusement pliée, est à
mes pieds.

TRENTE-DEUX

Nous prenons le petit déjeuner avec la famille dans
la cuisine. Le chœur masculin est en cours
d'échauffement dans la grande salle, avec un pot-
pourri matinal d'airs légers, chantés en estonien, et
j'imagine que les paroles doivent paraître exotiques
à d'autres oreilles qu'aux miennes. La fermière pose
un bouquet de tulipes rouges sur ma table.

— Il m'a chargée de vous transmettre ses salutations, il a dit qu'il espérait avoir bientôt de vos
nouvelles.

Il est clair que les tulipes poussent aussi dans la
serre, entre les concombres. Je peux m'estimer

heureuse de n'en avoir pas reçu un, dûment sculpté.

Le petit ôte consciencieusement les rondelles de cucurbitacée de la surface de son sandwich au pâté. Tous le regardent, enfants et parents, tandis qu'il dépose les tranches vertes sur le bord de l'assiette. Il ne manifeste pas le moindre intérêt pour les spectateurs.

— C'est tout votre portrait, dit la fermière.

— Oui, c'est vous tout craché, dit le mari.

— Vous voyagez seule ? demande la femme.

— Vous allez loin ? demande l'homme.

Au bout de la table se tient un garçon qui peut avoir dans les seize, dix-sept ans, un grand échalas aux proportions déglinguées comme si chaque partie du corps avait grandi séparément, le dos voûté au-dessus de son assiette de Cheerios, les yeux gonflés de sommeil et de grandes oreilles que le bonnet ne parvient pas à cacher tout à fait. Aucun doute possible sur l'identité du propriétaire des chaussures de sport, pointure quarante-quatre, qui sont dans le couloir. Il ressemble néanmoins à sa mère, laquelle est une femme plutôt mignonne aux traits fins. Je l'examine attentivement jusqu'à ce qu'il lève des yeux vagues d'un bleu aqueux.

— Il a poussé de quatorze centimètres l'été dernier, dit la fermière, et il n'est pour ainsi dire pas sorti de son lit en juillet et en août ; il dormait dix-huit heures sur vingt-quatre et ne se réveillait que pour manger. C'était vraiment notre fils prodigue, il fallait presque abattre un agneau par repas. On n'a guère pu profiter de lui cet été-là, même pas sur la moissonneuse-batteuse qu'il sait pourtant manœuvrer depuis l'âge de huit ans. Ses mouvements étaient si lents qu'on a bien cru qu'il n'arriverait jamais à aller du canapé à son lit, c'était comme s'il avait de l'eau jusque sous les bras.

Elle parle de lui comme s'il était absent. Le jeune homme n'affiche aucune expression, il se concentre sur la pêche aux céréales dans son bol de lait. Son père se mêle à la conversation pour évoquer les débuts de leur ménage.

— On allait rentrer d'un bal, tout le monde était monté dans le car, le moteur était en marche et on attendait le départ. Pendant que les gens scrutaient l'obscurité ou étaient en train de s'embrasser je suis sorti en vitesse pour chercher l'amie de ma future femme avec qui j'avais un peu flirté ; elles avaient la même queue de cheval et j'avais un peu bu.

— Nous disons parfois que notre union est tirée par les cheveux, lance son épouse avec un grand sourire.

Ils s'esclaffent et l'on devine que le récit du retour du bal a été fignolé au cours des années jusqu'à prendre une forme assez constante.

— Par contre, il ne confondrait jamais les queues de deux juments.

— Ma future femme était allée vomir derrière

une maison – c'était sa première vraie cuite et on peut dire que c'est pendant que je lui lavais la figure que notre premier né a été mis en route. La meilleure, c'est que personne dans le car n'a même soupçonné mon absence pendant ces quelques minutes.

— Oui, c'est que le Stebbi est un fonceur, dit la femme en riant de bon cœur. Depuis, on est inséparables.

— C'est vrai que j'ai eu l'impression d'être arrivé au ciel quand nous nous sommes connus, dit l'homme.

La robe de son épouse a une fermeture Éclair sur la hanche ; elle y frétille comme une anguille et trépigne de ses pieds nus glissés dans des chaussons à fleurs. Lui a perdu le fil de la conversation et son regard s'attarde sur les formes rebondies qui tendent le tissu. Pendant qu'elle parle, il la fixe dans les yeux un bon moment, assez longtemps pour qu'elle s'avance vers lui. Est-il possible qu'ils aient oublié notre présence à nous, les hôtes du matin ?

Soudain une porte s'ouvre et un petit être met le pied sur le plancher, l'arrière-train volumineux, alourdi par la couche de nuit. La femme se détourne de l'homme, se penche et ouvre grand les bras à la petite créature qu'elle soulève, embrasse et tend à son mari avant de s'éclipser. Elle revient peu après avec un bol de fromage blanc.

— Sucre, dit l'enfant en battant des mains.

— Une cuillerée pour Christian IX qui nous a donné la Constitution, dit sa mère, une pour Ingibjörg, la femme de Jón Sigurdsson, héros de la nation, une pour la reine Margrete du Danemark, une pour l'ancienne présidente Vigdís, une pour Dorrit, l'actuelle première dame.

En allant chercher des billets de mille dans la boîte à gants, je me souviens qu'il y avait là un numéro de téléphone dont j'ai besoin. Au lieu de quoi j'exhume un slip blanc et m'étonne bien entendu de sa présence à cet endroit, dans la cour de la ferme de Hái-Hamar. Avant de partir, j'achèterai tout de même deux concombres au couple.

— Rendez-vous compte, dit la femme en me disant au revoir, son bout de chou dans les bras, il y a des gens qui n'ont jamais fait de route sous la pluie.

Elle lève les yeux vers le rocher en surplomb, son pull est mouillé. Arrivée à l'embranchement, il me vient à l'idée que j'ai peut-être mal entendu, que mon ouïe commence à baisser ces derniers temps et qu'en réalité elle a dit :

— Rendez-vous compte, il y a des gens qui n'ont jamais été à l'écoute de la pluie.

Et elle aurait alors tendu l'oreille vers le ciel, dans son pull trempé.

TRENTE-TROIS

Nous cheminons lentement, parcourons le pays à petite vitesse, parce que nous sommes en vacances et avons tout notre temps, nous nous arrêtons pour manger un bout et enfilons parfois nos vêtements de pluie pour récolter des trésors sur le bord de la route, des pierres rares et mouillées ; nous remplissons peu à peu la voiture de ces joyaux, d'habits mouillés, d'anoraks, de chaussettes, de sacs de couchage, de bonnets, de gants, de gravier, de miettes et de brins de mousse. Le petit s'est mis à dessiner de l'index des images et divers signes sur la vitre embuée. Quand le temps se lève, par moments, on voit le paysage qui se fronce d'un seul coup en plis grandioses et magnifiques. Nous garons alors la voiture pour trouver un cratère de taille abordable tout près de la route, histoire de regarder au fond et de songer au chaos dans la nature détrempée. Et puis nous nous couchons dans l'herbe pour voir à quelle vitesse passent les nuages. La lumière est fragile et transparente comme un drap de coton usé qui nous enveloppe, le petit et moi.

— Où est gauche ? demande-t-il d'une voix très claire alors que nous avons repris notre voyage sur la route circulaire.

Pour causer ensemble de la gauche, il faut arrêter

la voiture encore une fois. Il est alors tout indiqué de s'asseoir, chacun sur sa bosse de terrain détrempé. Nous sommes tout près d'un parc de tri des moutons construit en pierres sèches et j'attends qu'une camionnette rouge soit passée avant d'ouvrir le portillon.

—Gauche est un mot de la ville, à la campagne les directions ne sont pas au nombre de deux, mais de quatre, on dit nord, sud, est, ouest. Gauche s'appelle alors nord, c'est la direction qui passe par ma fenêtre, droit devant c'est l'est, ta fenêtre est au sud et ce qui est derrière nous et fini, c'est l'ouest.

J'essaie de m'en tirer, de fabriquer des images et des signes avec les mains, certains de mon propre cru, d'autres que je l'ai vu employer ; je dis avant et après, je dis aussi ce qui est devant et ce qui est derrière, ce qui est à venir et ce qui est passé. Il me comprend mieux que je ne le fais moi-même.

—En ville, les directions sont au nombre des mains des hommes, ici, à la campagne, elles ont le même nombre que les pattes des animaux, quatre.

—Poulets, dit-il.

—Oui, les poulets font exception.

—Glace-en-arrière, dit-il.

—Tout juste, rétroviseur.

—Papa habite à l'ouest.

Je suis à peu près sûre de ce qu'il a dit. D'où l'enfant tire-t-il de pareilles idées ? Au lieu de parler de son père, que le petit n'a rencontré que très rarement à ma connaissance, je lui explique ce que veut dire être désorienté. Le pire est de se trouver dans le brouillard, dans un marécage, ou dans une tempête de neige sur la lande. Certaines personnes ne se perdent jamais dans la nature, seulement dans les villes, d'autres encore uniquement à l'étranger. Pourtant la plupart des grandes villes sont construites de la même façon. D'autres s'égarent où qu'ils soient ; ils sont plus ou moins perdus toute leur vie. Je parle la langue des entendants, sachant fort bien qu'il ne me comprend pas, jusqu'à ce qu'il se mette à pleurer. J'arrête alors, j'enlève de mon poignet la montre du divorce et la lui tend en disant :

— Tu peux la garder.

— Mouillé, dit-il.

J'attache la montre à son poignet.

— On s'arrêtera bientôt et on achètera de la glace et une carte postale pour envoyer à ta maman, à l'hôpital.

— Mouche ! déclare soudain le petit garçon juste après qu'on a repris la route.

Il a raison, quelque chose voltige dans la voiture, non pas une mouche mais un papillon en plein mois de novembre. La question est de savoir s'il nous a suivis depuis la ville, si c'est le même que j'ai touché du bout des doigts voilà trois semaines dans mon ancienne cuisine, tel un passager clandestin qui a enfin le courage de se livrer, de sortir de sa cachette, parce que le navire désormais au large ne risque plus de faire demi-tour.

Soudain au milieu des sables un grand panneau rouge clignotant annonce la prochaine étape. Les débits de saucisses et de hamburgers jalonnent la route circulaire à intervalles de vingt à cinquante kilomètres. C'est là qu'enfin nous nous arrêtons pour manger quelque chose. Quand j'ouvre la portière arrière pour détacher sa ceinture de sécurité, je déchiffre deux mots sur la vitre embuée : MOUYÉ, MOUCHE.

Il y a un car sur le terre-plein asphalté. Nous commandons des hamburgers puis je pousse le petit devant moi pour prendre place dans la queue devant les toilettes des dames, j'ouvre les boutons-pressions de sa salopette et il est tout prêt. Les femmes accompagnant le chœur masculin d'Estonie se tiennent à la queue-leu-leu dans leurs pulls jacquard ; le peigne en l'air, elles nous dévisagent par le biais des miroirs, sans rompre le rang.

Quand il a fini, je lui demande de m'attendre à la porte sans bouger.

Lorsque j'émerge, le petit a disparu. Le car est parti et je me précipite comme une folle en tous sens, demandant aux vendeuses si elles ont vu un petit garçon de quatre ans malentendant en salopette bleue. Elles se regardent entre elles, muettes. Je cours partout en me disant qu'il n'a pas pu s'exprimer et qu'un automobiliste a dû l'embarquer.

Finalement, je le retrouve sur le terre-plein derrière un hangar où sont entreposées les bonbonnes de gaz vides. Il donne la main à un homme d'âge mûr, à la figure rougeaude ; ils ont l'air tous deux timides et contents. J'arrache l'enfant au bonhomme et déverse ma colère sur lui, je dis que je vais porter plainte contre lui pour je ne sais quoi. L'homme s'engouffre dans une camionnette rouge et démarre en trombe.

— Papa, dit le petit.

Si une chose est sûre, c'est que ce n'est pas le père de l'enfant. Les pères des enfants d'Audur ont en commun d'être des hommes jeunes, beaux et sensibles, mais totalement irresponsables.

Dans l'état d'agitation mentale où je suis, je ne relève pas le numéro du véhicule.

Le petit ne veut pas me parler et se cache sous le sac de couchage sur le siège arrière. Je retourne en courant acheter la carte postale sans quitter des yeux la voiture et le gamin dedans. Ils n'ont que deux modèles de carte, de la même chute d'eau censée se trouver à proximité. Mais les cartes postales n'ont pas vocation de guides, elles sont liées aux souvenirs, nullement aux projets. Celles-là ont été prises de si près que les perles d'écume de la cascade se sont nettement déposées sur la lentille de l'objectif. À mon retour, le petit sort la tête du duvet. Nous avons beau chercher, nous ne retrouvons pas le papillon, il a disparu de la voiture.

TRENTE-QUATRE

La route se rétrécit brusquement, du gravillon remplace l'asphalte. La visibilité est de trois mètres à travers les essuie-glaces. On passe à la radio des musiques de film avant la lecture des avis de décès et des annonces. Lorsqu'une voix féminine se met à chanter la souffrance et l'amour, j'augmente le volume : *Piensa en mi cuando sufras,* quand tu souffres, pense à moi.

Nous avons déjà franchi une rivière et il y en a une autre à venir, soit deux ponts à voie unique et la route qui se resserre encore, ma parole ! Les nids-de-poule se multiplient et deviennent de plus en plus profonds. La route poursuit ses méandres ; devant nous s'annoncent une côte et un virage et encore un panneau de signalisation promettant un nouveau pont. Avec une concentration insigne, j'enfile la route entre les panneaux de mise en garde, d'abord : attention-côte-sans-visibilité-virage, et cet autre ensuite : attention-pont-à-voie-unique. Voilà donc à quoi ressemble notre Nationale 1.

Nous sommes, à ce qu'il semble, la seule voiture en ce mardi matin, sans compter, bien sûr, les moutons. En temps normal, les bêtes devraient être depuis longtemps en bergerie et nourries au fourrage, mais comme on connaît une douceur exceptionnelle, elles se frottent encore contre les talus ou les piliers des ponts et parfois même au beau milieu de la route, elles dardent leurs yeux rouges sur le rayon des phares qui approchent, me fixant droit dans les yeux, sans broncher. Comme de bien entendu, une partie seulement de la famille ovine se trouve du même côté de la route, la mère et la grand-mère sont d'un côté, l'agnelle de l'autre ; quand une voiture approche, elles ressentent invariablement le besoin de se réunir, bondissent du bas du talus ou des piliers du pont, en tout cas hors de leur cachette, tout comme à l'étranger ces soldats armés jusqu'aux dents qui guettent les femmes et les enfants au retour de l'église ou de la boulangerie. La séquence se répète quarante fois par jour : des moutons traversent la route au galop et je freine à mort. Et puis la quarante et unième fois ce qui devait arriver arrive fatalement, l'une des bêtes réussit à me prendre au dépourvu et, surgissant du brouillard, hors du néant devant la voiture, est projetée sur le capot.

À mon coup de frein, l'animal glisse sur la route, dans la boue. Le pare-brise se fêle en une fine dentelle, une toile d'araignée, comme sous les doigts d'une fileuse, et puis se désintègre et tombe. Les essuie-glaces continuent de fonctionner, la petite église fixée à la colle d'écolier n'a pas bougé du tableau de bord.

C'est à ce moment précis que m'effleure pour la première fois l'idée que je suis une femme au milieu d'un motif finement tissé d'émotions et de temps, que bien des choses qui se produisent simultanément ont de l'importance pour ma vie, que les événements n'interviennent pas les uns après les autres, mais sur plusieurs plans simultanés de pensées, de rêves et de sentiments, qu'il y a un instant au cœur de l'instant. Bien plus tard seulement, la mémoire fera son tri et discernera un fil dans le chaos de ce qui a eu lieu. C'est exactement ainsi que les destins d'une femme et d'une bête s'entrecroisent. La conductrice écoute une chanson espagnole d'amour et de regret, elle jette un bref coup d'œil dans le rétroviseur pour voir comment son petit compagnon de voyage sourd se débrouille avec son Chocolait et sa banane, au même moment un mouton décide de traverser la route juste au nez de la voiture, ou bien prend peur – que sais-je du fonctionnement psychique d'un représentant de la souche antique et pure des moutons d'Islande ? Le temps est un film qui passe au ralenti.

J'ai peut-être dix minutes de retard sur l'horaire pour avoir lambiné sous la douche, à moins que ce soit dix minutes d'avance ? En tout cas, s'il ne m'était pas venu à l'idée de prendre des vacances d'été en novembre et si je n'avais pas gagné un chalet tout équipé à la tombola des sourds, si je n'avais pas connu mon ex en son temps ni été envoyée à la campagne dans l'est chaque été jusqu'à l'âge de quatorze ans, si enfin je n'avais pas mangé du lait caillé avec du muesli au petit déjeuner, eh bien je ne serais pas ici maintenant, je serais ailleurs, je serais une autre. Probablement serais-je encore assise sur mon ancien canapé en cuir à côté de mon ex à regarder la guerre en direct dans le monde. En ce jour précis, le dix-sept du onzième mois, où un mouton écrasé gît sur la route circulaire, se noue toute ma vie, les hasards, les décisions, ce que je mange et comment je dors.

Comme il n'est pas possible d'énoncer beaucoup de mots à la fois, les choses semblent se passer les unes après les autres, les événements se présentent par groupes de mots qui s'organisent en lignes horizontales dans mon récit lorsque je téléphone à Audur pour lui donner des nouvelles. En réalité, le lien entre mots et événements est d'une tout autre nature. Mais je n'en dis rien au téléphone. Elle a bien assez de soucis comme ça. Non, personne n'a été blessé, à part le mouton qui est mort. Oui, c'est vrai ce qu'elle dit, ça m'a pris moins de temps d'exécuter un mouton que chez les bergers nomades de Sibérie qui enfoncent le bras dans la bête, tâtonnent dans le noir jusqu'à ce qu'ils trouvent l'aorte pour l'arracher délicatement. En plus, c'est un travail qui inspire le respect. Elle se fait du souci pour Tumi – non pas entre mes mains – et du souci pour moi, du souci pour sa mère et du souci pour les enfants à naître, pour le système de santé publique, ses élèves et les ponts et chaussées de l'île, la guerre dans le monde, la cupidité de quelques-uns qui entraîne le pays à sa perte, du souci parce qu'elle n'a pas le droit de jouer de l'accordéon – ce qui devrait être sa principale distraction, au lit, dans une chambrée de quatre femmes. Au lieu de quoi elle est obligée d'écouter la Bible en version audio et elle en était au *Livre de Job*, quatorze, sept, lorsque j'ai appelé.

— De sorte que je progresse convenablement dans la souffrance, dit-elle.

Je regarde autour de moi ; comme de juste, pas une voiture en vue, la route est déserte et déserte est la campagne – l'île est pour ainsi dire inhabitée. Je suis justement en train de traverser une commune qui s'est signalée aux dernières élections munici-pales par un pourcentage record de participation électorale, quatre-vingt-dix-sept pour cent des hommes et femmes en âge de voter ont exprimé leur suffrage, soit trente-trois individus. Je tire cette information de la gazette locale.

Je sors précipitamment du véhicule et inspecte d'abord le coffre : il est plein. Je hisse donc la bête pleine de boue sur le siège avant. Elle est bien plus lourde que l'enfant.

Sous l'effet de la collision, le petit a vomi et le jet a atteint le tableau de bord tout vibrant. Tout est sens dessus dessous dans la voiture ; autant la vendre et en acheter une neuve à la première occasion.

Noir avec du blanc autour des yeux, le mouton est bizarrement encorné, en fait il est quasiment unicorne car la deuxième n'est guère plus formée qu'une bosse. Sa grande famille bêle et puis se désagrège dans la pluie de novembre. Des râles émanent de l'animal ensanglanté sur le siège avant ; rien d'autre à faire que le ramener chez lui, à la ferme la plus proche. Je mets un nouveau CD dans l'appareil, *O mio babbino caro*, une aria de Puccini. Le temps s'assombrit à nouveau. Je franchis deux barrières et roule dans la direction d'un hameau au pied de la montagne, les doigts souillés et mouillés.

J'ai sept ans et mon copain Sigurdur frappe à la porte, il dit que Brandur a été écrasé, qu'il est mort et a été mis dans un carton qui contenait des pommes ; il est enfermé dans les toilettes pour invités et ça coûte cinq couronnes pour le voir par la fenêtre. Je prends place au bout de la queue, mes cinq couronnes à la main, la file progresse lentement ; depuis avant-hier, je porte mes nouvelles chaussures de toile, cadeau reçu en l'honneur du premier jour d'été. Lorsque mon tour arrive, je donne l'argent à Siggi et grimpe sur une caisse en-dessous de la fenêtre des toilettes pour invités, où gît Brandur, mort. Je me hisse sur la pointe des pieds dans mes nouvelles chaussures de toile et, l'espace d'un instant, son cadavre m'apparaît, couché sur le côté. Il y a de l'écume blanche autour de la bouche et du sang sur le ventre. Les yeux sont ouverts.

Je fais un signe de croix comme on en fait sur moi après le bain, quand je suis en T-shirt. Je remarque alors que des chaussettes blanches trempent dans le lavabo. Quand je descends de la caisse, mon ami Sigurdur m'offre une tablette de chewing-gum Wrigley's Spearmint. Après quoi je pars en courant sur la lande dans mes nouvelles chaussures en toile blanches, juste en face des nouvelles constructions. Il y a là des flaques d'une eau rouge à l'odeur de rouille et de moisi qui rougit mes chaussures en un clin d'œil. Le soir, je mets mes lacets à tremper dans de l'eau de Javel.

Le temps s'est levé lorsque nous mettons pied à terre dans la cour. Une guirlande de Noël est accrochée au faîte de la bergerie. Le chien de la maison bondit aussitôt pour me faire fête, mais personne ne répond quand je frappe à la porte. On voit la lueur bleue de la télévision dans le salon, c'est une maison de plain-pied et je frappe à la fenêtre. Mari et femme sont assis contre les accoudoirs, aux deux extrémités du canapé, et regardent une série policière autrichienne où un berger allemand déplace beaucoup d'air. Deux géologues étrangers, hôtes des fermiers, se tiennent dans la cour et suivent le déroulement de l'action à distance. Le mari se lève enfin et vient ouvrir la porte avec un grand sourire qui dévoile ses gencives rouges ; il a l'air plutôt content sous la pluie. La marque à l'oreille du mouton n'est pas la sienne mais celle de son frère, à la ferme voisine, lequel n'a qu'à s'occuper lui-même de ses moutons.

— On ne se parle plus depuis sept ans. Incidents de frontières. Il vient de nous envoyer une lettre de menace à cause des tranchées de drainage que je creuse dans mes prés. Le voilà tout à coup qui se prétend défenseur des échassiers !

Son regard survole les fossés d'assèchement.

— Le voisinage tue, dit-il pour finir.

TRENTE-CINQ

Au bout de l'embranchement qui mène aux voisins, il me semble, comme ça, un instant, qu'on va nous accueillir à bras ouverts. L'homme sur le terre-plein paraît avancer vers nous à pas lents, la femme à sa suite. En scrutant la scène à travers les ramifications de verre pulvérisé du pare-brise, je remarque qu'il a une serviette jaune jetée sur l'épaule et un tabouret de cuisine au bout du bras. Il ne nous prête aucune attention, m'ayant sans doute vue venir de chez son ennemi de frère, ce qui doit être de mauvais augure. À peu près de mon âge, ces gens pourraient être cousins : même physique, même coupe de cheveux, même démarche, attaquant tous les deux fermement le sol du pied gauche. L'homme s'est assis sur le tabouret, il penche la tête en avant. Maintenant que je suis sortie de la voiture, je vois que la femme tient à la main un rasoir électrique noir. Elle se met aussitôt à raser la nuque de son époux à l'abri de l'auvent qui protège la porte d'entrée.

— C'est pour ne pas avoir de poils à l'intérieur, sur le tapis ou sur le canapé, dit-elle en guise d'explication. Y a assez de saleté comme ça avec les chips et les chiens.

Le roquet est en passe de devenir fou, il dérape en aboyant tout autour de la voiture, se dresse sur deux pattes contre la vitre derrière laquelle se trouve la bête, tente à plusieurs reprises de me faire tomber, griffe la peinture de la voiture – ce qui ne fait rien, au point où elle en est –, grimpe finalement sur le capot où il se campe et bave dans mon cou.

— Vous avez écrasé ma brebis préférée, dit la femme. Il a fallu appeler une sage-femme quand elle est venue au monde, et ensuite le vétérinaire. Elle est née par césarienne.

Ils contemplent la bête aux yeux vitreux, achevée par les cahots des deux chemins de traverse menant aux fermes des deux frères dont le voisinage est mortel, où l'on ne se parle plus depuis sept ans, mais où les petits cousins vont parfois jouer ensemble en se faufilant par les trous de la clôture en barbelés.

— Vous payez cash ou avec une carte ?

Âgée de quatre ans, l'oreille droite semitronquée, l'oreille gauche à pointe fendue, la bête sanguinolente s'appelait Lind. Elle donnait toujours naissance à deux agneaux. Poids de la carcasse : quarante kilos virgule sept, elle a reçu deux fois la médaille d'argent au concours agricole. Elle s'avère plus coûteuse qu'elle ne l'aurait été au rayon viande du supermarché, coupée en tranches, épicée, marinée au cognac et emballée sous vide.

— Lait, dit le petit qui a quitté la voiture et se tient tout contre moi en serrant ma main bien fort.

Je m'enhardis à demander si l'enfant pourrait avoir un verre de lait, car on n'en trouve nulle part dans les stations-service qui jalonnent la route nationale du pays.

— C'est l'anniversaire du patron dans une semaine, dit la femme, l'air fatigué. Un grand anniversaire. On avait d'ailleurs l'intention d'abattre la bête, je tâcherai d'en faire un ragoût. On attend soixante convives.

— Pas encore un de ces trucs super piquants avec des haricots rouges, dit le mari.

— On devrait avoir l'habitude, poursuit l'éleveuse. Les gens n'arrêtent pas d'écraser des bêtes ; la dernière fois c'est un étalon de première catégorie que le pasteur a tué en faisant marche arrière. L'ironie du sort veut qu'il se soit trompé de ferme, ici personne ne s'était suicidé.

— Pas encore, lance le mari.

— On en a mangé tous les jours pendant trois semaines.

Se penchant vers moi, elle chuchote :

— Avec du poivre de Cayenne moulu, impossible de déceler l'origine de la matière première, accident ou abattage clandestin à la ferme, n'importe, race et provenance disparaissent en un clin d'œil.

Elle ajoute d'un ton léger, à tu et à toi avec sa sœur de sexe :

— On vend pas mal de bêtes accidentées à l'hôtel Sand.

Je me demande si je dois lui passer la recette irlandaise de l'oie que l'on fait tout simplement cuire assez longtemps, avec la farce, pour faire disparaître toutes les traces du crime.

— Allez donc voir ses tableaux, me dit-elle soudain en baissant la voix, et si vous en achetez un, je vous ferai un bon prix pour le mouton. Personne ne sait d'où vient son talent, il s'y est mis tout à coup. On espère que ça se transmettra aux enfants.

Je monte au grenier à la suite du fermier.

Dans la chambre de ses défunts beaux-parents, il

s'est installé un atelier pour peindre.

— Ça a commencé comme ça, un beau jour après le dîner, dit-il. C'était comme si on me dirigeait de l'au-delà.

Tous les animaux sont de profil, vus de côté comme les empereurs romains sur les monnaies antiques. Au fond il y a beaucoup de ciel orangé et un coucher de soleil. L'avantage c'est que les tableaux ne sont pas grands. Celui-là, l'historien d'art du journal local l'a appelé *Hawaï Tropic Sunset* dans un petit article. Il se baladait en zone rurale et faisait un reportage sur un quart du pays en un quart de colonne.

Il me tend la coupure de presse. Le petit, pendant ce temps, regarde tranquillement les images et le bonhomme à tour de rôle.

— Voulez-vous le portrait du vôtre ou bien de n'importe quel mouton ?

Je paie trois mille cinq cents couronnes pour le tableau et il me donne en prime deux kilos de pommes de terre de novembre fraîchement récoltées. Audur saura apprécier la tonalité pure de cette image.

— Si le temps continue comme ça, on finira par cultiver toute l'année, ajoute le fermier. À moins qu'on ne se mette à peindre toute l'année.

Des chatons aveugles chahutent dans l'entrée au milieu des chaussures tandis que je paie mouton et portrait de mouton. L'enfant de la maison propose au petit de s'amuser avec les chatons. On va les noyer bientôt. Captivé, le petit s'accroupit près du tas de souliers et je redoute qu'on ne nous donne encore quelque chose en prime.

Une fois les affaires réglées, l'atmosphère devient plus légère et on parle du temps qu'il fait. C'est surtout le couple qui échange diverses considérations.

— Oui, qu'est-ce qu'il peut pleuvoir, dit la femme.

— Oui, qu'est-ce que le temps est doux, dit l'homme.

— À présent, plus rien n'est comme avant, dit la femme, tout est inhabituel.

— Tout indique que les pôles vont s'inverser bientôt.

— Le jour le plus court de l'année est en vue, les pommes de terre continuent à pousser et on n'a même pas fini de ramasser toutes les carottes de l'été.

— C'est exact.

— On ne se souvient pas d'avoir jamais eu aussi beau temps à la fin novembre. Incroyable, mais vrai : hier la température la plus élevée d'Europe – Rome comprise – était ici même, à l'endroit où nous sommes.

— Rendez-vous compte, juste au nord du cercle polaire arctique. Et les fanes des pommes de terre poussent toujours et on a encore eu un agneau hier.

—Le journaliste Ómar Ragnarsson est arrivé aujourd'hui dans son petit avion et il va en parler aux infos de ce soir.

—Oui, c'est unique.

—On rend grâce à Dieu pour chaque jour qui passe.

—C'est vrai.

—Ça finira bien un jour.

—Comme de juste.

—Des fois que ça finisse par une éruption.

—Ou une inondation, dis-je enfin, me mêlant à la conversation du couple.

—Qu'est-ce que vous voulez dire ?

—Eh bien, il me semble que les rivières ont énormément enflé, l'eau atteint le tablier des ponts, les routes sont pleines de trous, les sables sont trempés, les glaciers sont gris de pluie. Sans compter les lagons glaciaires.

Ils me considèrent avec méfiance.

En guise d'adieu, je tapote pour m'excuser la bête qui gît sur le carreau.

L'homme me signale un garage proche où ça ne prendra qu'une demi-journée pour se faire livrer un nouveau pare-brise.

—De toute façon, ils n'arrêtent pas d'en commander pour les engins qui travaillent au barrage.

À peine suis-je remontée dans la voiture, une fois la barrière refermée, que je vois une petite boule de poils rayés apparaître dans l'encolure du pull du petit. Il me regarde de ses yeux humides et implorants au travers des verres de ses lunettes, ce qui fait quatre yeux implorants qui me regardent du siège arrière. Je souris avec entrain, compréhensive et consentante, je mets les essuie-glaces et le chauffage en marche et m'engage sur la route Nationale 1 – me voilà de nouveau sur les rails.

Ce qu'il y a de mieux dans le réseau routier de l'île, c'est cette voie circulaire, rien ne vient y déranger l'esprit, les embranchements ne servent qu'à collecter le lait ou à se rendre à la prochaine ferme avec un mouton mort sous vos roues. On peut s'arrêter à peu près n'importe où et reprendre le volant sans avoir à feuilleter le guide. Ça facilite beaucoup les choses d'échapper à l'angoisse du choix à chaque carrefour.

Je passe du bulletin météo à un CD, Pérez Prado et son orchestre, et j'écoute le tango défendu, *Tabou*. Ma vision du monde a beau être délimitée par un feston de verre, je sens croître mon emprise sur les circonstances ; en réalité, il s'en faut de très peu pour que je puisse me considérer comme une femme comblée.

TRENTE-SIX

Nous franchissons trois ponts l'un après l'autre ; l'eau a encore monté. Pendant que l'on répare la voiture, nous mettons le temps à profit pour écrire la carte postale et manger des sandwichs aux crevettes, le petit ôtant soigneusement les quatre petits crustacés du sien. Cela occupe une heure et demie de ma vie de rédiger la carte pour l'enfant. Il me dicte tout ce qui doit y figurer ; j'écris les mots d'abord dans mon calepin, il les regarde, pointe le doigt dessus et secoue ou hoche la tête. Il n'y a aucun doute qu'il sait lire.

Chère maman,
Nous sommes en voyage en Islande. La route n'est pas toute droite. Il y a une glace-en-arrière dans la voiture. Je vais bien. Il y a de la pluie. Le mouton est mort et les poissons aussi. J'ai un petit chat. Les autres sont morts. Je suis bien mais je reviendrai quand même chez toi. Nous t'adressons nos salutations (cette phrase est de moi). Grosses bises. Ton fils chéri, Tumi.

Le soir, je téléphone à Audur.
— Devine qui j'ai rencontré à la visite de contrôle prénatal ce matin ?
— Qui donc ?
— C'est tout juste s'il a levé les yeux d'un

magazine norvégien, il était plongé dans les photos du couple royal vieilles de deux ans. Le seul homme de la salle d'attente, car c'était en plein milieu d'un jour ouvrable.

— Comment vas-tu, toi ?

— Par contre, elle, je ne l'ai vue que de dos, au moment où elle entrait dans le cabinet de consultation, et comme elle portait un manteau plutôt banal, je ne la reconnaîtrais même pas dans la rue.

— Car tu ne l'as vue que de dos. Comment vas-tu ?

— Elle portait des lunettes.

— De dos ?

— Je l'ai vue brièvement de côté.

— Comment vas-tu ?

— Je m'attendais en fait à une vulgaire pin-up, ajoute-t-elle. Mais au lieu de ça, on dirait qu'elle te ressemble un peu. Sauf que tu es, évidemment, bien plus attirante.

— Car je suis ton amie et tu ne l'as entrevue que brièvement de côté.

— Ne le prends pas personnellement, mais j'ai trouvé qu'il n'avait pas du tout mauvaise mine, les cheveux fraîchement coupés et l'air reposé. En fait, il avait l'air en forme.

— Que disent les médecins, on a fixé la date de l'accouchement ?

— Le mien ?

— Oui, de tes jumeaux.

— Le 24 décembre, si rien ne se passe avant, et ce sera des jumelles.

— Tout va bien, sinon ? Dans le service ?

— Comme tu peux l'imaginer, je n'ai jamais connu de vie plus soporifique. J'essaie de tenir le coup sans trop penser au sexe ni à la mort, maintenant c'est surtout la bouffe qui m'intéresse et je lis des livres de cuisine entre les repas. Et puis la déception est toujours aussi grande quand arrive le plateau-repas, des biscottes ramollies et de la soupe au cacao tiède, épaisse et insipide.

Je lui demande alors si le petit sait lire. Pas qu'elle sache, elle n'a même pas eu le temps de lui apprendre les lettres, leur emploi du temps ne le lui permet guère : orthophonie, langue des signes, ergothérapie, kiné. En plus, il vient juste d'avoir quatre ans.

— En tout cas il sait écrire des mots, dis-je, toutes sortes de mots compliqués qu'il écrit sur la buée de la vitre de son côté dans la voiture : maman, mouche, en-arière, papa, mouyé, lagon.

— Quel effet ça te fait d'être avec un enfant ?

— Tumi est très spécial, c'est un enfant adorable. J'ai commencé à apprendre la langue des signes, à me documenter, il m'enseigne, lui aussi, il m'indique les objets et me montre les signes.

— Serait-il en train de te changer ?

— Ça se pourrait bien.

J'entends à sa voix qu'elle a des sanglots dans la gorge.

— Le plus important dans la vie, c'est d'être mère. C'est une expérience de vie extraordinaire que d'avoir un enfant. Et tout à coup on se retrouve à devoir décider si l'on fait un grand repas pour la communion ou si l'on se contente d'offrir le café et s'il ne faudrait pas prendre contact avec le papa, voire même aller ensemble chez le photographe. Selon la loi, il doit payer la moitié des frais de la communion de l'enfant, et de l'enterrement.

— Il faut d'abord… qu'ils naissent, dis-je.

— Je pourrais mourir pendant l'accouchement, on pourrait mourir toutes les trois, c'est une telle responsabilité.

— Allez, arrête, il ne t'arrivera rien cette fois-ci.

— S'il m'arrive quand même quelque chose… s'il nous arrive quelque chose, je veux que ce soit toi qui t'occupes de Tumi, tu es la meilleure personne que je connaisse. J'ai couché tout ça par écrit.

— Il ne t'arrivera rien, tu es tellement sensible dans cet état, on va prendre soin de toi.

— Précisément, c'est la confiance qui règne dans ce service qui m'effraie, les gens ici aiment tellement leur travail que c'en est suspect, et puis ils enregistrent les épisodes d'*Urgences* pour ceux qui sont au travail.

— Tu es tellement sensible dans cet état, si tu veux, je pourrai parler au médecin accoucheur.

— Je suis une amie au-dessous de tout, je ne parle que de moi et je ne te demande rien sur toi.

As-tu fait connaissance avec un beau mec en cours de route ?

— Non, ce sont surtout des filles qui travaillent dans les stations-service. Je suis parfaitement contente d'être toute seule avec Tumi. Nous sommes arrivés au niveau du puzzle de trois cents pièces.

— Je t'avais dit qu'il te changerait.

Comme je me suis immobilisée un instant près de la boîte aux lettres, à la recherche des clefs de la voiture au fond de ma poche, un homme en anorak à capuche bordée de fourrure, un étui à violon sous le bras, se tourne vers moi et lance aimablement en estonien :

— Belle femme !

TRENTE-SEPT

Aucun doute que de grands travaux sont en cours dans les parages. D'énormes machines de la taille d'un chalet de trois étages rampent sur un tronçon de route en terre battue, bloquant l'accès dans les deux sens et obstruant totalement la nationale. Je me traîne à leur suite jusqu'à ce qu'un chemin de traverse menant à quelque ferme me permette enfin de les doubler.

La lumière de mes phares tire de l'ombre deux hommes en salopette bleue qui se tiennent au pied d'un éboulis abrupt, dos tourné à la route. Ils sont là, immobiles et identiques, de vrais jumeaux, à quelques mètres d'intervalle, sans qu'il y ait de voiture en vue ni de ferme à proximité. Ils regardent vers le haut de l'éboulis ; deux moutons se dressent immobiles au sommet et regardent les deux hommes. Ceux-ci épaulent leur fusil presqu'en même temps, visent, j'entends les déto-nations presque simultanées, deux rouleaux de laine sanglante dévalent la pente abrupte de gros cailloux. Lorsque je les dépasse, les hommes en salopette bleue se retournent pour me suivre du regard et le blanc de leurs yeux m'apparaît en jaune. J'allume la radio.

Dans tout le pays de nombreuses rivières sont en crue à la suite des pluies diluviennes qui tombent sans interruption depuis plus de deux semaines, commente le speaker aux informations de midi. Il y a de moins en moins de routes prati-cables, les rivières fangeuses s'en prennent aux piliers des ponts et il s'en faut de peu qu'ils ne soient fermés eux aussi. La route circulaire se trouve déjà coupée sur un segment d'une centaine de mètres ; les eaux encerclent des fermes, des chevaux, des balles de foin, maints prés sont inondés et des habitants empêchés de rentrer chez eux d'une ferme à l'autre, les coupures de courant se généralisent. Sur les hauts plateaux, la pression est plus forte que prévue dans les gros conduits d'écoulement du barrage, des rivières commencent à sortir de leur lit. La langue du speaker a fourché et il répète l'histoire du lit. On prévoit un vent du sud et la persistance des précipitations.

Je n'ai d'ailleurs qu'à plonger le regard à travers le pare-brise pour voir que le pays est à moitié sous l'eau, tout est littéralement à flot sur les étendues de sable. Je me suis lancée dans un agréable circuit autour du pays, dans le but de remettre ma vie en ordre, et voilà que le fil est déjà rompu.

Sur la carte géographique à deux dimensions, le monde est délimité, sûr et définitif, les rivières réduites à un trait de plume bleu, inoffensif. Bien que je ne sache pas encore qui je suis, je peux à peu près repérer où je me situe et où je vais sur la carte étalée.

« Dans certains pays plus méridionaux, on enregistre actuellement des températures de moins trente, poursuit le présentateur imperturbable, mais il fait onze degrés au-dessus de zéro à deux cents kilomètres au nord du cercle polaire arctique. » Telle est l'anarchie de la nature ; elle prend toujours les hommes au dépourvu.

Comme je me déplace par mes propres moyens avec, en outre, un enfant qui ne m'est pas apparenté, je ne me sens pas le courage d'affronter en voiture le cours d'eau marron foncé de l'autre côté des sables ; il me faut donc trouver un gîte pour la nuit dans ce désert noir, en plein jour crépusculaire.

Je détaille la carte déployée sur le siège avant pour vérifier la longueur des étendues de sable, compter grosso modo les traits bleus des rivières, chercher le point rouge qui symbolise un lit bordé et le buffet du petit déjeuner avec quartiers d'orange, muesli et sachets de thé. C'est sur l'étroite bande verte longeant la mer qu'il y a quelque espoir de trouver à se loger.

Dix minutes avant d'y parvenir, on entend déjà le torrent glaciaire qui a commencé d'enfler, gris foncé, plein de sable, de gravier et de boue. Nous nous arrêtons au pont pour observer le courant. Je prends au sérieux le panneau de mise en garde que les hommes chargés de mesurer la montée des eaux ont fiché dans le sable et ne me risque pas à une mission de reconnaissance. La question est pourtant de savoir si l'on pourra franchir le prochain pont, quitte à être bloqués ensuite de l'autre côté, ou bien si l'on reste de ce côté-ci des eaux, avec l'obligation de retourner sur nos pas. La première option paraît meilleure ; vient un moment où l'on cesse de ruminer le passé.

Le petit marche à côté de moi, balançant les bras comme un homme qui n'a peur de rien. Pas moyen de trouver un point fixe, rien sur quoi arrêter le regard dans le tourbillon grisâtre. Trempés, nous

nous gelons un petit moment sur le tablier du pont à regarder défiler d'énormes masses brunes d'eau argileuse.

Lorsque nous revenons à la voiture, c'est comme si une heure entière de rivière s'était écoulée. Je mets le chauffage à fond et le petit écrit deux mots nouveaux sur la vitre embuée. Comme un métaphysicien grec.

Eau coule.

À peu de distance de l'endroit où nous sommes, on vient d'ouvrir un hôtel de luxe avec solarium, jacuzzi et bar. Là où il n'y avait âme qui vive auparavant, il y a soudain beaucoup de trafic. « Ici, vous pouvez vous permettre d'être vous-même », proclame un panneau publicitaire.

À la dernière rivière glaciaire, je me retrouve face à face avec une voiture blanche, au milieu du pont à voie unique. Je freine à mort, le conducteur de l'autre véhicule aussi. Nous sortons tous les deux.

— Il m'a semblé que vous alliez vous arrêter, dit-il. Je n'ai pas réalisé que vous étiez lancée avant de m'engager.

— Il m'a semblé aussi que vous alliez vous arrêter, dis-je, encore aveuglée par les phares.

Les moteurs des deux voitures sont en marche.

— Je vais reculer, dit-il. Je pensais justement rebrousser chemin et passer la nuit à l'hôtel.

— Je peux aussi reculer.

— Vous allez vers l'est ?

—Oui, je vais y installer un chalet d'été.

—Pendant les fêtes de Noël ?

—Oui, pendant les fêtes, et vous, vous êtes en route vers l'ouest ?

—Oui, mais je dois revenir bientôt. On se reverra peut-être.

Il y a de la buée sur ses lunettes, difficile de distinguer les yeux qui se cachent derrière. Je saisis la manche de sa veste – curieuse réaction vis-à-vis d'un inconnu. Il a les cheveux foncés, coupés si court que toutes les petites cicatrices de jeunesse apparaissent clairement tant sur le cuir chevelu que dans la barbe naissante.

—Vous êtes chasseur ? m'entends-je demander.

—Non, je ne suis pas chasseur. Il y avait des petits de perdrix des neiges sur la route cet été, j'ai freiné et j'ai fait un tonneau. J'ai dans ma voiture un faucon malade que je dois transporter à la ville. Il faut qu'il passe par les mains d'un spécialiste – au pire, il sera empaillé. Il ne faut surtout pas ébruiter la présence d'oiseaux rares égarés qui transitent ici quelques heures avant de reprendre leur migration vers l'Amérique, sinon ils seront naturalisés. Dans la capitale, ils veulent tout empailler, ça donne moins de tracas.

Quand je remonte dans la voiture, je me souviens que je n'ai rien donné à manger au petit depuis la traversée de toute une étendue de sables. J'enfonce alors une paille dans une briquette de lait et la lui tends. Il a les yeux baissés et tient des deux mains la briquette dont il vide le contenu. Je mords le bout d'une banane, sens le goût amer de la peau et la lui tends sans quitter des yeux la route ni réduire la vitesse, bref sans ficher en l'air ce que l'avenir nous réserve.

TRENTE-HUIT

Au milieu du désert se dresse l'Hôtel Sand, un hôtel en rondins tout neuf, avec minibar, antenne parabolique et rideaux bruns au tissage lâche qui ne suffisent pas tout à fait à occulter les fenêtres.

— C'est grandiose de passer par ici, me confie un étranger à la réception, mais je n'aimerais pas y rester bloqué. Pour vous qui avez l'habitude, qui êtes littéralement nés et élevés sur le sable et dans l'obscurité, c'est différent. Ça changerait sûrement l'ambiance si le sable était doré au lieu d'être noir, et s'il faisait dix degrés de plus, pour ce qui est de l'adaptation.

Tout le secteur est cerné par les eaux ; les travailleurs des Ponts et Chaussées ont pourtant commencé à réparer les ponts à l'est des sables.

Nous prenons nos quartiers à l'hôtel, précédés depuis la veille par le chœur des hommes d'Estonie qui suit la même route que nous dans sa tournée autour du pays. Les chanteurs devraient y rester deux jours de plus. Ce soir, ils vont présenter leur programme vocal, suivi d'un numéro surprise qui attire déjà des clients venus du chantier du barrage. L'Hôtel Sand a été construit en un temps record, dans le style du Far West, et il semblerait que le modèle original existe bien au Texas, certes avec trois cents chambres de plus.

— Nous prévoyons de nous agrandir l'an prochain, les potentialités sont illimitées, dit le directeur de l'hôtel dans le hall.

Le restaurant en bas a des demi-portes battantes en bois sculpté qui s'ouvrent et se ferment dans les deux sens, comme dans les saloons des vieux westerns ou les cabines d'essayage des boutiques de mode. Une scène en contreplaqué avec des micros occupe le fond d'une salle avec des miroirs disposée en piste de danse.

Nous nous jetons sur le lit de notre chambre, le chaton entre nous deux, et regardons les informations à la télé. Les caméras décrivent des cercles au-dessus de terres où les rivières en crue ont quitté leur lit et où les bassins de retenue semblent prêts à déborder. Le présentateur mentionne brièvement la tournée de concerts du chœur masculin et son escorte de jeunes « danseuses artistiques », dit-il insidieusement avant d'envoyer la balle au commentateur sportif. Nous zappons entre les chaînes étrangères, le petit tient la télécommande et dirige les opérations.

Une femme s'agenouille sur le sable doré d'une plage, elle est nue et sa peau a la blancheur de la neige ; la tête inclinée contre un flacon de parfum géant, elle en caresse tendrement le col de sa main, elle chatouille le verre du bout des doigts, remonte vers le bouchon qu'elle cajole également, sans le dévisser toutefois, penche enfin la tête et ferme les yeux. Le flacon a la taille d'un homme et la femme est petite, fine et fragile. Elle ne possède rien d'autre au monde que cette bouteille à laquelle s'appuyer.

Captivés, nous restons assis là, à caresser le minet et à regarder l'actrice de la pub. C'est une chaîne française ; on perçoit dans le lointain une voix masculine veloutée. La femme est une île, dit-il. Puis il y a un instant de silence.

—Belle femme, dit le petit, d'une voix claire et distincte.

—Oui, belle femme, dis-je en riant.

—Belle femme, répète-t-il en posant sa petite paume sur mon ventre.

—On peut commander du vin avec le repas, dit la jeune fille de service dans la salle, à condition de prendre quelque chose en plus des frites.

Des caisses tintinnabulantes de bouteilles de soda et de bière défilent tandis qu'on procède à des essais de son dans les micros. Il est évident que quelque chose se prépare. Mais tout est calme pour le moment et le directeur de l'hôtel prend le temps de bavarder avec nous dans le hall.

— Ça va s'animer, ce soir nous attendons un gros contingent d'étrangers qui travaillent au barrage.

L'air mystérieux, il baisse la voix en se penchant au-dessus du comptoir entre deux palmiers en pots.

— Nous sommes effectivement dans une drôle de situation. Les annulations à cause des travaux sont tout de même bien moins nombreuses que les clients venus de là-haut. Il n'y a guère que quelques rares touristes écologistes à venir ici faire l'expérience du désert…

Il se penche par-dessus le comptoir entre les deux palmiers en pots et poursuit de son air mystérieux :

— En plus, ils veulent être seuls, rester sur leur quant-à-soi, ils n'achètent presque pas de souvenirs et n'apportent au pays que très peu de devises.

Il s'est redressé et élève maintenant la voix :

— Il faut considérer les choses dans leur globalité.

Nous nous taisons tous deux, le patron de l'hôtel et moi. J'attends que le service du restaurant commence. Le petit a envie de poisson bouilli avec des pommes de terre et du beurre, comme chez grand-père, si j'ai bien compris. Le chaton a aussi envie de poisson. Le directeur de l'hôtel se penche à nouveau.

— Et puis, naturellement, il y a les films publicitaires. On voit pas mal de réalisateurs de passage par ici, pour faire des pubs. Ça commence à faire rentrer des sous dans la caisse. Un étranger m'a dit récemment qu'il avait l'impression de jouer un rôle dans une pub pour téléphone portable : rien que du sable et des cailloux, la liberté totale. C'est vrai qu'il faut prendre en compte les gens qui cherchent à n'avoir absolument rien autour d'eux. Actuellement, pas un brin d'herbe ne pousse par ici, mais nous avons l'intention d'y remédier l'an prochain et de planter un petit bosquet de conifères, à l'abri derrière la maison. Nous sommes en liaison avec le Service du reboisement qui nous a déjà donné le feu vert. À moins qu'on ne se lance dans les sorbiers.

Les lèvres du petit bougent en silence, il est en train de déchiffrer le texte en six langues sur une pancarte accrochée au mur. Le directeur de l'hôtel a encore baissé la voix et repris son air mystérieux.

— Bon, et puis naturellement, il y a pas mal de va-et-vient avec les gens de la campagne, dès qu'il se passe quelque chose de spécial. Ils viennent se changer les idées et se remonter le moral, voir les étrangers et prendre un verre ou deux.

Il y a la télé dans la salle à manger. En attendant notre repas, nous suivons une émission sur une chaîne étrangère. On y interviewe un bonhomme d'un petit village des Alpes autrichiennes. Il a des poissons rouges gros comme des truites dans l'étang de son jardin. Il dit qu'il leur a appris à jouer au football et à sortir la tête de l'eau pour l'embrasser. Sa femme confirme que son époux passe tout son temps à embrasser et cajoler les poissons et reconnaît qu'elle en est jalouse. Elle invite l'équipe de la télé à dîner et s'entretient avec eux tout en préparant de la truite de mer à la poêle. Elle porte un tablier taché et elle est toute contente – à ce qu'on peut en juger – de l'attention que lui portent les caméras.

—Il n'y a pas de poisson, nous apprend la serveuse, on a surtout des plats italiens. En ce moment ce sont les pizzas qui ont le plus de succès. Il y a une soupe du jour avec. Aux champignons.

Je commande du lait pour le petit et de l'eau pour moi.

—Ça ne vous fait rien si c'est du lait pasteurisé ? demande la jeune fille. On ne nous commande jamais de lait avec le repas.

Tumi avale deux bouchées, mais c'est comme si le fromage lui restait dans la gorge, il n'arrive plus à respirer, tousse dans son verre de lait et finit par régurgiter le morceau dans la serviette verte que je tiens devant sa bouche. Lorsque nous revenons à notre table après un passage aux lavabos, on a enlevé les assiettes et mis à la place de nouveaux couverts roulés dans des serviettes vertes. La serveuse me dit que, de l'avis général du personnel de cuisine, la pizza margherita du petit et ma calzone à moi n'étaient pas à la hauteur, et elle demande si l'on peut nous proposer des hamburgers avec des frites à la place, offerts par la maison.

— Tous les clients de l'hôtel reçoivent une boisson gratuite et auront droit à deux autres à prix réduit au concert de ce soir.

Une fois le petit et le chaton endormis sous le même édredon, je prends une douche et finis de lire *Gli Indifferenti* de Moravia. Comme j'ai des frissons après le voyage, j'enfile un gros pull blanc et redescends m'asseoir dans la salle du restaurant. La salle se remplit peu à peu et les gens s'installent aux tables au gré des accointances ou des liens de parenté. Beaucoup se ressemblent, rougeauds et rouquins avec des taches de rousseur.

Deux étrangers en anorak, à une table près de l'entrée, me jettent des regards en coulisse de leurs yeux noirs au-dessus des verres de bière ; l'un d'eux tient une cigarette roulée entre deux doigts. Je parcours la salle des yeux et m'arrête sur un jeune homme, assis tout seul à l'écart. Il peut avoir dans les dix-sept ans. Devant lui, une bouteille de Coca et un verre rempli de glaçons. Il boit de temps en temps au goulot, sans toucher au verre. Je lui trouve un air de connaissance, il est sensible et pâlot et j'imagine qu'il commence à harmoniser ses proportions, qu'il a cessé d'être très fatigué. Il a des cheveux foncés et ondulés qu'il a essayé de lisser au peigne et à l'eau.

Je me faufile jusqu'à sa table et lui demande la permission de m'y asseoir. Quand il lève les yeux, je remarque qu'ils sont beaux et verts. En revanche, il a une vilaine peau, qui est en passe de s'arranger. Je commande la même chose que lui et, sans même m'en apercevoir, je me penche un peu et lui demande quand est son anniversaire. Il jette des coups d'œil inquiets tous azimuts comme le déserteur d'une armée ennemie en train de communiquer des renseignements au péril de sa vie.

—À la fin mai, dit-il pourtant sans hostilité, et il retire son bonnet.

Une mèche brune reste plaquée sur son front.

—Tu es d'ici ? demandé-je sans préambule en sirotant le contenu de ma bouteille de Coca.

Le jeune pâlit et jette un coup d'œil effaré derrière son épaule, comme s'il attendait quelqu'un.

—On dirait que vous avez déjà fait connaissance, dit un homme qui s'assied à la table voisine.

Il prend l'adolescent par l'épaule comme pour lui faire savoir qu'il n'a pas à avoir peur et me sourit. C'est l'homme du pont.

—Salut, et merci pour tantôt.

—De même.

—Nous sommes venus écouter le chœur, dit-il. Mais on va attendre encore quelques années pour ce qui est de la deuxième partie.

Après avoir bavardé avec eux un petit moment,

je m'excuse, car il faut que je monte voir si tout va bien dans la chambre. À l'instant où je me lève, l'homme me demande si j'accepterais de lui rendre un service. Il doit raccompagner l'ado chez lui à la fin du concert, pourrais-je garder le faucon malade ? Il est dans une caisse en bois.

— Pendant quelques heures, tout au plus jusqu'à demain matin. Il a été nourri, vous n'avez pas à vous en faire. Je dois m'arrêter en cours de route, mais je compte être de retour à l'hôtel cette nuit.

Loin de moi l'idée de présenter un rapace à plumes et un homme à poil comme une alternative possible ; il est clair qu'il ne m'est pas donné de choisir à côté duquel je souhaiterais dormir, ni à côté de qui je souhaiterais me réveiller.

Il m'accompagne à la chambre dix, monte l'escalier derrière moi et dépose la caisse sur la table près du lit. L'oiseau nous considère d'un air mauvais par les deux trous ménagés dans sa prison. Le chaton fait immédiatement le gros dos en sifflant et crachant dans la direction de l'hôte à plumes. Ses poils se hérissent dans tous les sens ; avant que nous ayons le temps de nous en rendre compte, il a bondi dans le couloir, pris le virage sur deux pattes et disparu comme si la terre l'avait avalé. L'homme du pont dit qu'il m'aidera à retrouver minet quand il reviendra, il m'est en tout cas extrêmement reconnaissant pour le service rendu.

Je remarque qu'avant de sortir, il parcourt la

chambre du regard, ramasse l'édredon que le petit a repoussé à terre dans son sommeil et l'étend doucement sur lui. Une vraie sollicitude pour tout ce qui est jeune, comme pour les petits de la perdrix.

— Je suis vétérinaire, dit-il. Il faut que j'aille faire une césarienne dans une ferme pour sauver une vache en gésine.

Je sors un livre, œuvre posthume d'un auteur français, et me plonge dans l'histoire d'un père qui meurt avec son fils âgé de dix ans en tentant de le sauver de la noyade – le petit garçon sera enseveli dans les bras de son père au cimetière de l'île, qu'ils avaient voulu visiter avant de s'en retourner avec le ferry du soir. J'ai du mal à me concentrer sur la lecture sous le regard mauvais de l'hôte nocturne ; la mort des héros elle-même ne parvient pas à me captiver. Je décide de veiller jusqu'au retour du propriétaire du faucon. Le chœur résonne à l'étage au-dessous. On est en train d'applaudir et le premier rappel ne va pas tarder à se faire entendre. Il semble néanmoins que je me sois assoupie un moment car lorsque je me redresse, des lambeaux de rêve me reviennent. Couchée dans l'herbe sous un pommier, je regarde les grosses pommes rouges et je m'entends dire : « Les éventualités vont bientôt me tomber dessus. »

TRENTE-NEUF

Lorsque je redescends, on a tamisé les lumières et allumé la boule à facettes qui tourne au-dessus de la piste de danse. De la colonne centrale, un oiseau exotique s'apprête à prendre son essor. Elle est venue de loin jusqu'ici, de bien plus loin que le chœur lui-même, à en juger par ses doigts de pied couleur caramel aux ongles laqués de violet. Ses paupières sont lourdes et l'une des jambes en l'air porte une chaussure lacée à semelle si épaisse et à talon si haut que je crains de la voir échapper au contrôle de sa propriétaire. Un lourd fardeau pèse sur celle-ci tandis qu'elle se laisse glisser lentement jusqu'au sol, jusqu'à ce que sa frange noire touche le parquet de chêne fraîchement posé. Malgré l'éclairage tamisé, les cicatrices sous les seins apparaissent distinctement. Les lumières tournent et clignotent : vert, rouge, violet. Les hommes se tiennent ensemble, debout contre la scène, formant un mur protecteur étanche autour de l'oiseau de paradis venu de loin, quelques-uns parlent dans leur portable en diverses langues, sans doute à leur femme qu'ils n'ont pas vue depuis longtemps. La stripteaseuse, clou du spectacle, a manifestement des difficultés à se relever et résout le problème en s'accroupissant, genoux écartés face aux spectateurs.

Après cela, de nombreux clients montent sur la

scène pour le karaoké, le patron de l'hôtel et un travailleur étranger chantent *O sole mio*, puis trois hommes interprètent à tour de rôle la même chanson sur le marin qui naviguait sur les mers bleues, *I am sailing*. Le dernier a un long torse, il porte une cravate à motif bleu-vert et tend le cou en avant de sorte que ses grosses lèvres sèches touchent presque le micro tandis que le corps reste en retrait sur la scène. Il se lèche les babines, s'empare du micro et le renverse comme il ferait d'une femme dans une figure de tango. La musique hoquète dans la salle ; soudain privée d'accompagnement, la voix résonne seule sur la scène, continue sur quelques mesures avant que le chanteur se rende compte que la sono est en panne. Il se tient près du micro et remue les lèvres. Quelques hommes traversent rapidement la salle. Le chanteur muet arrange sa cravate tandis que la salle applaudit et siffle.

La chaleur et la moiteur augmentent, les hommes ont tombé la veste sur le dossier des chaises, les gens commencent à se toucher, à se heurter, à jouer des coudes, à se frotter les uns contre les autres, à se marcher sur les pieds : c'est le début des arrangements pour la nuit.

Le voilà revenu, le propriétaire du faucon, il s'assied à côté de moi dans le coin.

— Salut, dit-il, ai-je raté quelque chose ?

— Sûrement, comment s'est passée la césarienne ?

— Bien, c'était une génisse, blanche tachetée de roux comme la mère.

— Le garçon, c'est votre fils ?

— Non, le fils d'amis à moi. Il m'a aidé aujourd'hui et je l'ai invité à manger ici, à la Pizzeria Space.

On lui a alloué, pour lui et l'oiseau, la chambre treize, juste en face de la nôtre dans le couloir. Lorsque nous montons, la porte est ouverte et le petit n'est plus dans son lit. La caisse est toujours sur la table. Nous courons dans tous les couloirs, montons et descendons les escaliers puis allons à la réception alerter le personnel. L'enfant a disparu de son lit, je suis irresponsable et n'ai rien dans le crâne. Il n'y a personne à la réception. Il me semble entendre une détonation au-dehors. Bientôt nous parviennent de la part d'un client ivre de l'hôtel des indications concernant un nain en pyjama à éléphants, lesquelles nous conduisent derrière la scène. C'est là que nous le retrouvons, tout éveillé, le chaton dans les bras, chez la danseuse qui a presque entièrement revêtu un costume civil.

L'homme du pont porte le petit, moi le chaton, il faut transporter l'oiseau chez lui. À peine entrés dans la chambre dix, nous remarquons que les choses ne sont pas comme elles devraient l'être, la porte est entrebâillée, la fenêtre grande ouverte et le rideau qui flotte est encore plus ajouré que dans mon souvenir. La caisse est assurément sur la table, mais à l'intérieur, plus de signe de vie : l'oiseau est mort dans sa cage. D'une crise cardiaque, décrète le spécialiste. Son plumage ne présente en tout cas rien d'anormal. Nous nous transportons dans la chambre treize, abandonnant la caisse jusqu'au lendemain.

La jeune fille de la réception ne peut s'expliquer les plombs entrés par la fenêtre ouverte. Le chœur masculin est assis à la table du petit déjeuner, l'air sombre.

— Des fusées, ce doit être ça, un feu d'artifice, dis-je. Mais alors, et les plombs qui ont mis les rideaux de la fenêtre en lambeaux ?

— Ça se pourrait qu'ils aient tiré quelques coups de feu cette nuit, les clients qui travaillent au barrage, dit-elle enfin avec lenteur. Ils essaient d'attraper des bruants des neiges pour les faire griller, comme ils ont l'habitude de faire dans leur pays.

QUARANTE

Je règle tout par téléphone, je conviens avec le concessionnaire qu'ils ramèneront la vieille bagnole à Reykjavík et que leur vendeur fera porter la boîte de chocolats, cadeau de la maison, à mon amie qui se trouve dans le service Maternité 22 B.

Nous attendons que la voiture flambant neuve soit arrivée jusqu'à nous pour repartir avant le soir, avec du cacao chaud dans une bouteille Thermos. On me fait trente-cinq pour cent de réduction sur la note d'hôtel à cause des plombs et du rideau en lambeaux, quinze pour cent supplémentaires à cause des nuisances sonores du bal nocturne et encore quinze autres pour cent en dédommagement de la négligence du personnel qui aurait dû me faire changer de chambre, ce qui m'a contrainte à déménager chez le vétérinaire.

— Ça n'aurait pas changé grand-chose, dit la jeune fille de la réception, l'hôtel est archiplein.

Elle propose de faire tourner pour nous une machine pendant notre attente. Le patron de l'hôtel n'a pas encore fait son apparition bien qu'il ne soit pas loin de midi.

Le petit manifeste un intérêt considérable pour la Jeep quand elle arrive, il se mêle aux hommes qui entourent le véhicule et donne un coup de pied aux pneus pendant que je transfère nos affaires d'une voiture à l'autre. Il a enfoncé les deux mains dans les poches de sa salopette. Les gens de l'hôtel sont assez impressionnés par cet échange de véhicule *in the middle of nowhere*. Il ne nous reste plus beaucoup de route, cette nuit nous dormirons dans le chalet d'été fraîchement installé au bord de la ravine.

— Merci pour la soirée d'hier.

Cette phrase est prononcée tout près de mon oreille.

— Ça m'a fait grand plaisir de faire ta connaissance, ajoute le vétérinaire. Tu t'en vas ?

Ils disent tous la même chose, merci pour ce bon moment passé ensemble.

— Dommage pour l'oiseau, dis-je.

— Et pour les plombs de chasse.

— Oui.

— Mais je ne regrette pas pour le reste.

— Non, pas pour le reste.

Nous prenons formellement congé près de la voiture. Le personnel se range en demi-cercle au pied des marches, comme les domestiques d'un manoir au départ d'un hôte de marque. Le petit se tient à mes côtés, les yeux levés sur nous à tour de rôle ; il se mêle à la conversation, l'air soucieux.

— Est-ce que les bêtes peuvent être infirmes ?

En tant qu'interprète personnelle assermentée, je traduis pour mon protégé les réponses du professionnel.

— Le plus souvent, elles meurent peu après leur naissance. Si ce n'est pas le cas, on les abat rapidement. Certaines bêtes sont empaillées et finissent au musée d'histoire naturelle. Certains trouvent les agneaux siamois à deux têtes et les cochons à cinq pattes intéressants comme pièces de musée.

Je traduis grosso modo.

— Mais les chevaux sourds, on les empaille aussi ?

—Je ne me souviens pas d'avoir rencontré ce genre de cas dans ma carrière. En revanche des amis à moi ont deux chiens infirmes, qu'ils aiment beaucoup, la mère et la fille, la chienne est aveugle et la fille est naine. Le fils de mes amis était justement ici avec moi hier.

—A-t-il été adopté, le fils ? me semble-t-il avoir demandé alors.

Mais sans doute n'ai-je rien demandé, car le vétérinaire s'est mis à parler de se revoir.

—Je ne sais pas si c'est raisonnable, j'avais pensé être seule au cours des prochains mois. Seule avec Tumi, précisé-je.

—Si tu changeais d'idée, j'en serais heureux, ma femme est si souvent absente à cause de son travail.

Avant de dire au revoir, il se penche au-dessus de mon épaule, comme s'il contemplait les sables devant lui et dit tout bas contre mon oreille :

—J'ai bien compris ce que tu cherches, mais si j'étais toi, je ne toucherais à rien. Il faut laisser le passé tranquille. Mais je peux te dire, entre nous, que mon jeune ami rafle tous les prix en langues vivantes et qu'il est sujet au vertige. Il a envie de partir plus tard faire des études à l'étranger.

QUARANTE ET UN

Le petit dort sur le siège arrière sous deux duvets superposés, le chaton, lui, est réveillé – une fois n'est pas coutume. Il a bien mauvaise mine, peut-être est-il malade en voiture, peut-être que le sandwich au thon périmé ne lui a pas réussi. Pour ma part, je suis heureuse de mon sort, de ma belle voiture, de l'obscurité et du chauffage qui marche à fond.

Je mets un CD dans l'appareil tout neuf, *le Mandarin merveilleux*, la pantomime de Béla Bartók, et enfonce la facture pliée en huit dans la poche de mon pantalon à fleurs.

— Tu étais un des garçons, dit grand-mère.

Coiffée comme eux, habillée comme eux, avec le même pull marron à motif en jacquard par-dessus le T-shirt. Je ne me rappelle pas si on le lavait à l'automne, quand je revenais en ville, ou si on le jetait. Dans les boutiques, à mon retour, on m'apostrophait toujours au masculin.

Il y avait tout le temps des invités chez grand-mère et grand-père et de la place pour tout le monde, aussi serrés qu'on fût. Ils prêtaient même la chambre conjugale en cas de besoin ; les gens n'allaient pas à l'hôtel, c'était bon pour les étrangers. Au mois d'août, nous nous rassemblions, les gosses des fermes environnantes où nous avions été placés pour l'été au nom de la vie saine et en raison de notre origine rurale ; et nous passions la dernière semaine dans la maison bleue de ma grand-mère, en bas sur la grève. J'étais là avec mes cousins, qui n'étaient pas forcément mes cousins mais pouvaient aussi bien être les petits-enfants de vieilles amies de grand-mère — personne en fait ne savait trop quels étaient les liens de sang entre les uns et les autres. Je les appelais néanmoins mes cousins et ils m'appelaient cousine ; la plupart des hôtes n'étaient bien entendu pas apparentés. Au fur et à mesure que la maison se remplissait, nous nous tassions de plus en plus, passions d'une chambre à l'autre, ou bien au grenier selon les besoins, portant nos édredons synthétiques roulés en boule dans les bras. Les enfants de moins de quinze ans ne dormaient pas sous un vrai duvet. Il y avait souvent des batailles où l'on s'empoignait les uns les autres jusqu'à la nuit avancée. L'essentiel à la fin était de s'enrouler bien serré dans l'édredon et que l'air ne puisse passer.

J'avais promis de me lever la première le matin pour faire chauffer du cacao et beurrer des scones ; pour cela il fallait se dresser au milieu du grand matelas, tâtonner les mains tendues, s'en servir comme d'un balancier de funambule pour garder l'équilibre sur les édredons boursouflés, sortir de là sans monter sur des mollets, tomber sur un genou, ou bien — pire encore — s'affaler sur un corps tout entier.

Au moment où je me lève, les mains en l'air, je me

rends compte que l'élastique de mon pantalon de
pyjama a craqué, il s'est rétracté dans le repli du tissu
pendant la nuit et je n'ai rien dessous parce que grand-
mère est en train de laver tous mes vêtements. J'attrape
le cordon du pantalon dans l'espoir de garder la face et
le fil de mes idées, m'efforçant en même temps de ne
pas réveiller mes cousins et je m'aperçois alors qu'ils
sont tous deux éveillés, redressés chacun de son côté.
Immobiles, ils suivent le déroulement de l'action, me
fixant de leurs nouveaux yeux d'hommes.

Réduisant la vitesse, je ne dépasserai guère les
quarante à l'heure ce soir; la route du col est
sinueuse et voilà encore un éboulis devant nous,
décroché de la montagne et glissant à pic jusqu'à la
mer. La voiture dérape et j'ai des poussées d'adrénaline; plus de doute, un glissement de terrain a
recouvert la route d'un amoncellement de caillasse
et de boue, et pas une âme à l'horizon, pas moyen
de tourner bride, un enfant endormi sur le siège
arrière et un chaton éveillé à l'avant. En chargeant
la voiture, il me semble avoir vu une pelle dans le
coffre. Une fois que j'aurai déplacé quelques grosses
pierres et repoussé toute cette boue sur un côté,
j'arriverai bien à me faufiler en contournant l'éboulis au bord du précipice. Si le chat et moi perdions
pied, j'aurais au moins quelqu'un à cajoler pour
l'éternité; mais la pensée du petit passager sur la
banquette arrière m'accable et me paralyse.

Je n'ai aucun don de voyance, mais tout à coup un homme surgit de l'obscurité et du brouillard – le troisième homme sur ma route vers l'est – apparemment sorti de nulle part. Dressé devant moi, il se jette dans la lumière des phares comme le mouton, sauf que cette fois la voiture est à l'arrêt. Il est si réel que je trouve parfaitement normal qu'il m'arrache la pelle des mains, m'épargnant la peine de déblayer la route. La force de l'imagination peut-elle égarer une femme à ce point ?

La voix est plutôt grave pour un homme de ce monde.

— Vous allez vers l'est ?

C'est assez évident que je vais vers l'est, la route va d'ouest en est, comme un cercueil sur le pavement d'une église.

— Est-ce que vous pouvez me prendre un bout de chemin ? Je suis bloqué ici.

Une fois dans la voiture, il sort une flasque en argent ciselé qu'il me tend d'abord pour la forme avant de boire une première goulée. En cours de route, il me raconte des histoires de gens de la campagne ; la plupart touchent à des sujets surnaturels, des revenants, des génies protecteurs, des présages, des naufrages. Entre-temps, il me complimente pour ma conduite et me dit, qu'enfant, il avait rêvé devenir autre chose que ce qu'il est aujourd'hui.

— Vous êtes pêcheur ? demandé-je.

— Je ne m'exerce pas au lancer pendant l'hiver et je ne confectionne pas non plus de mouches, si c'est ce que vous voulez dire. Je ne suis pas très porté sur le sang ni sur les entrailles, mais je sais quand même vider un poisson et farcir une volaille. C'est sûr qu'on m'affecterait plutôt aux appareils de transmission à la guerre, ou alors à la direction des opérations, depuis un abri sûr loin du quartier général. Non, j'aidais seulement un copain qui cultive un jardin là-haut, près du barrage. Pour son plaisir. Nous étions en train de planter des pommiers nains sous le couvert de la nuit.

Tandis qu'il est assis là, à côté de moi, il me semble un instant que nous sommes liés, qu'il est un parent proche, que je suis en train de le réintégrer, comme si le corps s'en souvenait.

Une fois qu'on a dépassé le glissement de terrain, je l'écoute attentivement. Sa voix est très persuasive.

— Venez avec moi, je vais vous montrer quelque chose.

J'arrête la voiture. Le petit dort toujours sur le siège arrière et il dormira jusqu'au matin. Sur un bout de chemin, les phares jouent le rôle de projecteurs dans le champ de lave. L'homme a des chaussures de marche, ses semelles font crisser des scories bleues qui scintillent. Il ne faudrait pas être sur hauts talons pour le suivre.

Je le suis aussi naturellement que le vendeur

d'une quincaillerie jusqu'au rayon éloigné des vis, je le suis aveuglément dans la lave, sans quitter toutefois des yeux la voiture au bord de la route. Il porte une chemise rouge sous son pardessus.

Le temps s'est levé et de la vapeur s'élève des anfractuosités çà et là, des pointes de lave percent aussi la mousse un peu partout. La lune comme un ballon nous suit, rebondissant d'un sommet à l'autre au bord des cratères, elle fait des ricochets sur nos talons, roule sur les dunes de lave et s'agrandit à chaque changement de direction comme la pupille d'un œil dont la clarté jaune se poserait sur nos nuques. Soudain, elle disparaît derrière des nuages et le monde s'obscurcit à nouveau.

— Je ne peux pas rester longtemps, tout au plus sept minutes, je ne peux pas laisser plus longtemps l'enfant seul.

— On est presque arrivés.

Il cherche des yeux un rocher derrière lequel soulager sa vessie car il a bu en cours de route.

Nous posons un pied devant l'autre, ayant parcouru déjà plus de cinquante mètres. Je n'aurais jamais cru que la nuit pût être aussi noire, c'est comme si je marchais sur la poutre grinçante de la vieille salle de gym jusqu'à son milieu pour m'y tenir en équilibre sur les mains sous le regard des autres filles, silencieuses. Les raisons du cœur, que la raison ignore, peuvent mener loin une femme. Je ne vois plus rien, ne sens que le souffle chaud, je tâtonne devant moi mais les mains se referment sur du vide ; c'est comme s'il y avait devant nous un mur épais, bleu noir, qu'on ne peut longer car il ne délimite rien, n'offre nulle protection ; aucun moyen de se rendre compte de l'aspect du monde ni de ses bornes, la lave hérissée n'a pas d'odeur. Je sais pourtant qu'il y a quelque chose de grandiose à quelques mètres devant nous, mais quoi ?

— Qu'allez-vous me montrer ?

— Ça.

— Ça quoi ?

— L'obscurité.

— L'obscurité ?

— Oui, n'êtes-vous pas une enfant de la ville ?

Je sens la présence d'une gigantesque construction au sein de l'obscurité. Qu'est-ce que c'est au juste ? Comme si une cathédrale gothique d'une hauteur céleste s'élevait brusquement dans un ancien quartier de filles de joie à l'étranger, au débouché d'étroites ruelles pavées aux recoins sombres et malodorants. Je suis au bord de l'imaginaire, au bord de la peur du noir. La seule action possible est de chercher à tâtons un autre être humain. Soudain je trouve parfaitement normal qu'il me prenne dans ses bras et que je pose la tête sur son épaule.

Il a commencé à me déshabiller dans la bruine ; il va vite et s'y prend bien, chevilles et poignets, fermetures Éclair et encolure étroite ne font pas obstacle, il met plus de temps à ôter la culotte qui s'entortille entre ses doigts. Il fait un peu froid, mais il jette sous moi le pardessus et m'y tourne et retourne tant et plus. La poussière de lave pourrait passer pour un lit bizarre, à sa façon l'homme a pourtant formé un abri sûr autour de moi. Le ciel au-dessus de nous et la terre au-dessous, l'image du monde, deux formant un tout, peut-on demander plus de sécurité ?

Après, nous restons assis un moment au milieu du champ de lave, il pose la tête sur mon épaule et je l'embrasse comme un enfant qui va s'endormir. Lorsqu'il se lève, il me tend une petite pierre avec, au milieu, une inclusion de roche claire en forme de fer à cheval.

— La prochaine fois ce sera une ceinture de fée ou une cuiller d'argent, dit-il en me souriant.

Une fois revenus sur nos pas, il ajoute :

— Je vais me débrouiller à partir d'ici mais je viendrai te voir plus tard. Tu es, de loin, ce qui m'est arrivé de mieux aujourd'hui.

QUARANTE-DEUX

Beaucoup d'événements lourds de conséquences peuvent advenir dans la vie d'une femme en moins d'une journée. La plupart des erreurs se font en un instant, se mesurent en secondes, mauvais virage, pied sur l'accélérateur au lieu du frein, ou l'inverse. Les erreurs sont rarement le résultat d'un enchaînement de décisions logiques ; par exemple, une femme peut être à un cheveu d'aimer absolument, être même à l'extrême bord, sans y avoir réfléchi une seule minute.

Le désert noir n'est plus devant nous mais derrière, et le chalet d'été à portée de main, juste après un petit fjord et une lande. Et tout à coup, alors que je traverse encore un nuage bas qui descend jusqu'à la lave brûlée, l'idée m'effleure que je me trouve à égale distance du début et de la fin et je ne peux me figurer sur le moment s'il faut mesurer cette distance en années ou en kilomètres. Il y a en tout cas assez de place devant moi et suffisamment de temps, assez de temps passé aussi. En ne suivant pas la marche des aiguilles sur la montre du divorce, mais en faisant le tour de l'île dans le sens inverse des aiguilles d'une montre, j'ai non seulement un temps d'avance, mais je me prends moi-même constamment au dépourvu, je finis même par me rattraper.

En résumant mes aventures depuis le début du voyage, je pourrais dire que j'ai provoqué la mort de quatre bêtes – cinq en comptant l'oie de la ville –, que j'ai tout de même franchi sans encombres quarante ponts à voie unique, huit éboulis difficiles et que j'ai eu des relations intimes avec trois hommes sur le premier segment d'une route d'un peu plus de trois cents kilomètres, non asphalté pour l'essentiel, tracé littéralement entre la montagne et la côte. Même si les cent premiers kilomètres ont été sans histoire à cet égard et si je ne m'attends pas spécialement à d'autres surprises au cours des cent derniers, cela n'en représente pas moins, au total, une activité aussi intense que celle dont je puis me flatter au cours de la décennie passée. Serait-ce un indice de ma force morale : je ne saurais préciser combien d'églises j'ai croisées sur ma route. Le bibelot fixé au milieu du tableau de bord ne compte pas, je l'aurais acheté quand bien même il eût représenté un commissariat de police ou une banque.

Si l'on envisage l'existence d'un point de vue statistique, cela fait jusqu'à présent un homme tous les cent soixante kilomètres, ce qui paraîtra notable dans un pays où chaque habitant partage un kilomètre carré avec son prochain. Avec de la constance, sur les mille quatre cent vingt kilomètres de la route circulaire, je comptabiliserais dix-sept virgule sept hommes avant la fin du voyage. Traduit en kilomètres carrés, cela représente une belle superficie de champ de lave par personne, de vastes étendues désertes avec bassins de retenue, érosion, champs de lupins jaunis, innombrables ponts, oiseaux de mer criards en pagaille et quantité de baraques à frites à l'approche de la côte.

Et puis, je me dis aussi la chose suivante. Si j'attendais un enfant, il y aurait jusque-ici trois pères putatifs. Dix-sept virgule sept, en considérant le voyage dans sa totalité. C'est un petit peu au-dessus de la moyenne nationale, en se fondant sur le nombre des amants d'une femme tout au long de sa vie amoureuse. On peut toujours se consoler par le fait génétiquement établi qu'à la fin, il n'y aura qu'un seul père. Dans de nombreux pays du monde, je m'en rends bien compte, on m'aurait exécutée plus d'une fois pour moins que ça.

Quand je regarde dans le rétroviseur, voilà en revanche ce que je vois : une jeune femme aux cheveux bruns coupés court, une mèche folle sur le front, le teint plutôt pâle, les yeux verts, pas du tout souillon, sans maquillage qui coule le long des joues, une femme que quelqu'un venu d'ailleurs qualifierait de pure, innocente et chaste. Je la vois qui regarde le monde avec détermination à travers la mèche qu'elle écarte ensuite de son visage, comme si elle s'imaginait avoir prise sur les circonstances, comme si elle avait l'intuition de ce qu'il lui fallait faire et se croyait sur la bonne voie. Comme si elle savait à peu près qui elle est.

Pour l'heure, elle met le clignotant avant de s'engager sur le terre-plein d'une station-service. Elle cherche un instant dans la vitrine réfrigérée de la

boutique et pose un pot de fromage blanc aux myrtilles et un sandwich à la viande fumée avec une
salade de haricots à l'italienne sur le comptoir près
de la caisse. L'enfant dort toujours.

QUARANTE-TROIS

La lande est d'habitude impraticable à cette époque
de l'année à cause de la neige, mais rien n'est plus
comme avant.

En arrivant, je constate que le bungalow est
arrivé à destination. Je reconnais tout, bien que je
n'aie pas mis les pieds ici depuis dix-sept ans. La
bourgade est une agglomération de maisons pro-
prettes, sans centre, sans place, avec des rues
parallèles étagées, toutes pareilles, quatre ou cinq
en tout, jusqu'au bout du cordon littoral, évoquant
les rayures laissées par une fourche sur un carré de
pommes de terre qu'on vient de retourner. Dans la
rayure la plus basse, près de la grève, on distingue
les toits colorés des plus vieilles maisons, revêtues
de tôle ondulée, ainsi que la supérette, la Coopérative et la Caisse d'épargne ; au-dessus, deux rues
de maisons individuelles de plain-pied, et plus
haut, des cailloutis bruns, un peu de bruyère en
été et la ravine, au-dessus encore, le bassin de

retenue en haut sur la lande. La plupart des habitants se sont fait construire un bon muret de clôture pour s'abriter des embruns et du sel sur les vitres. À proximité de la mer, aucun arbuste ne pousse, aucune végétation, en tout cas pas à l'extérieur. À l'intérieur, en revanche, on ne distingue plus l'océan noir de menaces par la fenêtre, derrière la forêt vierge des plantes vertes. À cette époque de l'année, on remarque en outre, à chaque fenêtre, un poinsettia aux fleurs rouges – dit étoile de Noël – et un chandelier à sept branches.

Je vois la maison depuis le chalet. Elle a été construite dans les années quarante, peut-être avant. Je revois tout. À l'intérieur, un groupe de gens s'est réuni. C'est comme si un voile de soie blanche recouvrait toute chose, ou un halo qui donne à ce qu'on voit des contours doux et estompés, comme les pages usées d'un vieux psautier ou une photo surexposée. Il me semble que je porte un pull en laine blanche, mes cousins sont également vêtus de blanc, aussi singulier que cela puisse paraître, en smokings blancs, si loin de la réalité, si proche du souvenir. Grand-mère est en très clair, grand-mère est en fait la lumière du soleil. Il y a une foule de gens à la collation d'enterrement et tous sont en blanc, des blancs variés ; telle étoffe est plus légère qu'une autre, certaines sont plus fines, d'autres plus épaisses, laine, coton, soie, popeline, lin, tweed, polyester, viscose, crêpe, chiffon, organza, voile, coutil – mais blanches, toutes blanches.

Je ne vois que des contours vagues qui bougent len-tement. Grand-mère est la plus floue. Elle disparaît à mes yeux.

Ils ont déposé le chalet juste à la sortie du village, comme je le souhaitais, sur un lopin de terre dénudée au bord de la ravine ; il se dresse là tout seul, à l'écart dans le noir, en dehors du plan d'ur-banisme. Les gens trouveront sans doute que ce n'est pas un bon endroit pour des souvenirs de grandes vacances ensoleillées, là-haut sur les cailloux. Moi-même je n'y monterais pas forcé-ment à pied, en talons hauts, après le bal de Noël. C'est pourtant mieux que d'habiter en bas sur la grève, là où il y a toujours eu plein de visiteurs et où l'on court le risque que vienne frapper à la porte, de jour comme de nuit, un de ces inconnus disparus en mer qui laissent derrière eux une flaque d'eau dans l'entrée. Le bungalow est à l'ouest du village, tout seul ; la vieille église est à l'est, toute seule, sur l'autre bord de la ravine. Sur son portail figure le mot *Securitas* et je découvrirai bientôt qu'elle est chauffée pendant l'avent.

Le bourg est comme abandonné tard le soir, en dehors du cri des oiseaux de mer ; il y règne un silence de désert. Comme aux heures les plus chaudes dans les pays du Sud. Pas un bruit de pas sur mes talons. Je sais pourtant que je ne suis pas seule car, çà et là, des yeux vigilants me suivent derrière les chandeliers à sept branches par les fenêtres bardées de sel. Il ne faudrait pas s'en laisser accroire, même s'il n'y a personne dans les rues, ici la vie se déroule dans les foyers, à huis clos, les gens vous y accueillent sans tralala, tels qu'ils sont, en vêtements d'intérieur amples et doux.

Nous sommes le vingt-cinq novembre et lorsqu'on arrive par la lande, dans le noir et la pluie, la bourgade resplendit comme un joyau céleste orné de pierreries au milieu de la langue de sable ; on pourrait croire que le village se voit depuis l'espace. À chaque fenêtre scintillent des guirlandes de Noël multicolores, les balustrades des balcons, les marches des perrons, les ancres dans les jardins sont couvertes de guirlandes lumineuses.

Le petit se réveille quand je coupe le contact.

— Nous illuminons la nuit d'hiver, dit le bonhomme de la boutique qui me vend du lait, du pain, du fromage et des bougies juste avant la fermeture. La plupart des gens ajoutent une guirlande par an, ainsi on peut voir, à leur nombre, depuis combien de temps ils habitent ici. C'est comme avec la ramure des rennes qui indique leur âge.

Je lui demande s'il aurait une guirlande à piles.

— Malheureusement non, mais vous en trouverez à la Coop demain.

Il tient à savoir si c'est bien moi la propriétaire du chalet d'été.

— Et vous comptez passer Noël ici, sans électricité, toute seule avec un enfant, pas vrai ? On a entendu dire que vous aviez fichu le camp d'une entreprise en faillite et laissé le mari dans la mélasse, ce genre de choses. Ça risque d'être plutôt sombre et sinistre là-haut chez vous, au bord de la ravine. On vous attendait il y a trois jours.

Je lui explique que nous avons pris tout notre temps pour visiter le pays. Que nous sommes en congé. Et j'ajoute :

— Ma grand-mère et mon grand-père habitaient déjà ici.

Il ne les a pas connus.

— Ce ne sont pas les maisons à vendre qui manquent dans le bourg. Vous n'aviez pas besoin d'amener le chalet avec vous. J'aurais pu vous en dégotter au moins quatre, et même une maison individuelle avec salle de bains fraîchement carrelée.

— J'avais envie de rester un peu en dehors. Je ne compte pas m'établir ici.

Le petit montre du doigt une annonce écrite à la main, c'est une réclame pour des jouets en bois en vente à la maison de retraite. Elle est illustrée d'un dessin maladroit représentant un camion bleu avec des roues en caoutchouc. Je demande où je peux trouver les jouets.

L'homme s'appuie des deux coudes sur le comptoir.

—Il ne se passe peut-être pas grand-chose ici pour quelqu'un qui vient de l'extérieur, mais on ne peut pas dire qu'il n'arrive rien du tout. La nature a beau être grandiose, les gens divorcent, se trompent mutuellement et gâchent leur vie ici comme ailleurs. De temps en temps, il arrive des tragédies familiales qui ne s'expliquent jamais totalement. Par exemple ces deux frères qui habitaient seuls ensemble. Celui qui a survécu a été condamné avec sursis parce que les tenants et les aboutissants n'étaient pas clairs ; dans le procès-verbal de la police, il est question d'homicide involontaire, les voisins racontent pourtant que la scène du drame n'était pas belle à voir, sept coups au moins avaient été tirés. C'est le frère survivant qui fabrique les jouets en bois et ils sont en vente à la maison de retraite. Service de gériatrie du Centre de soins, que ça s'appelle ; il y a là quelques places réservées aux vieux. C'est là qu'il habite. Vous pourrez lui acheter le camion.

Quand je remets ma capuche pour sortir sous la pluie, l'homme m'accompagne jusqu'à la porte. Je l'aperçois dans le rétroviseur sur le terre-plein, à côté de la pompe à essence, qui suit la Jeep des yeux dans sa montée vers le chalet. Il me semble qu'il parle à son portable.

Je porte le petit dans mes bras en entrant dans la maison d'été. Puis nous descendons dans la ravine pour nous brosser les dents au ruisseau. Nous nous serrons l'un contre l'autre dans le noir, au bord de l'eau glaciale, la bouche pleine de mousse que nous crachons pour regarder le filament blanc s'éloigner avec le courant.

QUARANTE-QUATRE

Nos achats sont impressionnants. Il nous faut deux édredons et du linge de maison ; le petit choisit les housses, une forêt vierge verte avec des bêtes sauvages pour lui-même et un parterre de fleurs mauves pour moi, de sorte qu'un champ de violettes nocturnes s'ouvrira dans mes bras le matin, s'étalera sur mon ventre et mes seins quand je lisserai la couette en réfléchissant à la question de savoir comment débuter la journée : aller à la piscine ou à la bibliothèque de l'école.

Nous achetons aussi une nouvelle combinaison de ski imperméable, des chaussettes en laine et deux collants pour le petit, Barbie et Ken avec leur caravane, de la nourriture pour chat et un jouet en caoutchouc rose pour le chaton, un ballon de foot, des albums à colorier et des feutres, un puzzle, des recueils de mots croisés, quelques magazines étrangers, quelques serviettes et un slip de bain, plus une guirlande de Noël rouge pour mettre sur la terrasse. Je lui fais essayer des chaussures de marche bleues à lacets et on lui permet de marcher avec dans la boutique ; je lui achète également de nouvelles bottes. Elles n'existent qu'en pointure vingt-six et lui feront donc de l'usage.

Dans le coin des joujoux, je lui lance doucement le ballon, visant ses bras : il a préparé un creux pour la réception du ballon, les coudes contre le ventre et les avant-bras tendus vers l'avant. J'évalue la distance et quelle force je dois mettre en œuvre pour qu'il arrive à l'attraper. J'envoie alors le ballon qui décrit un petit arc de cercle, comme dans un film au ralenti. Il rate le ballon qui s'en va rouler au rayon des sous-vêtements et chaussettes. Je m'appliquerai mieux la prochaine fois, je me mettrai à genoux. Je peux me débrouiller pour jouer avec un enfant, mais lui ne sait pas encore se débrouiller pour jouer avec un adulte.

Je demande s'ils auraient une bicyclette avec des petites roues latérales : il se pourrait bien qu'un vélo rouge, datant de l'été, soit resté en magasin.

— Parce que maintenant, c'est l'hiver au village, explique le vendeur comme s'il parlait à une demeurée.

Je profite de l'occasion et commande trois radiateurs pour le bungalow.

Le petit manifeste un intérêt sans mélange pour un costume de Père Noël accroché dans le coin des vêtements ; il me pose des questions auxquelles je ne sais trop comment répondre. Le costume est à peu près de la bonne taille et nous l'ajoutons dans le panier.

— Tu peux devenir assistant du Père Noël, dis-je, doutant d'être comprise.

Les livres de Noël sont arrivés et je les empile dans le chariot : je les achète presque tous, sauf les polars, les autobiographies d'hommes politiques, les ouvrages de développement personnel et les études sur l'histoire du cheval islandais. Je place sur le haut de la pile un roman qui se passe sous la pluie. La jaquette du livre est belle mais je ne connais pas l'auteur, le directeur du magasin non plus, bien sûr ; il n'en a été commandé que deux exemplaires qui gisent sur le comptoir entre les best-sellers attendus, en piles hautes comme des tours. J'achète aussi un livre sur l'éruption du Laki au XVIIIe siècle, plus une flopée de livres pour enfants faciles à lire et quelques cahiers pour y écrire les mots de la buée.

Avec l'aide du directeur du magasin, je trouve un livre sur l'éducation des garçons. Il me suffit de le feuilleter négligemment, de parcourir les sous-titres, les légendes des illustrations et la quatrième de couverture pour voir que ce qui manque au petit, c'est avant tout un modèle du sexe fort. Je pourrais sans doute lui apprendre à attraper un ballon et à pédaler sur son vélo, à faire les crêpes, à lacer ses chaussures, je pourrais lui apprendre à lire s'il ne le savait déjà, à compter jusqu'à cinq en hongrois, mais je ne pourrais lui inculquer la valeur des mots dans la bouche d'un homme, comment être fort quand on a peur, ni lui apprendre à combattre une armée ennemie.

Nous ne sommes pas loin d'avoir rempli deux chariots ; il en pousse un devant lui, moi l'autre. Il porte la responsabilité du foyer et déborde de sollicitude à mon égard, pointe le doigt vers ceci ou cela qui nous fait défaut, va chercher des raisins secs, du riz et des spaghettis, du fromage blanc, des œufs, du hareng mariné, des œufs de lump, des galettes de seigle, du mouton fumé, des olives, du fromage de tête, du saumon fumé et de l'huile de foie de morue. Il a un goût plutôt diversifié pour un gosse de quatre ans. Il rassemble des vitamines en petits flacons et m'aide à trouver les légumes pour un pot-au-feu de mouton – il y en a de quatre sortes : rutabagas, carottes, navets et pommes de terre. Les navets sont mille pour cent plus chers qu'à Cracovie. Et puis le voilà qui ramène du parfum qu'il dépose en offrande dans le chariot. Je laisse faire et prends place dans la queue au rayon boucherie.

Les gens ralentissent le rythme de leurs emplettes pour me regarder, ainsi que le petit, et puis nous deux ensemble. Tumi m'adresse un regard soucieux ; son message est que je ne dois pas fixer les gens en retour, ne pas en faire un drame. Trois d'entre eux me demandent si je suis la dame du chalet, plusieurs autres sont amicaux, donnent un coup de coude à leurs enfants pour qu'ils partagent leurs bonbons avec le petit. Ils se penchent au-dessus des sachets de cellophane verts et choisissent à regret quelque chose de trop fort ou de trop acide qui s'est adjoint par erreur à l'assortiment, afin de le lui remettre formellement de leurs doigts poisseux.

Lorsque mon tour arrive, quelque chose roule par terre et l'assistance cesse de prêter attention aux nouveaux venus et forme un demi-cercle, yeux baissés, autour de ce qui brille. C'est un bouton marron.

Le vendeur s'efforce de tendre la portion de farce pesée à une cliente par-dessus le comptoir, mais celle-ci a d'autres chats à fouetter. Qui a perdu un bouton ? Les visages sont empreints d'une sollicitude inquiète. Tous s'examinent les uns les autres, puis moi. Presque personne ne porte de vêtements à boutons, tous arborent un habillement ample et confortable avec élastique à la taille et aux chevilles. Beaucoup sont apparentés dans la bourgade, néanmoins ça ne se fait pas d'être trop familier avec son prochain à la Coop. Il faut pas mal d'entraînement pour prétendre être d'ailleurs pendant cinq minutes et tenir ses semblables à distance, faire semblant d'ignorer que l'individu qui vous précède dans la queue est allé se promener seul jusqu'au ponton à dix heures et demie hier soir et a envoyé d'un coup de pied une boîte de bière vide valser dans l'Océan. Du moins, nul besoin ici de sauter au cou de son ami d'enfance et de son cousin chaque fois qu'on les rencontre.

Le garçon boucher se fait le porte-parole des autres et demande si je suis la dame du chalet d'été.

— Il a son franc-parler, me chuchote une femme, et il fait partie de la compagnie de théâtre amateur. Il a joué tout l'œuvre de Jóhann Sigurjónsson, en bloc. Son rôle le plus mémorable a tout de même été Lennie dans *Des souris et des hommes*. Depuis, ses clientes sont toutes chamboulées et rêvent qu'il caresse doucement leurs cheveux et qu'il les palpe un peu partout.

Le garçon boucher me demande si j'envisage réellement de séjourner avec l'enfant dans les conditions déplorables d'un chalet, sans même l'électricité, pendant les fêtes de Noël.

— À propos, ajoute-t-il, quelle sorte d'entreprise était-ce, qui a fait faillite ? Import-export ?

L'idée m'effleure de lui rappeler que les chefs cuisiniers les plus réputés au monde préparent le repas de Noël au gaz, c'est alors que j'ai l'impression, un instant, de voir passer dans mon champ de vision l'homme de l'éboulis. Tandis que nous bavardons, les clients cessent de muser dans les rayons pour écouter et se mêler peu à peu à la conversation. On m'apprend que d'habitude les gens vont ailleurs pour faire d'aussi gros achats ; personne n'acquiert couettes, vêtements, vélo d'enfant à la Coopérative de son propre bourg.

— Demain, dit l'une des femmes, quelques mères et un père vont se réunir au foyer paroissial pour faire des bonshommes de pain d'épice avec les enfants, chacun doit apporter sa pâte. Votre fils est le bienvenu.

— Vous serez de toute façon bloquée ici jusqu'à ce que le niveau d'eau baisse dans les rivières, conclut l'acteur en me tendant la viande du pot-au-feu.

La liste des achats est longue, les pièces dorées en nombre suffisant. Je dépose sur le tapis roulant de la caisse les clous de girofle, la levure, le sirop et le gingembre. Impossible de me soustraire à mes devoirs de mère.

— Comme ça, on pourra faire la pâte à pain d'épice cette nuit, dis-je au caissier.

Il peut avoir dans les dix-sept ans, avec pas mal de gel dans les cheveux, de longues rouflaquettes et une raie soigneusement tracée. Il me semble que nombre de jeunes gens du bourg ont la même coiffure.

— Les femmes passent leurs nuits à s'amuser comme elles peuvent.

Pour un si jeune homme, on peut dire qu'il ne manque pas d'audace. Je compte les billets de mille à la caisse et fais un saut jusqu'à la boîte à gants de la voiture pour me réapprovisionner. Je me rappelle alors avoir oublié les anciennes bottes de l'enfant au rayon des chaussures et retourne les chercher. Lorsque je reviens, le petit n'y est plus.

— Il est sorti rejoindre son papa, m'informe l'ado à la caisse.

Dehors sur l'esplanade se tient un homme dont la silhouette m'est familière, un grand sac à la main. C'est l'ami de l'éboulis. Les lumières de Noël reflètent leurs couleurs d'arc-en-ciel dans les flaques. Le petit se tient tout contre lui, cramponné à son vêtement de plein air ultra cher et je l'entends dire encore une fois « papa » d'une voix caverneuse. L'homme ne bronche pas, comme s'il était justement en train d'attendre son petit garçon et sa femme, laquelle sort en courant vers l'enfant. Je le vois caresser la tête du petit, l'écarter un peu de lui et s'accroupir pour lui parler en langue des signes. Le petit sursaute, ayant d'habitude affaire à des gens qui ignorent le langage des sourds-muets. Il a soudain quelque chose à dire avec les mains, le visage et tout le corps. Je n'aurais pu me figurer que tant d'images pussent trouver place dans un corps si petit et si pâle.

— Bonjour, comment va, tu as cru que j'étais un elfe ?

— Oui, l'idée m'en a effleurée.

— Je serais tout disposé à vivre d'autres contes avec toi.

Au même moment surgit le vendeur avec le vélo d'enfant, prêt à me le porter jusqu'à la voiture. Il y a fixé les petites roues latérales. L'homme de l'éboulis et moi restons silencieux côte à côte à regarder le petit grimper sur la selle et se mettre à pédaler sur le terre-plein entre les flaques dans le crépuscule de midi, comme des parents tout fiers et un peu soucieux de lâcher la main de leur progéniture dans le vaste monde.

Une fois nos achats casés dans la Jeep, je m'apprête à démarrer, lorsqu'il dit :

— Si tu veux, je pourrai t'apprendre la langue des signes, te donner des leçons particulières ; ma sœur est sourde. Il pourra jouer avec mon chien pendant ce temps-là, c'est une chienne, très douce et gentille avec les enfants, très tolérante. Elle va avoir des petits bientôt ce qui la rend un peu délicate. Elle n'a pas trop envie de se faire chahuter en ce moment.

Il entrouvre le haut de son sac, l'air moqueur, pour me montrer le contenu. Pas de doute possible : rouge, blanc, noir, manteau, barbe, ceinture, parement de fourrure, encore un costume.

— Je viens d'aller le chercher à la teinturerie. La saison va commencer. C'est la deuxième fois qu'on m'embauche comme Père Noël, sûrement parce que je ne suis pas du bourg. Les enfants confrontés à leur propre père déguisé deviennent méfiants et meurent de honte de le voir faire le pitre en public.

Il y a déjà bien assez de problèmes dans les foyers. Pour moi, c'est une distraction comme une autre qui me sort de la routine. Ce sera mon dernier Noël par ici, je serai alors censé avoir opéré les changements qui s'imposent dans ma vie.

Il passe la main dans ses épais cheveux rebelles et regarde dans la direction de la lande, comme pour repérer la route qui l'emportera au loin.

Au moment de prendre congé, il déclare qu'il viendra nous rendre visite au chalet un de ces soirs, quand le petit sera en pyjama dans son lit, prêt à rejoindre le pays des rêves.

— Je m'annoncerai à la fenêtre et je chanterai un petit air ou dirai une histoire. Mon avantage sur la plupart de mes collègues, c'est de jouer de l'accordéon. Faute de mieux, je pourrai au moins mettre un petit cadeau dans son soulier.

QUARANTE-CINQ

Il y a deux chambres à coucher dans le chalet et nous dormons dans l'une d'elles avec deux radiateurs à gaz. Le petit se montre responsable : nous nous entraidons pour ranger, pour rendre cosy ce chalet d'été fraîchement monté qui sent la forêt de Norvège. L'eau coule du robinet quand on l'ouvre.

On a vue sur la Nationale 1.

Nous nous amusons sur la terrasse, dans la vague de chaleur de dix degrés, le toit pentu fait office d'auvent et nous abrite de la pluie.

Sur le vélo, il décrit avec adresse une ellipse, il a saisi le truc pour prendre des virages aigus sur les petites roues. Chaque fois qu'il passe devant la chaise longue où je suis allongée, bien emmitouflée en train de lire une page sur la conjugaison des verbes en langue des signes, il fait retentir la sonnette du vélo et en perçoit le son. Je lui fais signe de la main. Il dit qu'il va m'apprendre à parler, m'exercer, mais pour le moment, il a besoin de ses mains pour autre chose.

Je sirote du thé chaud.

Il est important d'adresser le verbe à la bonne personne, voilà qui me paraît logique.

Il hoche la tête et fait comme s'il comprenait, comme si je faisais des progrès ; c'est un bon professeur. Il n'a tout simplement pas le temps de me parler maintenant, on ne peut pas être tout le temps à causer, car il doit se servir de ses mains pour autre chose. Il s'est mis à dessiner.

Je propose que nous partions en expédition et je remplis une bouteille Thermos de cacao chaud. Nous emportons une tasse supplémentaire.

Le meurtrier qui a tué son frère vieillit et décline maintenant rapidement dans son coin, au foyer pour personnes âgées du Centre de soins. Il taille des planchettes et fabrique des jouets d'enfant pour se distraire ; le temps qui lui reste avant de retrouver son frère diminue de jour en jour. On nous conduit au couloir qui mène à sa chambre, celle-ci donne sur la lande. Il y règne une drôle d'odeur, un mélange de produits d'entretien très puissants et d'objets personnels fatigués retirés de leur environnement d'origine : une commode, une chaise, une pendule de cuisine, de vieilles photos de famille dans des cadres en argent. Une grande photo du frère défunt est accrochée au-dessus du lit. Le vieil homme nous accueille en pantoufles à carreaux.

La table de la chambre est couverte de petits personnages en bois sculpté avec des yeux en têtes de clou, des bonshommes minces, tout en longueur et sans oreilles. Il leur a cloué les yeux – quelquefois le clou ressort par la nuque – et a peint des vêtements sur le corps taillé, en rouge, en bleu et en vert. Sur la table de chevet s'entrelacent deux mains de porcelaine formant comme une flamme de bougie. Plus tard, j'aurai l'occasion de voir plusieurs de ces lampes dans le bourg. Je dévisse le couvercle de la bouteille Thermos et verse du cacao dans des tasses pour les deux hommes. Ils sont assis côte à côte sur le lit ; quatre-vingt ans les séparent.

—Je me rappelle bien ta grand-mère, elle était si douce et timide, ta grand-mère, quand elle était jeune fille. Nous les frères, on passait quelquefois chez elle boire du café avec un sucre et manger du gâteau à la confiture.

Il boit prudemment une gorgée de chocolat et se tait un long moment.

— Elle était extrêmement sereine en pensée et chaleureuse, ta grand-mère, elle ne jugeait jamais personne. Ça a été un accident, avec mon frère Dagfinnur. C'était une femme extrêmement bonne aussi, celle qui a pris l'enfant. Ta grand-mère a été un peu contrariée. Que ce soit arrivé pendant que la jeune fille était chez elle.

Il boit une autre gorgée et se tait de nouveau, il n'a rien de plus à ajouter.

Je lui dis que je suis venue pour voir les jouets. Il n'en a pas beaucoup en ce moment, mais tire tout de même un camion à cabine rouge et roues en caoutchouc de sous le lit – à côté du pot de chambre.

— On n'est pas censés avoir ce genre de commodité, dit-il.

Mais il a la flemme d'aller aux toilettes cinq fois par nuit. Quelques-uns de ses voisins disposent cependant d'un lavabo dans leur chambre pour pisser dedans. Même les petites affaires privées de chacun sont devenues d'intérêt public.

Il attache de ses mains tremblantes un bout de ficelle au camion à roues de caoutchouc pour que le petit puisse le tirer derrière lui le long du couloir revêtu de lino.

QUARANTE-SIX

Il fait nuit d'encre et je m'éveille à un son très faible, très fin, suspendu dans l'air comme un fil de cuivre doré. Je m'assieds pour localiser le bruit. Pas de doute, le petit chante dans son sommeil, d'une voix différente de celle de sa vie diurne. La couette gît sur le plancher. À l'instant où je l'étends sur lui, c'est comme si l'on avait coupé le son. Il est maintenant assis, réveillé.

— Je suis aveugle.

Il tâtonne à la recherche de ses grosses lunettes. De mon côté j'allume la lumière pour qu'il me voie lui parler.

— C'est la nuit, dis-je, il fait noir. Je ne vois rien, moi non plus. La nuit, il n'y a pas d'images. Veux-tu que je te raconte une histoire ? Et si on en fabriquait une ensemble ?

J'essaie d'inventer une histoire pour lui, je parle lentement et distinctement tout en utilisant les signes que j'ai appris. Il dit, non, pas comme ça. Chaque fois que j'essaie de reprendre le fil, il proteste. Il veut que l'histoire soit autrement.

À la fin, il cache sa tête sous l'oreiller. Il ne veut pas d'histoire. Il veut que je m'en aille. Je soulève l'oreiller.

— Tu ne veux pas savoir ce qu'elle raconte ?

— Non.

— Mais demain ?

— Peut-être, dit-il à contrecœur.

— Tu veux dormir dans mon lit ? Tu veux me rejoindre au lit ?

L'enfant n'attendait que cette permission ; il se rassied en vitesse, laissant ses pieds glisser jusqu'au sol. Il emporte son oreiller et l'installe à côté du mien. Puis il s'en va chercher trois animaux en peluche qu'il aligne avec précaution, côte à côte, dans mon lit, le plus petit entre les deux autres. Je vais chercher sa couette.

— Demain, on descendra ensemble dans la ravine avec le camion et la pelleteuse et on fera un barrage dans le ruisseau, dis-je en me poussant pour faire de la place à tout ce petit monde. Et puis on fera des crêpes et on ira à la piscine.

Au matin, quand je me réveille, le petit n'est plus dans le lit, je ne le vois nulle part. Son édredon est encore tiède. Je le cherche partout et me précipite dehors pour l'appeler, mais bien sûr, il n'entend pas, je cours un peu partout en bottes et pull de laine enfilé par-dessus ma chemise de nuit, et finis par descendre dans la ravine. Et c'est là que je le vois se profiler dans la faible lueur du jour, telle une petite saillie du relief, les pieds nus, en pyjama de Superman, sur une pierre au bord du ruisseau. Il ne bouge pas, bien que je sois arrivée tout contre lui.

Lorsque je téléphone à Audur, elle m'avoue que la quête de son père a commencé un jour à la sortie de la maternelle. Il lui avait alors demandé où était son papa et pourquoi il ne venait pas le chercher à l'école.

— C'est une longue histoire, que je te raconterai quand tu auras cinq ans, lui ai-je expliqué. Ce sera donc l'automne prochain, ce qui me laisse un an de répit. Quelques jours plus tard, dans une librairie en ville, le voilà qui se jette sur un homme devant nous dans la file d'attente, entoure de ses bras l'une de ses jambes et se met à crier papa, papa, sans arrêt. C'était drôlement gênant, d'autant plus qu'il s'agissait d'un journaliste sportif de la télévision qui m'a toujours franchement tapé sur les nerfs. Depuis, Tumi m'a refait le coup plusieurs fois avec d'autres hommes, tous très différents. C'est totalement imprévisible, comme le somnambulisme.

Nous n'en parlons pas davantage et elle me demande de l'aider à trouver un mot, un adjectif, pour qualifier quelque chose qui s'abat sur les humains, pas forcément de nature météorologique comme la pluie, plutôt un mot associé à la fin du monde dans l'âme et le cœur des hommes, mais pas directement, plutôt de manière détournée comme la pluie dans l'âme et la nature qui verse des larmes. Quelque chose comme l'odeur du bouleau sous la pluie, mais en un seul mot. Le médecin accoucheur prétend qu'il n'existe pas de mot unique qui soit si vaste. Pourrais-tu y penser et me téléphoner demain ? Et peut-être, si tu as le temps, quand Tumi sera endormi ce soir, feuilleter pour moi les Grecs anciens ?

La communication est discontinue et la voix d'Audur semble venir d'au moins cent cinquante milles. J'entends malgré tout qu'elle est exaltée, enchantée de la vie et du temps qu'il fait.

—Là, tu vois, poursuit-elle, je me suis presque entièrement déshabillée et je m'apprête à sortir sous la pluie en pantoufles pour me rouler dans l'herbe et chambouler la vue monotone que les malades ont sur le lotissement. Tant pis si le personnel du service n'a jamais vu une future mère célibataire de trois enfants heureuse. Tu devrais faire comme moi, ajoute-t-elle. À l'heure qu'il est, ils sont en réunion pour délibérer sur la question de savoir s'il faut me transférer du service des grossesses à risques à celui des maladies mentales. Uniquement à cause du bonheur. Si je meurs ce soir, je mourrai heureuse. Et puis il y a toujours l'éventualité de mourir avec ses enfants.

La voix s'est presque éteinte au téléphone. Audur s'est remise à pleurer.

—J'ai tellement peur qu'il marche dans son sommeil, qu'il patauge dans la gadoue. Je voudrais te demander de ne pas passer la nuit trop près de la mer. J'ai fait un rêve. Ne t'approche pas de la mer ni de l'eau avec lui.

Puis, sans transition, elle déclare :

— Savais-tu qu'il y a cent cinquante-trois références au passé dans la Bible, alors qu'on y évoque l'avenir quinze fois seulement ?

QUARANTE-SEPT

Le ciel est sombre au-dessus de la piscine, la vapeur couleur crème s'élève dans l'obscurité humide de novembre ; des visages surgissent et disparaissent, la planche du plongeoir émerge à moitié de la brume.

La marmite d'eau chaude, voilà le moyen le plus sûr de rencontrer son prochain dans son plus simple appareil, aussi vulnérable que tout un chacun, le meilleur moyen d'éprouver une véritable proximité avec l'autochtone. Être assis dans un jacuzzi étroit, les genoux serrés contre la poitrine, et sentir la chaleur brûlante d'un corps inconnu dans la vapeur sulfureuse, c'est ainsi que je suis, quasiment telle que Dieu m'a créée il y a trente-trois ans avec, en valeur ajoutée, maillot de bain, pulsions sexuelles, expérience de la vie et souvenirs obsédants.

Les gens débarquent du travail, fatigués, la

couleur de l'été a déserté leurs corps redevenus roses et tendres, tous embaument du même mélange chloré. Le lot des mortels ne saurait être plus égalitaire. De nombreux petits enfants barbotent en paix dans la marmite des gosses. Nombre d'entre eux, qui portent encore des couches sur la terre ferme, ont dû depuis longtemps déjà se débrouiller pour flotter. L'été prochain, il est prévu d'agrandir la piscine et de construire un toboggan pour les enfants et leurs papas.

Alors que Tumi enfile son nouveau slip de bain sous la douche, il dit qu'il veut devenir comme moi. Comme moi, c'est bien ce que j'ai compris.

— Comment ça, comme moi ?

Je crois qu'il prononce le mot femme.

Je le laisse se munir de deux bouées, ainsi remontera-t-il constamment à la surface.

— Tu ne vas pas bouger d'ici, dis-je en dessinant avec les mains l'image maison de l'adjectif immobile. Pas bouger, seulement barboter dans le petit bassin.

Il saute et ressaute inlassablement dans l'eau, là où elle est le moins profonde, émettant toutes sortes de bruits de plaisir qu'il n'entend pas lui-même. Sans prothèses auditives ni lunettes, transformé, il donne l'impression d'être encore plus petit et plus mince ; son visage est dépourvu de cette précision que donne la monture des lunettes, les formes se fondent les unes dans les autres. Je me rappelle que je dois passer par la supérette sur le chemin du retour pour acheter des protéines en poudre à mélanger dans son cacao.

Jamais je ne l'ai vu aussi content. Il barbote et éclabousse à cœur joie, envoyant des jets au-dessus des autres enfants qui resserrent les rangs de l'autre côté du bassin et suivent ses agissements, bouche bée et silencieux, en se demandant s'ils doivent lui faire boire la tasse ou lui renverser un récipient d'eau sur la tête ; il ne paraît pas susceptible de se prêter à d'autres formes d'échanges, de toute façon.

Le nombre de tatoués dans le bassin chaud retient mon attention, hommes et femmes – presque tous ont un motif tarabiscoté autour du bras –, beaucoup d'hommes sont ornés d'une ramure de renne au même endroit. À la piscine, de l'autre côté des sables, à cent cinquante kilomètres d'ici, beaucoup aussi étaient tatoués, mais c'étaient d'autres motifs, des animaux et des roses, qui prédominaient.

— Si on va vers une inversion des pôles, dit un baigneur du bassin chaud, il faudra redéfinir le nord et le sud, les boussoles ne seront plus fiables.

— Au lieu de crème fraîche, on utilise simplement de la sauce au bacon toute prête, dit une femme dans le même bassin. Si tu veux, je pourrai t'amener la recette demain.

— Qui ne tente rien de neuf, rate une occasion de s'amuser, lance un homme âgé.

— On n'a peut-être pas toujours l'occasion de s'amuser, même si on essaie quelque chose de nouveau, rétorque une femme.

— Je ne dis pas qu'il faille toujours essayer quelque chose de nouveau, corrige le vieil homme.

— En revanche, c'est tout à fait exact que si on ne va jamais nulle part, on ne voit jamais rien de nouveau, continue la femme.

— Tout à fait, c'est absolument nécessaire d'aller quelque part pour voir le monde et se changer les idées, acquiesce l'homme.

— Oui, dit l'autre, connaître d'autres gens qui pensent pareil.

— Précisément.

En me déplaçant dans le jacuzzi vers le jet de massage, je frôle par mégarde les poils d'une cuisse d'homme. Une femme me jette un brusque coup d'œil, elle n'est pas contente. J'ai failli dire que ce n'était pas de ma faute.

Il y a visiblement ici quelques spécimens du sexe opposé. Ce serait pourtant une erreur de croire que je songe à séduire. Ce n'est pas comme si je faisais le tri entre ceux qui méritent d'être considérés et ceux qui pourraient éventuellement mériter de l'être, comme le laisse supposer le regard que m'a lancé la femme. Il ne faudrait pas s'imaginer que je sois à la recherche de quoi que ce soit de spécial dans cette bourgade. Je veux tout simplement me reposer et me changer les idées. Prendre de grandes vacances tardives au mois de novembre.

C'est à peine si je compare à mon ex-mari ceux que j'ai en ligne de mire dans la marmite, et seulement dans les grandes lignes, d'après une ébauche de silhouette. C'est qu'il commence à s'effacer. Il faut désormais que je me concentre pour le faire ressurgir dans mon esprit.

Ils ont dû mal comprendre la pancarte rédigée en cinq langues qui précise que l'on doit ôter son maillot de bain pour se laver avant d'entrer dans la piscine : descendus du barrage, cinq étrangers, spécialistes en explosifs, arrivent au bassin tout nus. Le maître-nageur se lance vaillamment à leur poursuite avec son sifflet tandis qu'ils gravissent l'escalier à la queue-leu-leu. Pendant que tout le monde les contemple depuis la marmite, pardevant et par-derrière, la conversation tombe à l'eau.

— Depuis que les travaux ont commencé, il faudrait que tout soit écrit en quarante langues, dit la femme avec lassitude.

Elle a cessé de me tenir à l'œil. Je ferme les yeux. Lorsque je les rouvre, une nouvelle escouade s'est installée dans la marmite d'eau chaude.

Dans la vapeur, en face de moi, est assis un homme que je regarde un bon moment sans le voir à travers une mèche de cheveux mouillés, de mes yeux mi-clos, lorsque je découvre que c'est lui, mon ami de l'éboulis, qui est de nouveau là. Il me considère d'un air moqueur, ce génie des apparitions, comme s'il attendait que je rectifie le tir et manifeste ma surprise de le voir. Il a l'air tendu, un petit peu gêné, il paraît même timide. Je lui souris et tressaille en même temps sous le jet brûlant d'un tuyau qui dépasse.

Il me rend mon sourire et se met à parler à une femme qui attendait ce moment pour lui dire quelque chose d'urgent. Je referme les yeux et me rallonge, la tête reposant sur le bord du bassin. Je commence à pouvoir m'imaginer vivre ici dans le noir, la route de la lande est impraticable et rien ne se passe en surface pour une personne venue d'ailleurs.

La femme qui parlait à l'homme de l'éboulis est sortie de la marmite où nous ne sommes plus que six.

— J'espérais avoir ta visite, dit-il enfin. J'aurais alors préparé quelque chose de bien, c'est rare d'avoir envie de cuisiner pour soi tout seul.

Il a un curieux tatouage arrondi sur l'épaule, un peu comme un labyrinthe, qui évoque aussi une toile d'araignée.

En dehors de notre conversation, un silence des hauts plateaux règne dans la marmite circulaire, les gens ayant cessé d'échanger des recettes. Il se déplace vers moi et nous sommes assis côte à côte, tandis que les autres se retirent à l'autre bout, aussi loin que possible, quatre personnes silencieuses, deux couples qui essaient de passer inaperçus en s'enfonçant dans la vapeur jusqu'au menton. Les marches sont de notre côté et personne n'aurait l'idée de les gravir pour quitter le bassin et se manifester à un stade particulièrement délicat de notre entretien. Il accumule les éventualités à mon endroit.

— En tout cas, je serais tout prêt à te revoir, on pourrait trouver quelque chose à faire.

Puis il se penche comme s'il allait sortir du bassin, s'incline au-dessus de moi et dit en m'effleurant l'épaule :

— L'offre de leçons particulières tient toujours.

Il se lève pour sortir, l'eau ruisselle sur son corps. Les autres s'empressent de suivre son exemple et lui emboîtent le pas comme lors d'une démission collective dans une assemblée, ce qui a pour effet de faire nettement baisser le niveau d'eau de la marmite. Il ne reste plus que moi.

Laissant mes lunettes de natation sur le bord, je plonge dans le bassin de la piscine et disparais sous l'eau ; j'ouvre la bouche au flot qui l'emplit, d'une secousse je remonte à la surface, tousse et crache. Je nage trente-trois longueurs – à vrai dire, la piscine ne fait que dix-sept mètres, comme me l'apprend le maître-nageur après coup.

— Ça fait donc cinq cent soixante et un mètres, ajoute-t-il, après un rapide calcul avec papier et crayon.

C'était le soir où j'avais enlevé la fleur de mes cheveux, mais j'avais toujours mes anglaises. C'était le jeudi saint et toutes les boutiques étaient fermées. Je défis de mon mieux à l'aide du peigne mes anglaises chargées de laque et rassemblai mes cheveux en queue de cheval avec un élastique jaune. Je portais une veste neuve et me sentais toute nouvelle et bizarre dans ma tête ; j'avais envie de m'en aller. Au lieu de quoi j'allai à la piscine avec ma meilleure amie.

Mes cheveux étaient bien plus lourds que d'habitude, collés ensemble, je les sentais dans mon dos comme un nouvel organe dont je ne pouvais me défaire. Ça devait être tous les produits qu'on avait mis.

J'entendis alors un bruit de plongeon tout près de moi. Quelqu'un s'éloignait du bord, nageant sous l'eau dans la partie profonde du bassin ; je sentis soudain une vague se briser contre mes cuisses et puis voilà qu'on m'attrape par la jambe et qu'on m'entraîne vers le fond. Je coule et je sens que je m'étouffe. Je refais surface, essayant de tousser, mais mon amie tient toujours ma jambe et me tire en riant loin du bord. J'essaie de me dégager, de lui donner un coup de pied, mais elle croit sûrement que ça fait partie du jeu et resserre son étau. Je bois la tasse et sens l'eau chlorée envahir librement mes voies respiratoires. Ma vue s'obscurcit, je suis en train de perdre la partie, sans être encore allée une seule fois à l'étranger. Mon amie n'a *toujours pas compris, lorsque je parviens enfin à lui échapper pour agripper le bord. Je tousse et tousse, les larmes roulent sur mes joues, j'essaie d'évacuer la glaire mêlée de sang en crachant dans la rigole, mais je rate mon coup et vois la chose s'éloigner, flottant à la surface, en direction de mon amie toujours souriante.*

Une fois rentrées à la maison, elle voulut absolument me prédire l'avenir et tira en conséquence quelques cartes du paquet pour les étaler sur la table. Elle m'annonça que j'atteindrais l'âge d'environ trente-trois ans, sans mentionner ni mari ni enfants. J'avais treize ans et je trouvais que trente-trois ans était un âge plutôt avancé ; j'ignorais alors que sa grand-mère avait récemment parlé d'une jeune femme morte à trente-trois ans et mon amie, troublée, avait sans doute voulu avoir un ton prophétique. Peu de temps après, nous nous perdîmes de vue et je ne sais pas ce qu'elle est devenue.

Jusqu'à ce jour, où il m'a semblé tout à coup la voir du coin de l'œil remonter des profondeurs de la piscine et se diriger droit sur moi.

QUARANTE-HUIT

Le petit ne veut pas s'amuser avec les autres enfants, il ne veut pas jouer avec le ballon de foot que nous avons acheté, il préfère rester avec moi, assis sur la terrasse à me regarder lire ou bien regarder avec moi les histoires des dieux grecs. Il veut s'allonger par terre près de la cheminée et écrire des mots ou faire des dessins ; l'un d'eux représente un jeune garçon donnant la main à deux femmes, dont l'une a un gros ventre. Aussitôt après il dessine d'affilée trente images d'Hercule.

— Tu vois, la virilité n'est peut-être pas enfouie aussi profondément que ça en a l'air, dis-je au téléphone à la prof de musique et mère de l'enfant sourd.

« As-tu peur des enfants, as-tu peur de ce qui est dehors ? » Je ne lui dis rien de tel, ce ne sont pas des choses qu'on dit à un enfant.

Le petit reste parfois assis longtemps sans bouger, comme s'il était quelque part au loin, très loin. Ou alors il balance le torse d'avant en arrière comme un vieillard. Entre ces deux attitudes, il est pareil aux autres enfants, agité comme la mer. Il me fait penser tantôt à un acteur impassible du temps du cinéma muet, tantôt à un mime professionnel d'un pays du sud, changeant d'expression cent fois en un rien de temps, fabriquant de ses mains des images plus ou moins compréhensibles.

Quelqu'un frappe un matin, à dix heures quarante. Flanqué d'un enfant d'à peu près l'âge de Tumi, le visiteur tient à la main un DVD interdit aux moins de douze ans. Une lueur d'espoir s'allume dans les yeux du petit qui se tient à côté de moi, attendant la suite. Ça lui fait plaisir d'avoir de la visite.

— Je vous ai vus à la Coopérative et j'ai pensé qu'ils pourraient bien s'entendre.

Il pousse son fils à l'intérieur et essaie de refermer la porte derrière lui, mais le garçon met le pied dans l'entrebâillement.

— Vous n'avez pas de lecteur DVD ? Et pas la télé non plus ?

Il jauge rapidement notre foyer, que nous avons décoré de la petite église sculptée, du dessin d'un mouton, des mots de la buée écrits sur du papier et de trente dessins d'Hercule sur le mur. Il fait ensuite le tour du salon et donne un coup au mur. Son fils le suit comme son ombre.

— Bon, eh ben, ça ne pourra pas marcher, dit le père.

Il tire sur la manche du garçonnet, qui paraît assez captivé par le feu dans l'âtre, et l'entraîne vers le seuil. Puis il hésite dans l'embrasure.

— Je me rappelle bien votre grand-mère, dit-il enfin. J'ai parfois couché dans la maison bleue quand j'étais enfant. On gratouillait un peu la guitare et on composait des airs en ce temps-là. Il m'arrive encore d'écrire des paroles.

Il se tait brusquement. Et puis c'est comme s'il se souvenait d'une chose plus urgente.

— Vous êtes venue pour manifester contre les

travaux du barrage ? me demande-t-il.

Je l'entends dire au revoir tout en refermant sans bruit la porte derrière lui. Je ne saurais démêler s'il y a du regret dans l'expression du petit tandis que nous faisons fondre une tablette entière de chocolat noir pour préparer deux tasses de cacao et que nous beurrons des tartines.

QUARANTE-NEUF

Coucher de soleil sur le port, au milieu de la journée, quand les bateaux débarquent leur pêche. Il n'y a pas grand-chose à voir, diraient les voyageurs qui passeraient par-là, en se méprenant gravement. Ils ne peuvent se rendre compte de ce qui se passe à l'intérieur des maisons.

Je commence à pouvoir m'imaginer que j'habite ici avec mon petit gars, que cela fait en réalité trente-trois ans que je vis là, entre deux escapades de temps à autre, mais toujours brèves, que ma vie en somme est ici. Alors naît en moi une sensation tout à fait nouvelle qui se greffe à l'environnement.

Pieds nus dans mes baskets, j'attends mon pêcheur sur les planches glissantes du ponton. Je vois son pull marin bleu dans la cabine du bateau qui se dirige vers la terre. Le poisson jaune luit, oui, la morue, et l'eau de mer est souillée de mazout. Il se tient à la proue au moment où le bateau accoste, il rentre couvert d'écailles et tout poisseux.

Les hommes me regardent avec étonnement, les autres femmes sont à la maison, en train de débarrasser après le repas et de coucher les gosses. Je n'ai pas besoin de coucher mon enfant, c'est un grand maintenant, il est parti répéter avec son groupe de pop, je crois.

— Tu as de la veine avec ton mari, me dit une autre femme de pêcheur, quand le mien n'est pas en mer, il passe tout son temps sur la grève.

C'est ainsi que je me représente les choses.

Un homme quitte le bateau par la passerelle, qu'il franchit en deux enjambées. Il sent le poisson et ses doigts sont salés quand il les met dans ma bouche, l'un après l'autre pour que j'en lèche juste le bout. Un peu étrange comme procédé pour un témoin qui ne serait pas d'ici, mais c'est comme ça.

Après, nous tirons devant la fenêtre les rideaux que sa mère a cousus. L'ado est toujours en train de s'exercer à la basse dans le garage, à ce que j'imagine, aussi nous permettons-nous de fermer les rideaux.

Une fois à table avec du loup tout frais pêché et frit à la poêle, je dis à l'homme de ma vie :

— Tu vas manger torse nu ?

— Attends, qu'est-ce que ça peut faire ? Est-ce qu'on n'est pas tout seuls tous les deux, toi et moi ?

Il a oublié l'adolescent, lui aussi.

— Si, mais j'ai été élevée comme ça, qu'on vienne manger habillé et peigné et qu'on parle ensemble. Papa nous racontait souvent une histoire à table, à maman, mon frère et moi, et nous racontions aussi, à tour de rôle, ce que nous avions fait dans la journée. Une fois papa nous a parlé d'un pianiste au chômage qui souffrait d'insomnie. Par une de ces nuits blanches, dans son lit, il inventa une vis pour hélice d'avion, ou un boulon ou quelque chose de simple comme ça, qui l'a rendu richissime. Et pas seulement lui, mais trois générations de la famille Jack Wilson.

— Tu n'as pas besoin de me raconter toutes les histoires du monde pour que je mette une chemise.

— Maman se faisait belle aussi, avant qu'il ne rentre à l'heure du dîner, elle se mettait du rouge à lèvres, puis elle me postait devant elle pour que je courre au devant de lui. Mon frère, elle le laissait tranquille. Je trouvais parfois que c'était bien du tintouin, d'être arrachée en plein milieu d'un jeu pour faire partie du comité d'accueil. Mais ma joie n'était pas feinte ; il se passait si peu de choses dans la journée que mieux valait avoir la visite de papa pour la soirée et la nuit que rien du tout.

— Tu voudrais peut-être qu'on fasse la lecture du soir pour la maisonnée, qu'on lise la Bible ?

Première dispute. Ce sont les oppositions actives qui alimentent la vie. Je reconnais que j'ai du mal à amener l'ado à assister aux repas, je mets quand même une assiette de côté et garde son dîner au chaud, si des fois il revenait du garage avant que nous allions nous coucher.

Mon mari sort le linge de la machine à laver, étire les chaussettes et lisse mes T-shirts avant de les suspendre au fil. On fait quand même beaucoup l'amour, presque tous les soirs et parfois tard dans la nuit. C'est comme ça, tant pis si on se recouche le soir dans un lit défait. Le garçon n'est pas encore rentré quand nous allons nous mettre au lit. Quelquefois, on batifole aussi le matin. Sauf quand on se dit au revoir, ça l'étonne toujours de voir à quel point j'ai de la peine. « On se revoit ce soir, à sept heures et demie », dit-il pour tâcher d'adoucir la séparation. Le garçon ne s'est pas encore montré. Je ne suis même pas sûre qu'il soit rentré du garage hier soir.

Je m'appuie au dossier de ma chaise longue sur la terrasse et pose mon livre. Il va être quatre heures et le jour commence à s'assombrir. Le petit est en vue, en train de remplir de gadoue quatre moules à gâteaux, dans sa combinaison imperméable, la cagoule sur la tête. Je suis prête à intervenir, un quatrième collant sec sous la main. Lorsqu'il rentre, il dégage une odeur de terre froide et mouillée, une odeur de sol dénudé. Le tour de sa bouche est marron, mais il secoue la tête quand je lui demande s'il a mangé de la terre. Il ouvre les mâchoires pour le prouver. On voit du sable et de l'humus sur les molaires ; peut-être manque-t-il de fer ou de magnésium ? Il faudra que j'y pense quand je ferai les courses.

Je commence à rêver que je suis revenue m'installer ici après dix-sept ans d'absence, que j'habite ici, que ma vie est ici. Je suis seule et je vais emménager chez mon pêcheur lundi.

Tout chez lui est jaune et brun chiné et le badge du Jour des Marins d'il y a deux ans est toujours accroché aux rideaux beiges de la cuisine ; sa mère les a cousus pour lui quand il s'est installé. Sur le plancher du salon, il y a une souche de bois d'épave qui sert de support à une bouteille et quatre verres. Mine de rien, petit à petit, je fais des changements, je déplace les choses, j'en mets dans des cartons, je profite de l'occasion, quand les enfants viennent quémander des lots pour une tombola, pour leur donner les cadeaux de Noël de sa maman. En dernier lieu, ils sont repartis avec la lampe aux mains de porcelaine entrelacées protégeant une torche. Je n'ose pas encore larguer le navire dans la bouteille.

Il s'abstient de tout commentaire pendant longtemps, et puis un soir, au bout de trois mois, alors que nous sommes en train de manger du poulet au lait de coco avec du maïs et du riz – sachant qu'il a horreur du poisson –, il s'exclame entre deux bouchées :

— Ça m'a l'air bien vide ici, tu as changé quelque chose ?

Au bout de quatre mois, je m'aventure à évoquer les rideaux de la cuisine, et encore, sur la pointe des pieds.

— Qu'est-ce qu'ils ont ces rideaux ? s'exclame-t-il, c'est maman qui les a faits et ça a été la croix et la bannière pour les accrocher. Elle a pris l'avion pour aller acheter le tissu à Reykjavík, mon frère Deddi a dû la conduire par monts et par vaux deux jours de plus jusqu'à ce qu'elle trouve le tissu à Mjódd. De retour, elle a voulu absolument les confectionner ici, elle a emménagé avec sa machine à coudre et occupé tout le salon ; deux amies à elle sont venues l'aider à les monter. Qu'est-ce qu'ils ont ces rideaux ?

Alors je le caresse comme un minou, laisse courir mes doigts le long de son ventre et il devient tout tendre. Après, il dit que je peux changer les rideaux si ça me chante, mais il faudra que je l'explique à sa mère. Elle est déjà suffisamment soupçonneuse à mon égard, parce que je suis maigre et garçon manqué, que je suis divorcée et que je travaille à corriger des papiers.

— Je trouve inutile d'avoir des rideaux dans la cuisine, dis-je, il n'y a de toute façon rien devant, sauf la mer, j'ai l'impression de perdre l'horizon à cause de la cantonnière à volants là-haut.

— Tu veux que la maison ait l'air de n'en être qu'au gros œuvre ? dit-il.

Peu à peu, il change tout de même.

— Qu'est-ce que tu lis ? demande-t-il.

Je lui explique le contenu du livre et il me regarde

d'un air indéchiffrable en m'écoutant.

— Je trouve que ça ne vaut pas la peine de lire un livre que tu as déjà lu avant moi, parce qu'alors je le vivrais après toi, par contre je serais prêt à essayer d'être une femme pour mettre un enfant au monde. Ça doit être différent de toute autre expérience de se fendre en deux, dit mon marin-pêcheur, viril et bien bâti.

Il enfile le pull bleu raidi de sel que sa maman a tricoté et qu'il ne faut pas laver. Il va partir en mer.

CINQUANTE

La maison se dresse tout en bas, presque sur la grève, à peine reconnaissable. Elle est pourtant toujours aussi basse de plafond et un homme de haute taille peut tout juste s'y tenir debout. Près de la cuisinière, en chemise blanche fraîchement repassée, il tient un plat débordant de langoustines roses qui viennent d'être pêchées. À l'horizon, six bateaux de pêche illuminés rentrent au port. Ils semblent immobiles, comme s'ils se préparaient au branle-bas, à l'assaut de la terre habitée, juste après les infos du soir.

—J'ai craqué pour l'emplacement, dit-il, rien que la mer par la fenêtre. La maison était vide et je n'avais aucune idée alors qu'elle avait le moindre rapport avec toi. D'ailleurs je ne te connaissais pas à ce moment-là. À vrai dire, je n'avais pas encore commencé de penser à toi.

Le petit sur les talons, je passe d'une chambre à l'autre dans cette maison familière et nouvelle. Je caresse du bout des doigts les vestiges du papier peint fleuri.

—J'ai poncé et laqué les sols. Les planchers sont d'origine.

L'odeur de moisi n'y est plus. J'essaie de m'allonger sur le lit.

—Il n'y avait rien à l'intérieur, à part la baignoire dans la cave et quelques cartons au grenier, de vieilles affaires que je n'ai pas eu le courage de jeter, ni le temps d'examiner. Tu es invitée à les regarder, si tu veux.

Je parcours rapidement les cahiers, tous remplis de l'écriture soignée de grand-mère. C'est le mois de mai, la date est à peine lisible – l'humidité a eu raison de la plupart des feuillets.

Douce brise du sud après la pluie de ce matin, un petit garçon est né à seize heures quarante. Le couple est venu le chercher à dix-huit heures dix. Le vent est en train de tourner à l'ouest. Tout va bien.

—J'espère que tu as faim, dit-il, quand je redescends. Il y en a au moins trois kilos.

Le petit met trois assiettes sur la table et confectionne un éventail et deux longues-vues avec les serviettes qu'il enfonce dans les verres et puis le voilà sorti en pull-over dans le jardin avec la chienne pleine.

— C'est moi qui l'ai récupérée, au divorce, dit-il. Elle va mettre bas dans trois semaines – ce sera mon cadeau de Noël cette année, avec les chaussettes de maman et ce que mes filles bricolent à l'école. L'an dernier, la plus jeune m'a donné un mobile et l'aînée une couverture et un fichu pour la chienne. Elle leur manque ; elle et moi ne faisons qu'un pour les petites.

Sur l'étagère, à côté des livres, il y a la photo de deux adolescentes, l'aînée un peu soucieuse lui ressemble ; l'autre est blonde, avec la raie au milieu et des couettes, les traits fins, souriante comme la femme en combinaison de ski qui se tient entre ses filles, entourant leurs épaules de ses bras.

— C'étaient les dernières vacances, avant qu'elle en ait marre de moi et disparaisse avec mon camarade. Je suis invivable.

Sur ces mots, il vient se mettre tout contre moi. Je reconnais le parfum de son savon à barbe, c'est « Nature pour homme », un pur concentré de virilité.

— C'est surtout moi qui me suis occupé des filles pendant que leur mère vivait sa lune de miel. J'essaie maintenant d'aller les voir en ville au moins tous les quinze jours. Nous logeons chez ma mère en attendant, elle lave et repasse les vêtements pour nous tous et les range pliés dans les valises, l'une pour ses petites-filles, l'autre pour son fils. Ce n'est qu'après notre divorce que j'ai commencé à mettre des caleçons repassés.

Peut-être n'a-t-il pas dit ça ; c'est même improbable, vu les circonstances, en pleine activité culinaire, qu'il ait prononcé justement ces mots-là : des caleçons repassés.

— Je remets la maison en état moi-même, j'ai carrelé la cuisine pendant les vacances d'été. Je reconnais que le damier est un peu audacieux.

C'est alors que je remarque la dimension des carreaux du sol de la cuisine, des dalles de pierre taillée, noires et blanches, disposées en alternance. Il doit s'affairer un instant à la cuisinière, debout sur un carreau noir, moi sur un blanc : une moitié d'échiquier nous sépare. Après avoir baissé le feu, il se retourne et se déplace d'une case en avant, passant du noir au blanc, de sorte que nous sommes maintenant tous deux sur des carreaux blancs, il n'y en a plus qu'un noir entre nous et on n'a qu'à tendre la main pour se toucher. Il me faut plus de temps de réflexion, je procède donc par petits pas, d'abord de côté, du blanc au noir, puis de nouveau au blanc, comme si je méditais même de sortir de la cuisine, de quitter les lieux. Pourtant j'apprécie qu'il m'apprécie. Il se lance, sans détours, comme un fou, et se dirige vers moi en diagonale. Sa main descend le long de mon dos, je sens en même temps quelque chose de mouillé dans la paume de ma main : c'est la langue de la chienne trempée que le petit suit de près, au bout de la laisse.

— Vous arrivez au bon moment, dit mon ami. À table !

CINQUANTE ET UN

En allant poster ma dernière traduction, j'en profite pour téléphoner à maman. C'est sûr qu'il n'est pas raisonnable d'être sans portable, à cause de Tumi. S'il attrapait une otite et que je doive appeler le docteur ? Il ne saurait pas non plus se débrouiller s'il m'arrivait quelque chose, il risquerait de courir tout seul sur la lande sans trouver son chemin pour descendre au village. J'achète donc un portable et inscris le soir même le numéro d'urgence sur une feuille que je fixe au mur, à côté des Hercule.

— Comment est-il, cet homme-là ?

— Quel homme ?

— Je ne suis pas née de la dernière pluie, tu n'as pas appelé depuis deux semaines, on commençait à se faire vraiment du souci.

— Divorcé, avec deux enfants.

— Parle-t-il encore de son ex-femme ?

— Presque pas, il m'a montré une photo d'elle.

— Il t'a montré une photo ? En clair, ça veut dire qu'il n'est pas libre.

— Elle était entre ses deux filles, ce n'était pas possible de l'éliminer de la photo.

— J'ai rassemblé des coupures de presse pour toi.

— Maman, je ne suis pas à l'étranger, on trouve tous les journaux ici.

— Tu ne les lis pas.

— On est en Islande ; s'il n'y avait pas d'inondations, je pourrais être chez toi à l'heure du café.

— Je n'en bois plus, je fais des changements dans ma vie.

— En tout cas, ça me suffit de lire et de m'occuper de Tumi. Il est en train d'apprendre à danser et à broder.

— À danser et à broder ? C'est ça que tu enseignes à un garçon sans père ? Je ne me rappelle pas t'avoir jamais vue broder, ni enfant ni adulte.

— Ce n'est que du point de croix tout simple ; je le laisse essayer ce qui lui fait envie. On s'est offert un canevas avec un motif de cheval, il avait envie de broder un cheval aveugle.

— Un cheval aveugle ?

— Oui, on a juste modifié un tout petit peu le motif : les yeux sont fermés, de la même couleur que la crinière ; nous nous écartons du modèle de quatre points, en tout et pour tout.

À quoi bon raconter à maman qu'il a voulu aussi changer les couleurs, faire la queue rouge vif et se servir du vert de l'herbe pour la crinière, qu'il a vagabondé ensuite avec le fil entre différentes parties du corps, passant de la tête inachevée au garrot pour y faire quelques points, puis traversant le poitrail pour aller piquer quelques croix dans les flancs, couleur jaune soleil.

— Nous apprenons les danses de salon et le *free style*.

— Tu n'as pas besoin de nourriture ?

— On trouve des commerces ici comme partout ailleurs, nous vivons dans l'abondance.

Il y a un moment de silence à l'autre bout du fil. Tumi commence à s'agiter dans le coin de la poste réservé aux briques de Lego. Les possibilités d'assemblage des douze cubes poisseux restants ont été exploitées à fond et il est question d'aller à la boulangerie d'à côté, où il y a deux tables rondes et des chaises et où l'on peut avoir des bagels chauds avec du cacao et du fromage à tartiner.

— Bon, ma petite maman, on se reparle bientôt. Tumi te fait un signe de la main ; on est à la poste, je suis au téléphone à sous.

Le silence se prolonge au bout du fil. Elle reprend enfin :

— J'ai eu des nouvelles de Thorsteinn hier, il est

au plus bas et a mauvaise mine. Ce n'est pas un homme heureux.

— Je croyais que tu avais eu de ses nouvelles, pas que tu l'avais vu.

— Il est juste passé. Nous nous faisons du souci pour toi, tu disparais, comme ça…

— En ce moment je ne pense qu'à moi-même et à Tumi. J'ai cessé de penser à Thorsteinn.

— Il est coincé dans une drôle de situation, il n'a pas son mot à dire. Cette femme a l'air de l'avoir embobiné.

CINQUANTE-DEUX

Le petit a envie d'apprendre à tricoter pour faire des petits chaussons à ses deux sœurs à naître. J'ai trouvé une dame pour lui enseigner le point mousse ; elle habite dans la maison voisine de mon professeur de langue des signes. Elle a quatre-vingt-six ans et livre mensuellement des pulls en laine tricotés main et ornés d'un motif de rennes à la Coopérative. Je ne puis cependant faire autrement que demander à Audur son autorisation avant d'acheter de la laine et des aiguilles numéro trois. Il y a bien longtemps qu'un projet ne lui a plu autant.

— Je crois qu'il est en train de grandir, dis-je.

Les vêtements qu'on a achetés il y a seulement un mois vont bientôt être trop petits ; je pense qu'il s'est allongé de deux centimètres.

— Les vêtements neufs rétrécissent souvent au lavage. Mais toi, de ton côté, as-tu fait la connaissance de gens sympas ? As-tu ressuscité les vieux souvenirs, comme la pêche à la palangre du haut du ponton ?

— Je ne suis pas sûre de vouloir être prise en charge, dis-je.

— Comment ça, prise en charge par qui ?

— Les hommes regorgent de sollicitude à mon égard, ils veulent s'occuper de moi.

Le petit choisit une pelote jaune soleil et une autre vert pâle. « C'est pour ne pas les confondre quand elles seront couchées ensemble dans le lit en se tenant la main », m'explique-t-il en langue des signes.

La vieille dame nous accueille, le dos voûté, en tablier de dralon à pois. « Une femme de qualité, a dit le voisin. Un puits de science sur les présages et les esprits tutélaires. » Nous pénétrons dans le salon surchauffé, les radiateurs sont bouillants et les fenêtres closes. Il y a quatre carpettes de laine à brins longs sur le sol. Sur la table de la salle à manger trônent une pile de *skonsur* tartinés de pâté et une assiette de petits gâteaux. Elle a déjà fait sa pâtisserie pour Noël. Je reconnais les différentes sortes que préparait ma grand-mère : piécettes, demi-lunes, anneaux à la vanille, petits juifs et gâteaux aux raisins secs. Il y a aussi un gâteau marbré, des crêpes, des *kleinur* torsadées et des bouteilles de boisson à base de malt et de soda à l'orange. Nous avons apporté une grosse boîte de chocolats dont le couvercle est orné de la chute de Dettifoss. Elle la reçoit poliment, dit que ce n'était pas la peine et s'empresse de la mettre en sûreté dans l'armoire à vêtements, où il me semble entrevoir d'autres cascades de Dettifoss à côté des housses de couettes bien pliées.

Le petit sait se tenir ; après avoir salué, il prend place à table et déplie la serviette de Noël sur ses genoux. La vieille dame s'assied en face de lui avec les aiguilles et la pelote de laine vert pâle. Tous deux portent des lunettes et des prothèses auditives. Il apparaît dans la conversation qu'on lui a mis une nouvelle prothèse à la hanche, qu'elle se sent toute rénovée et qu'elle vient de s'inscrire à un cours de danse *country*. Elle me demande si nous n'avons pas froid, si je ne sens pas le courant d'air, car elle a eu des problèmes avec le chauffage. Lorsque je prends congé pour me rendre à ma leçon particulière dans la maison voisine, le petit est en train de faire glisser sa troisième tranche de gâteau marbré sur son assiette après avoir vidé la moitié d'une bouteille de malt, tandis que la vieille dame a monté les mailles du premier rang d'un chausson vert pâle.

La couette du voisin a une douce odeur de lessive. J'ai l'impression qu'il n'a dormi là qu'une nuit tout au plus depuis le dernier changement de housse.

CINQUANTE-TROIS

Un ballon gonflable s'envole dans le ciel et un enfant pousse un cri perçant, comme un cochonnet qu'on égorge. Il me semble que ce sont des oreilles de lapin qui planent vers les hauts plateaux.

— La Fête de l'hiver se tient pendant l'avent et c'est toute une affaire, avec diverses attractions destinées à inciter tous ceux qui sont partis à revenir.

C'est ainsi que la marchande de bonbons explique les choses tout en entortillant un bâtonnet de barbe à papa rose pour le petit.

Il est prévu d'utiliser une grue gigantesque, qui sert à agrandir et approfondir le port, pour faire du saut à l'élastique. Il fait un calme plat et une température de dix degrés. Il y a un peu de bruine, mais les jeunes filles, très maquillées, sont en sandales à talons, dans leurs plus beaux atours. Elles vont par groupes de six ou sept – places-fortes imprenables secouées de fous rires. On a revêtu les néons de la classe de papier crépon de couleur et décoré le tableau à la craie multicolore : Marie, Joseph, une vache et quelques moutons à queues courtes, il ne manque que l'enfant Jésus. Le petit veut être un ange comme les fillettes et jouer de la harpe en carton. Les bonshommes en pain d'épice attendent dans leurs assiettes en carton sur les tables. C'est le dentiste qui animera le bal en jouant du synthétiseur, ce soir dans les locaux de l'école.

Les invités de marque devront se déplacer par la voie des airs ou de la mer. Il était prévu que les ministres de l'Industrie et de l'Environnement viennent ensemble inspecter l'usine de congélation et la nouvelle table translucide qui sert au repérage des vers dans les filets de poisson, avant de faire une excursion d'une journée jusqu'au bassin de retenue, où des bateaux amphibies pour les touristes devraient stationner dans l'avenir. Mais le ministre de l'Industrie a une mauvaise grippe et le ministre de l'Environnement ne survole jamais le pays ; « trop de turbulences dans l'atmosphère pour un claustrophobe », dira le bulletin régional. De plus, il est en villégiature aux Canaries. Cette double excuse paraît d'ailleurs bien suspecte. Le premier député de la circonscription, lui, s'est laissé convaincre et jouera les doublures. Sa grand-mère est tout de même originaire de la région et c'est à elle qu'il doit les nombreux et précieux suffrages qui lui ont valu son siège parlementaire.

Le député est campé, jambes écartées, à l'entrée

de la tente à l'intérieur de laquelle les représen-
tantes de la Société des femmes sont installées avec
une grosse marmite de cacao Swiss Miss. Il prétend
n'avoir plus la paix dans son propre foyer : ses deux
ados font toute une histoire à cause du bassin de
retenue. Son seul espoir est que leurs jeux sur ordinateur les absorbent tellement qu'ils en oublient de
descendre pour le dîner.

Le député souhaite être le premier à se hisser en
haut du tremplin, mais quand le moment arrive, il
est bien trop ivre et il s'agit plutôt de trouver un
endroit convenable où le déposer. Il continue
pourtant à saluer de son mieux de vieux camarades,
des parents éloignés du côté maternel et autres
confrères de son parti. À sa place, c'est le secrétaire
de mairie qu'on hisse sur la grue à l'aide d'une
poulie, premier habitant du bourg à sauter dans le
vide et à faire le yo-yo plusieurs fois, le nez juste au-
dessus de la surface de la mer.

Je me trouve au milieu d'un petit groupe
compact sur le port et je regarde le ciel. Je me sens
bien dans la foule, serrée de près par des inconnus,
à écouter la fanfare sous la pluie, pourtant je n'ai
pas l'esprit grégaire. Je vois toutefois les avantages
à ne pas se risquer en dehors : on ne se mouille pas,
à l'abri du parapluie des autres. Ce qu'il y a de bien
à se serrer au sein du groupe, c'est qu'on devient
quasiment invisible. J'ai quelquefois dormi au
centre du grand matelas sur le plancher. Cela ne

signifie pas que je ne puisse sortir du rang un jour ou l'autre. Je préfère certes être choisie à devoir choisir, mais je peux tout de même en prendre le risque.

Je regarde le secrétaire de mairie tomber de la grue la tête la première, s'arrêter juste au-dessus des ronds de mazout multicolores et des glaires de poisson à la surface de l'eau, s'ébrouer ensuite de haut en bas de la corde élastique avant d'être conduit à l'écart sur des jambes flageolantes. Pendant ce temps, on hisse le suivant dans la corbeille. Le saut à l'élastique est l'une des choses qui m'épouvantent le plus, la toute dernière qu'il me viendrait à l'idée d'essayer ; c'est aux antipodes de moi, d'abord à cause du vertige, ensuite à cause du saut lui-même, tête en bas dans le vide, sans compter la pendaison du haut d'une potence, les montées et descentes d'une épave à la dérive.

— C'est vraiment l'occasion ou jamais de se confronter à l'insurmontable et de battre en brèche ses contradictions, dit une voix profonde à côté de moi.

C'est absolument vrai. Le moment est peut-être venu pour moi de me colleter avec le vertige et de me mettre à l'épreuve par la même occasion, quitte à me faire éclater les capillaires des yeux. Je souris à l'homme, lui recommande de tenir la main du petit et m'inscris sur la liste. Je donne le nom de maman au titre de ma parente la plus proche. L'ascension des soixante-dix mètres au-dessus du niveau de la mer est terrifiante. Je suis morte de trouille.

La surface de l'océan est infiniment loin tout en bas, quelques mouettes y planent comme des insectes minuscules. Un jeune homme bricole derrière mon dos avec les attaches, il me passe enfin une boucle autour des chevilles, j'entends le clic des crochets métalliques. Je n'en mène pas large et tremblote sous la douce pluie ; même les graminées jaunies de la lande sont plus vivaces que moi. Ceux qui me connaissent bien diraient que ça ne me ressemble pas de renoncer de la sorte à cette nouvelle vie qui vient de commencer. Pourtant, presque toutes les meilleures femmes et les meilleurs hommes du monde ont suivi ce chemin avant moi ; ce n'est ni original ni remarquable de mourir.

En cet instant, j'ai du mal à évaluer le nombre de ceux qui seraient affectés par ma disparition – c'est que j'ai été absente si longtemps – peut-être que, à eux tous, ils rempliraient onze bancs d'église. Et puis se présenterait quelqu'un vêtu de noir, fort affligé, que personne ne connaîtrait. Il y a toujours de l'imprévisible, dans la mort aussi. Je dois admettre que mon ex-mari ferait preuve de plus d'originalité que maman pour ce qui est de la collation offerte au retour des obsèques : il y aurait des sushis ; alors qu'avec elle, on peut s'attendre à quatre étages de pain de mie imbibés de mayonnaise étalée sur la couche supérieure, avec enfouies au milieu, quatre rondelles d'œuf dur au jaune clair.

Conformément à ma position, je vois tout d'en haut. Une femme peut-elle rêver d'un décor plus splendide, d'une vue plus fastueuse à la fin de sa vie ?

Non, vraiment pas.

Je commence par le chalet d'été sans rideaux, visible à la lisière du bourg, ma maison avec terrasse, barbecue, extincteur et détecteur de fumée, puis l'embouchure de la rivière et les bancs de sable qui se pareront de fleurs mauves au printemps, quand je n'y serai plus – car de la hauteur où je me trouve, je pourrais même distinguer la couleur des fleurs –, mon regard survole le champ de lave moussu et trempé qui s'étend dans la brume à perte de vue, de la teinte d'une mer assombrie, avec dans le lointain la langue glaciaire, grise comme la laine et fissurée, et plus haut encore, l'immense bassin de retenue. La seule chose qui me relie à ma vie passée est ce lien autour des chevilles, le seul fil conducteur qui me mènera à la rencontre de mon nouveau moi, si tout se passe bien.

Le jeune homme sur la plate-forme d'exécution me donne des tapes réconfortantes sur l'épaule. Il a un bonnet de laine bleu et porte un pull à col roulé sous sa veste de cuir.

— La plupart des gens préfèrent marcher simplement jusqu'au bout sans penser à ce qu'ils sont sur le point de faire.

Je lui demande son âge, et puis, pour gagner du temps, la date de son anniversaire. Comme je ne fais toujours pas mine de vouloir sauter une fois parvenue au bord, il m'offre une cigarette.

— Voulez-vous que je vous pousse ? dit-il quand j'ai fini d'inhaler la fumée. C'est pas tout le monde qui ose sauter de soi-même.

Ça commence nettement à s'agiter dans la foule compacte qui est en bas. Nous sommes ensemble, le bourreau et moi, perchés sur la plate-forme et il s'apprête à retirer le tabouret sous la femme qu'on va pendre à la potence.

— Voulez-vous que je vous pousse ? répète-t-il. C'est une occasion unique de s'envoyer en l'air, il ne faut pas s'inquiéter, vous allez rebondir. Vous n'avez pas envie d'être suspendue dans le vide ? Vous avez peur de la liberté ?

Réunir finalement toutes mes expériences en un seul souvenir. Le voilà :

J'avais sept ans et j'étais bergère de poules à la campagne. C'est sur le tas de fumier que poussaient les mauvaises herbes les plus juteuses pour les volailles. Si je réussissais à ne pas m'enfoncer, à ne pas passer à travers la croûte, je pourrais attraper, vite fait, une belle brassée d'herbes vertes avec les grands ciseaux rouillés. Deux jours plus tard, les poules pondirent des œufs au jaune rouge orangé et non pâlichon comme ceux du supermarché. C'est là que j'ai appris à prendre des risques, à avancer jusqu'au bout de la pointe. En revanche, j'avais risqué de traverser la croûte et de m'enfoncer jusqu'au cou dans la bouse de vaches. Par la suite, il m'est arrivé bien souvent de crever la croûte et de me retrouver dans la merde jusqu'au cou. Pourtant, sur le fumier, il peut y avoir des fleurs. Le mouron blanc en donne de belles, il a un goût sucré et il est délicieux en salade.

En réalité, je ne puis guère être plus heureuse, car je commence à savoir qui je suis, je commence à devenir autre, à devenir moi. La dernière chose que je vois avant de sauter est le petit garçon tout en bas, avec ses oreilles décollées et sa bouche ouverte qui se déforme en un cri muet. C'est la dernière chose dont je me souviens.

CINQUANTE-QUATRE

—Vous avez eu une malchance incroyable, me dit le médecin, c'est quasiment inexplicable. Il semble que vous ayez fait un saut de côté et que vous ayez, d'une certaine manière, réussi l'impossible, vous cogner la main contre le bord du bateau de pêche au capelan, le *Gudfinna Kristjánsdóttir.*

Il ressemble à un médecin de roman, bel homme qui inspire confiance. Ses mains sont petites – c'est rare que l'on mentionne les mains dans les livres qui parlent de médecins.

— On a passé en revue les questions de sécurité et tout était nickel. Il y en a onze qui ont sauté avant vous, pas de vent coulis ni rien de ce genre, vous n'avez tout de même pas des tendances suicidaires ? Ce qui vous a sauvée, c'est que l'élastique s'était détendu, ce qui a provoqué en quelque sorte la secousse finale de l'atterrissage. Le carpe du poignet droit est cassé, vous vous en tirez avec le moins de dégâts possibles, compte tenu des circonstances.

C'est alors que je me souviens.

— Où est le petit ?

— Votre fils attend dans l'entrée. Il fait un puzzle.

On le pousse dans la chambre du dispensaire et on l'installe en hauteur devant moi, au pied du lit, d'où il me regarde avec anxiété.

Quelle irresponsabilité ! Mon fils a failli devenir orphelin. Après nous être serrés dans les bras, autant que faire se peut, le petit ouvre la bouche face au médecin et montre une dent. Elle bouge.

— Il est un peu jeune pour perdre une dent mais ça peut arriver, dit le médecin.

Le petit garçon referme la bouche. Puis le docteur se tourne vers moi.

— Comment vous sentez-vous ?

— Bien.

— Vous ne vous souvenez pas de moi ?

Ils disent tous cela, ce n'est pas très original ; c'est la troisième fois en trois jours qu'on me pose cette question insoluble.

— Non, je devrais ?

— Nous étions ensemble au lycée, nous avons passé le bac ensemble. Je vous regardais souvent, sans jamais vous adresser la parole. Vous aviez l'air trop enfantin à mon goût – mais je me rappelle que vous aviez un don spécial pour les langues, que vous en parliez tout plein, y compris des langues qu'on n'enseignait pas à l'école.

La mémoire me revient subitement. Il s'était très vite trouvé une petite amie avec laquelle il se tenait assis dans un coin à lui tenir les mains ; ces deux-là gardaient leurs distances et ne venaient pas aux surprises-parties. En fait, ils sont toujours ensemble, car la voilà qui s'avance près de lui et me pose un brassard pour mesurer la tension. Il se charge des présentations.

— Vous vous souvenez de Gugga ? Elle a fait l'école d'infirmières.

Elle me salue professionnellement, sans dévier de sa tâche.

Une aide-soignante entre et dépose un plateau-repas devant moi. Elle en propose un au petit qui secoue la tête. Je n'ai pas faim mais j'ai l'habitude de faire ce qu'on me demande. J'arrive à manger presque une demi-saucisse et un peu de sauce blanche en me servant de ma main valide, avant de tout vomir.

Une douleur se déclenche alors dans la poitrine, du côté gauche ; le cœur tressaute et je sens comme une main le saisir. Il s'arrête de battre un instant, attendant de savoir si cette main va l'écrabouiller. J'ai du mal à respirer.

Je dis que le cœur me fait mal.

— Après cet avertissement, ce serait bien que vous compreniez vos motivations. Pourquoi avez-vous sauté ?

— Que voulez-vous dire ?

— Cette saucisse de cheval était une mise à l'épreuve de votre libre arbitre, vous auriez pu la refuser, dit mon médecin.

Et il regarde l'infirmière. Je sens qu'ils sont du même monde et qu'ils sont proches.

— Ce n'était pas de la saucisse de veau ?

— Non, de cheval, mais ça revient au même, vous l'avez trouvée mauvaise, manifestement.

Le docteur et l'infirmière échangent un nouveau regard entendu.

— N'est-ce pas ce dont les malades doivent se contenter ? dis-je.

— Qu'est-ce que vous aimez dans la vie ?

Il me parle comme à un enfant de quatre ans, sans quitter son épouse des yeux. Je réponds en femme adulte.

—J'aime bien être avec mon fils et courir dehors, dis-je en regardant les doigts inconnus qui dépassent de l'éclatante blancheur du plâtre. Et j'aime bien aussi faire du patin à glace.

Il ne me paraît pas convenable d'ajouter autre chose.

—Cela vous ferait du bien, opine-t-il. Quand le temps se lèvera.

Lorsque nous sortons du dispensaire, mon professeur particulier de langue des signes nous attend dans la voiture chauffée.

CINQUANTE-CINQ

Il est vraiment malheureux de m'avoir incitée à sauter et il a l'air de se faire du souci pour de bon.

—Je ne m'attendais pas à ce que tu le fasses. Je ne pensais pas un mot de ce que je t'ai dit, ce n'étaient que des conneries, je ne me doutais pas que tu étais docile à ce point.

Il doit passer le week-end à Reykjavík pour voir ses enfants et veut absolument nous prêter sa maison pour que je puisse me remettre. Il a peur qu'il fasse froid et humide là-haut dans le chalet d'été. Je suis encore trop sonnée pour rassembler des protestations argumentées. Autrement, j'aurais manifesté mon libre arbitre en disant :

— Merci de le proposer, mais j'ai déjà fait mes plans et tout va bien pour moi.

— Mon réfrigérateur est plein – une fois n'est pas coutume, j'ai fait des provisions. Je te laisse la chienne, il suffit de lui donner à manger et de la laisser sortir dans le jardin. Ne te fais aucun souci, ajoute-t-il en souriant, il y a encore deux semaines avant qu'elle mette bas et je reviens dimanche soir. Je suis sûr que vous allez bien vous entendre. Elle est un peu fragile, elle aussi.

— Je te remercie.

— Le chaton ne pose pas non plus de problème, pas pour la chienne en tout cas.

C'est ainsi que nous déménageons pour un week-end, du haut de la ravine à la grève en contre-bas, le petit, le chaton et moi.

Au moment des adieux, il caresse d'abord la chienne de haut en bas. Il est gentil avec sa bête. Il tapote ensuite la tête du petit et me fait enfin une caresse tout en rajustant mon attelle.

Lorsqu'on occupe la maison d'un absent, qu'on dort dans son lit, mange dans son assiette, tripote ses livres, en les ouvrant à l'occasion pour en lire un petit bout, une espèce de compréhension singu-lière se fait jour peu à peu, pas éloignée de l'affection. Ou alors, quelle sorte d'homme est-ce là, qui accumule des livres sur les saints et les jardins japonais ? Les chemises sont suspendues à intervalles réguliers dans un placard sans porte, elles sont blanches, sauf une, particulièrement criarde. Il semble ne pas posséder une seule cravate. Le frigidaire est bel et bien rempli. Il a même acheté des conserves pour le chaton. Sans me tourmenter de questions sur les goûts alimentaires de notre hôte et propriétaire, je remarque tout de même qu'il y a quatre sortes d'huile d'olive différentes dans la cuisine, et quatre sortes de vinaigre.

— J'ai fait rôtir un gigot d'agneau pour vous, dit-il sur le départ, j'espère qu'il sera bien. Il suffit de réchauffer le repas, tu pourras le faire, tout a été pensé spécialement pour une manchote, la viande a mijoté quatre heures durant et on peut quasiment la manger à la cuiller.

La literie des hommes divorcés est généralement neuve. Rares sont ceux qui emportent draps et couvertures avec eux. Ils préfèrent acheter chaque chose par paire dans un premier temps, puis, quelques semaines plus tard, de nouveau une paire de chaque article, du même modèle et rarement du blanc, plutôt à rayures bleues, comme les draps dans lesquels nous sommes couchés. Les assiettes et le service à café sont également assortis et encore au complet ; l'ensemble a été acheté en un seul lot dans lequel aucune femme n'a encore fait de brèche.

La chienne accueille bien le chaton, lui témoigne de l'amitié et même un soupçon de sollicitude maternelle, avant de se coucher sur le flanc pour dormir, ventre et mamelles étalés. Le chaton disparaît sous le canapé. La chienne ne veut pas manger, ni boire, ni jouer. Le petit s'allonge auprès d'elle et la tapote avant de la recouvrir d'un édredon.

Elle ne veut pas se laisser tapoter, se remet péniblement sur ses pattes et erre un bon moment sans but dans la maison, inspectant les coins et recoins avant de s'allonger finalement derrière la porte de la chambre la plus éloignée de nous, où il fait sombre. Le petit s'assied sur le canapé et achève de tricoter une rayure jaune. Je suis à plat et pense même avoir de la fièvre, je trouve que la chienne est groggy, elle aussi, et qu'elle a la truffe chaude – sans doute a-t-elle aussi de la fièvre. Lorsque je lui apporte de l'eau à boire derrière la porte, le premier chiot est né. Elle est en train de le lécher et l'on commence à voir le suivant. Il y en aura trois en tout, tous tachetés de jaune et pendant tout ce temps, elle n'aura pas émis le moindre son.

CINQUANTE-SIX

Les dépressions atmosphériques sont sur la ligne de départ, tout près, elles s'accumulent l'une après l'autre, avant de s'élancer sur l'île. Il a plu quasiment sans discontinuer pendant six semaines, les égouts sont saturés, des caves commencent à être inondées, l'eau dégouline dans les bottes et les encolures, les enfants ont besoin de chaussettes et de pantalons secs plusieurs fois par jour. Le temps se lève juste ce qu'il faut pour que les gens puissent courir à la boutique échanger des DVD et acheter quelque chose à grignoter ; beaucoup restent à la maison sans remarquer la brève accalmie qui leur aurait permis de voir la demi-lune de décembre.

Le jour est long à poindre. Vers midi enfin, une faible lueur prend forme au-dessus du port, une strie de clarté dans l'obscurité brunâtre. Blottis sous l'édredon, nous traînons au lit à remplir des grilles de mots croisés. Tumi m'aide à trouver un mot féminin qui commence par la lettre *b*.

Puis il se lève pour arranger la pyramide de mandarines dans le saladier ; pour qu'elle soit haute et belle, il ajoute sans cesse des fruits.

Le chaton rayé traverse la pièce plusieurs fois en diagonale, il a cessé de faire des zigzags, cessé de gambader de côté et s'est mis récemment à marcher sur ses quatre pattes le long d'une ligne droite imaginaire. Il suit avec passion les agissements des petits oiseaux sur la terrasse ; lentement mais sûrement, il va se transformer en matou de chasse rusé. Un matin, un petit bruant des neiges gît là, mort. Le chaton est innocent et prend la poudre d'escampette. Le petit ramasse l'oiseau et le serre fort contre lui. Je lui dis que nous allons l'enterrer plus tard dans la journée. Peu après, je trouve l'oiseau sous le lit de l'enfant, à côté de son coffre à trésors.

Quand nous avons enfilé nos vêtements de pluie et sommes enfin prêts à partir en reconnaissance, sur le coup de midi, la fin du jour approche. Notre première et dernière étape est le terrain de jeux. Je tiens le petit par ma main libre. Il porte son nouveau pull vert à torsades sous sa combinaison imperméable.

Il pèse treize kilos, moi cinquante-trois : pour être en équilibre à deux sur la bascule, il faut que je m'asseye à peu près au milieu de la barre. Il ne veut pas essayer le portique à barreaux pour grimper ; quand il monte et descend l'escalier, il attaque toujours du même pied ; trois marches représentent une falaise à pic. Après, nous nous installons sur les chaises en plastique blanches de la buvette en contrebas, et nous nous offrons des glaces nappées de chocolat.

Il a fini de décorer mon plâtre, y a dessiné une pelleteuse, mais aussi des poissons et de la végétation sous-marine. Il est prévisible que nous n'irons pas nager pendant une semaine. Mon ami a proposé d'emmener le petit une heure à la piscine. Ça sera la première fois en six semaines que je le perdrai de vue aussi longtemps.

— Je m'en occuperai bien, dit-il, ne te fais pas de souci.

Le petit est content.

Pendant que les deux compères sont à la piscine, je m'allonge sur la terrasse munie d'un mauvais livre, une écharpe maintes fois enroulée autour du cou. Combien de femmes au monde peuvent s'offrir un tel luxe à cette minute précise ? Une femme récemment affranchie peut-elle demander plus de félicité immédiate ?

— *Regarde ce que j'ai pour toi, dit mon père, au milieu d'un tas de livres.*

Nous sommes en visite chez le bouquiniste.

— *Voilà, il est à toi, dit-il en soufflant la poussière de la couverture.*

Cet homme qui met Bach au pinacle s'empresse d'ajouter :

— *Il y a une telle musique dans ce texte, si tu n'entends pas la musique, tu ne saisiras pas l'histoire. Il manque quelques pages et le récit s'arrête au milieu d'une phrase. Ce sera donc à toi d'inventer la fin, de tisser le dénouement, n'est-ce pas un sort enviable ? Je l'ai lu il y a de nombreuses années et je me souviens*

que je n'étais qu'à moitié satisfait de la fin. Je m'at-
tendais à quelque chose de plus décisif entre les
protagonistes. Une femme n'époussette pas l'épaule
d'un homme dans une réception à moins d'avoir une
relation intime avec lui, n'est-ce pas ? La fin que tu
inventeras sera bien meilleure.

Et il me tapote la joue en souriant.

CINQUANTE-SEPT

Pour franchir le gouffre, il y a une sorte d'arche ou
de pont en pierre. Il s'est considérablement effrité
depuis que je l'ai franchi la dernière fois, mais je
décide de tenter le passage et m'étire vers l'avant,
me propulsant et m'appuyant d'une main. Voilà
que le pont s'ouvre alors tout seul au-dessus de
l'abysse – il est manifestement muni de gonds. Je
me dis que c'est là une invention ingénieuse. Mais
au moment précis où je délibère en mon for intérieur pour savoir si je dois sauter par-dessus le
précipice, une sonnerie me réveille. Je saute du lit et
cherche partout mon téléphone portable, instru-
ment renouvelé de contact avec un monde disparu ;
je le trouve au fond d'une poche de mon imperméable. Il est quatre heures zéro sept.

C'est mon ex-mari. Il se trouve dans la capitale,

dans un endroit où il dit avoir éclusé de la bière au cours des deux heures et demie précédentes. Ça fait quarante jours qu'il essaie de retrouver ma trace pour me dire qu'il a eu une petite fille. Il m'a envoyé une photo par courrier électronique, sans réponse de ma part. Son ex-belle-mère lui a finalement passé mon numéro de téléphone.

— Elle est adorable, petite et douce, dit-il.

— Félicitations.

— C'est inutile de fuir les gens de cette manière, de disparaître. Tu as maintenant une nouvelle adresse, un nouveau numéro de téléphone. Quel crime as-tu commis ?

— Je ne suis pas en fuite, je suis en congé.

— Que nous soyons divorcés ne veut pas dire que nous devions couper tout contact, hein ?

Il veut savoir si par hasard il m'a réveillée.

— J'ai appris que tu t'étais blessée.

— Qui t'a dit ça ?

— Ta mère. Elle revenait d'Inde.

— C'est très exagéré, on m'a enlevé le plâtre hier.

— Comment vas-tu, sinon ?

— Très bien, merci.

— Je songeais à te rendre visite, à venir te dire bonjour.

— Je te croyais très pris, avec femme et enfant.

— Pris et pas pris.

— Qu'est-ce que tu me veux ?

— Veux-tu que je te dise ce que tu as de spécial ?

— Quoi ?

— Tu as toujours été si adorable comme ça, avec ta voix ensommeillée, comme si tu venais de te réveiller.

— Je ne suis pas sûre que ce soit une bonne idée que tu viennes.

— Ta mère m'a dit que la route est impraticable, c'est donc le pilote amateur qui viendra te voir avec son avion privé.

— Qu'en dit Nína Lind ?

— Impossible de s'approcher d'elle ou du bébé à cause de ses amies, l'appartement en est plein à craquer. Si elles ne sont pas là, c'est elle et le bébé qui sont chez elles. Quand j'entre dans le salon de mon propre foyer, elles se taisent brusquement, l'air gêné. Aucun doute sur l'identité de la personne dont on parle, ni sur la nature du problème qu'elles sont en train de disséquer.

CINQUANTE-HUIT

On entend un bruit de moteur à explosion longtemps avant de voir le coucou jaune descendre d'un nuage gris au-dessus de la lande. Le petit voit l'avion tanguer des ailes en passant juste au-dessus du chalet d'été. Aucune ambiguïté sur l'identité du pilote.

J'utilisais alors la voiture de maman et quand je suis sortie du restaurant avec Audur, il y avait une fusée en papier blanc sous l'un des essuie-glaces.

« Au septième ciel. Leçons particulières de pilotage. Offre spéciale de dix heures.

Vous aussi, réalisez dès maintenant le rêve d'Icare !

Première leçon gratuite, 11 % de réduction sur les deux suivantes. Modalités de paiement négociables. »

Mon vertige est légendaire et les avions ne sont pour moi que des engins permettant de s'évader de l'île. Néanmoins la référence à Icare retient mon attention : n'est-ce pas justement son rêve qui causa sa perte ? Malgré les préventions d'Audur, qui ne voit aucun intérêt au message, je décide de téléphoner à mon mari futur. Il apparaîtra que l'annonce n'était destinée à nulle autre que moi. Je n'ai toujours pas mis un pied dans son avion.

Le cap mis sur moi, dans le brun crépuscule du milieu du jour, l'ombre glisse sur le cailloutis sans herbe et monte la côte. Et le voilà bientôt sur la terrasse, en anorak orange. Qu'est-ce qu'il a à musarder, va-t-il entrer ou pas ? Il craque une allumette, une lueur rouge révèle le bout d'un cigare. Je vois mon propre reflet sur la vitre et ne bronche pas. Comme s'il venait seulement de m'apercevoir, il jette son cigare et marche droit sur moi.

Debout sur la terrasse, les mains enfoncées dans

les poches de son anorak, il me fait l'effet d'être à la fois familier et inconnu. Dans mon souvenir, il était différent, plus âgé. Ou plus jeune? Avait-il une barbe? C'est la première chose qui me saute aux yeux, l'absence de barbe, les traits du visage en sont plus prononcés. N'était-il pas plus grand? Il me semble de taille plutôt moyenne dans l'entre-bâillement de la porte. Serait-ce les chaussures? Déjà faites à son pied, elles me sont inconnues. Leur usure témoigne d'un autre vécu. Jusqu'à la couleur grise de ses yeux qui me surprend; j'aurais juré que les yeux de mon ex-mari étaient bruns.

Il me tend un carton et m'embrasse sur la joue.

—Ça vient de ta mère, avec ses salutations. Il faut le mettre au frais.

Dans le carton, il y a du saumon, du flétan, des pétoncles et des crevettes ainsi que des boulettes de poisson passées à la poêle. Au fond se trouve un paquet enveloppé de papier cadeau ficelé d'un ruban bleu et marqué au nom du petit. J'aperçois de la fenêtre l'usine de congélation et de traitement des crevettes d'où le poisson est sûrement originaire.

—On ne m'invite pas à entrer?

Le petit à côté de moi dans l'entrebâillement me tient par la main.

Il pointe le doigt avec insistance sur le fil qui dépasse de l'anorak orange de mon ex. En temps normal, celui-ci était extrêmement soigné. Je fais l'interprète:

—Il manque un bouton.

—Biscuit, dit mon enfant de sa voix caverneuse et métallique, le doigt tendu vers la poche de l'homme dont il flaire l'intérieur.

—Est-ce que je peux avoir un biscuit, dis-je.

Le garçonnet confirme ma traduction, la main tendue et le regard insistant.

Mon ex a l'air gêné ; l'étincelle de ses yeux s'éteint un instant en quittant mon cou du regard. Il tire de la poche de son anorak un demi-paquet de biscuits au chocolat dans son emballage froissé. Le petit sourit.

Alors je me rends compte, et c'est comme si je retrouvais la pièce perdue d'un vieux puzzle, qu'il a justement ce goût sucré de double biscuit fourré à la crème. Sa peau, toute sa personne, a exactement le goût de la crème à la vanille au milieu du biscuit.

—Il n'est donc pas dehors à jouer avec ses petits copains, tu ne peux pas trouver une garde pour lui ?

Tout en parlant, il continue de sortir des choses de ses poches comme le condamné qui les vide et en dépose consciencieusement le contenu sur la table, devant le gardien de prison. Le petit, tremblant d'excitation, tient le paquet de biscuits des deux mains. Mon ex sort enfin une photo de sa fille pour me la montrer. Elle est petite, brune, avec un visage rouge et ressemble à tous les nouveaunés. Puis il commence à se dévêtir, enlève l'anorak,

ses chaussures, son pull et quand il ôte ses chaussettes, je me demande s'il va aller se coucher.

Une fois assis, il m'apprend qu'elle est jalouse
de moi et demande si, moi aussi, je suis jalouse. Je
dis qu'il n'en est rien. Il demande pourquoi, si je ne
l'aime plus. Je lui accorde que si, dans une certaine
mesure, mais qu'il commence à m'être inconnu,
que j'ai cessé de le voir derrière moi comme un
mirage perçu du coin de l'œil quand je me brosse
les dents devant le miroir de la salle de bains, qu'il
a cessé de se frayer un chemin dans mes pensées
ou dans mes lectures, qu'il a commencé à disparaître, à s'estomper, que j'ai désormais du mal à me
le représenter, que je me suis mise à le confondre
avec d'autres hommes. Je lui assure que j'éprouve
encore des sentiments relativement chaleureux à
son égard, en tout cas plus chaleureux que pour le
pasteur du coin que je n'ai pas encore rencontré et
pour le vétérinaire que j'ai, de fait, déjà rencontré.
Pendant que je parle, il sort son coupe-ongle et
s'absorbe dans ses soins de manucure.

Je le laisse digérer ces informations et cours à la
cuisine préparer du chocolat chaud. Le petit m'a
suivi ; il aligne les biscuits du paquet argenté sur
une assiette pour le visiteur.

— Tu as changé d'une certaine manière, dit-il à
mon retour. Je n'arrive pas à me rendre compte de
ce que c'est, les cheveux peut-être, tu les as fait
couper ?

—Non, je les laisse pousser.

Il me dit alors que son ménage ne va pas très bien.

—Au début, elle était disposée à se laisser guider.

—Tu pourras sans doute enseigner bientôt quelque chose à ta fille.

—Si ça ne marche pas entre Nína Lind et moi – ce qui me paraît probable –, on pourra tenter un nouvel essai ?

—Je croyais que tu ne m'aimais plus.

—Aimer, ne pas aimer ! Tu n'as pas répondu à ma question.

—Non, c'est impossible.

Il y a un moment où il faut arrêter, non que tout soit forcément fini, mais on décide de mettre tout ça de côté. Et puis je lui dis aussi que j'ai changé, que j'ai vécu tellement de choses sans lui.

—En quarante jours ?

—Non, en plusieurs années.

Il a l'air déçu.

—On pourrait quand même se revoir, aller au restau ensemble.

—Je ne crois pas.

—On ne sera donc plus amis ?

—Est-ce bien utile puisque nous n'avons pas d'enfant ensemble ?

—Attends un peu, qui est-ce qui n'en voulait pas ?

—Moi, je suppose.

— Décidément, tu as bien changé.

Il claque la porte derrière lui. De retour un quart d'heure plus tard, il se tient de nouveau sur le seuil de la porte, silencieux, les mains dans les poches. Il dit qu'il ne peut pas voler dans le noir et demande s'il peut passer la nuit ici. Je lui réponds que c'est d'accord, sachant que la place à côté de moi est prise.

— On ne pourrait pas pousser un peu le petit, quand il sera endormi ?

— Il n'en est pas question.

Le petit regarde mon ex-mari d'un air de triomphe tout en enfilant son pyjama bleu orné d'éléphants.

CINQUANTE-NEUF

Lorsque je fais mon apparition, le lendemain matin, il est à moitié sorti du sac de couchage, un bras pendant jusqu'au sol – corps intime et inconnu. Du coin de la bouche et sur le menton s'écoule de la salive ; de la même composition chimique, pensé-je, que les mille vagues de la mer. Il y a un océan entre nous. Quand il se retourne, on voit bien la cicatrice dans son dos. Si nous manquions de sujets de conversation au petit déjeuner, je pourrais lui demander une nouvelle fois comment il l'a eue. Mais une fois à table, je me rends compte que la réponse ne m'intéresse plus.

Un papillon voltige au-dessus du sac de couchage, décrivant quelques cercles irréguliers. Ses forces l'abandonnent soudain et il tombe, gigote sur le côté, essayant de reprendre pied sur le menton glissant de mon ex-mari. Ce dernier éloigne le chatouillement de son bras velu. Je suis la lutte du papillon pour la vie et je ressens soudain l'urgence de le sauver. Je tente en premier lieu de le recueillir sur une feuille de papier sans réveiller le dormeur ; je m'empare finalement d'un bocal sur la table et le renverse sur sa joue, peut-être un peu rudement.

Il se redresse d'un seul coup, un rond rouge sur la joue.

— Tu me frappes ?

— J'essayais de sauver un papillon.

— La dernière fois que tu m'as battu, c'était une mouche, au mois d'octobre. Maintenant c'est un papillon.

— Il a disparu.

— Tu n'es pas normale, tu me frappes chaque fois que nous nous voyons.

Il jette alors un coup d'œil à la pendule ; il faut qu'il sorte pour donner un coup de fil en privé. Tel un marsupial, le sac de couchage enroulé autour de lui, il se traîne sur la terrasse – la communication y est meilleure.

Pendant qu'il se remet du choc, je prépare le petit déjeuner. Je m'aperçois que j'ai oublié comment il aime son œuf : mollet, moyen, presque dur sauf le cœur du jaune, au plat ? Quelle idée d'inviter quelqu'un à un petit déjeuner aussi compliqué ! Comme le petit se tient près de moi, je peux mesurer le temps de cuisson de l'œuf sur la montre du divorce qu'il porte au poignet, munie d'un nouveau bracelet. Mon ex-mari considère que sept minutes conviennent pour un œuf de poule. Le petit s'affaire autour de notre hôte et observe les aiguilles de temps à autre.

—Attends ! Il porte la montre que je t'ai donnée ? Comment ça se fait ?

—Oui, il a la montre.

—Tu as remplacé le bracelet en or que j'avais fait graver ?

—Le bracelet était gravé ?

—Tu ne vas pas me faire croire que tu n'as pas vu l'inscription !

Un peu plus tard, je remarque du coin de l'œil qu'il feuillette mon journal intime, qu'il le passe rapidement en revue ; il me semble l'entendre dire quelque chose dans le living, mais le sifflement de la vapeur de la bouilloire m'empêche de comprendre ses paroles. Quand je reviens, il est installé sur le canapé, en caleçon et chaussettes blanches. Il a roulé le sac de couchage. J'ai comme l'impression qu'il a pleuré.

— Ce qu'il y a de bien avec toi, c'est que tu n'as jamais eu d'exigences.

Je m'assieds alors près de lui et lui tapote le bras un moment avant de soupirer :

— Oui, je te comprends si bien, mais arrive un moment où il faut savoir prendre une décision. Retourne maintenant chez Nína Lind.

— Je suis peut-être un pauvre type, mais je ne suis pas un salaud.

Il se dirige vers la fenêtre du living et reste là de longues minutes, me tournant son large dos. Il contemple l'obscurité matinale.

— Il fait incroyablement noir par ici.

Au moment de prendre congé, il ne retrouve pas son écharpe.

— Si tu la trouves, elle est violette avec des rayures jaunes et une frange marron ; c'est Nína Lind qui me l'a tricotée.

Juste avant de partir, il demande s'il y a un autre homme dans ma vie. Je ne réponds pas à la question.

— Je trouve que tu vas sacrément vite en besogne, dit-il. Je te quitte à peine des yeux que t'es déjà mariée.

— C'est un peu exagéré.

— On pourrait avoir la vie si belle tous les deux, partir quelque part et faire plein de choses.

Une fois sur la terrasse, il se retourne brusquement et me serre très fort dans ses bras. Son anorak imperméable est de qualité et isole bien.

—Je voulais seulement te dire que je viens d'envoyer un message à Nína Lind pour lui demander de m'épouser.

Puis il fait quelques pas avant de se retourner une dernière fois pour demander :

—As-tu une idée de l'endroit où peut bien se trouver le carton des décorations de Noël ?

—N'est-il pas resté dans le cagibi ?

—Attends ! tu as laissé toutes les affaires dans le cagibi ?

—Je les ai oubliées, tu ne les as pas prises ? Les sacs de couchage y étaient aussi.

—Bon Dieu de bon Dieu, tu as laissé au nouveau propriétaire des réserves de papier hygiénique pour un an, un sac de dents de morse du Groenland et toutes les décorations de Noël, y compris le renne qui clignote et qui chante ?

En rentrant dans la maison je vois qu'il a tout de même laissé pour moi un petit mot sur la table.

SOIXANTE

Le petit est occupé à tricoter, je l'avertis que je vais juste faire un saut à la supérette acheter des pruneaux pour la soupe au flétan ; au lieu de prendre la voiture, je descendrai en courant. Je lui explique en trois points : que je vais seulement courir jusqu'au magasin et qu'il doit rester bien tranquille et continuer à tricoter. Il hoche la tête et enfonce l'aiguille dans la maille, le fil de laine enroulé deux fois autour du majeur.

C'est la première fois que je le laisse tout seul, je presse le pas. Les pruneaux sont soigneusement cachés dans la boutique ; je demande à la jeune fille de la caisse de m'aider, mais elle a deux clientes avant moi.

Lorsque je remonte la côte en courant, je le vois venir à ma rencontre, en chaussettes et tout trempé. Il me tend les bras et je soulève ce poids plume. Il a le visage déformé par l'inquiétude, marqué de rides comme un petit vieillard. On ne voit pas ses yeux derrière les lunettes embuées de larmes, son cœur bat à se rompre comme celui d'un petit oiseau. Les descriptions qu'Audur m'avait faites de lui, nouveau-né, dans la couveuse, me reviennent à l'esprit – il était presque transparent et sa peau était si fine qu'on devinait les organes rouge foncé au-dessous.

—J'aurais pu mourir, dit-il. J'ai cru que tu m'avais quitté.

Il entoure mon cou mouillé de ses bras. Je lui montre le paquet de pruneaux.

—Viens, dis-je, nous allons nous faire du thé argenté. Et puis on fera de la soupe, comme fait ta maman. Et après, on ira ensemble au cinéma. Es-tu déjà allé au cinéma ?

Il n'a pas à savoir que l'on m'a invitée au cinéma ni que j'avais envisagé de le faire garder pendant ce temps-là. On présente un festival de films italiens au bourg ; trois films seront projetés trois jeudis de suite, à huit heures. Nous serons remontés au chalet à dix heures passées, ce qui est sans doute un peu tard pour un enfant de quatre ans.

Nous partons en voiture. Au cinéma, le jeune guichetier m'assure que même si le programme n'annonce pas que c'est un film pour enfants, le petit n'en subira aucun dommage. Nous nous postons dans la queue derrière huit autres spectateurs. Le petit tient les billets dans sa main tendue. Tout le monde nous observe.

Mon ami fait son apparition, m'embrasse sur la joue et échange une poignée de main avec le petit — ils se saluent comme des hommes, à parité. Les gens qui font la queue suivent nos agissements. Je demande à Tumi s'il est d'accord pour que notre ami se joigne à nous. C'est d'accord. Nous entrons dans la salle, où il choisit le troisième rang, au milieu, il veut être assis entre nous deux. C'est assez proche de l'écran, mais je ne sais dans quelle mesure sa vue lui permet de le voir. C'est déjà embêtant qu'il n'entende pas les paroles ni la musique. Les autres spectateurs se répartissent sur les deux dernières rangées, si bien que la salle de cinéma tout entière nous en sépare. Nous sommes à part, comme dans le chalet. La projection de *La vita è bella* commence.

Ça ne pose aucun problème d'aller avec le petit au cinéma, il reste assis, immobile, pendant toute la séance et suit le déroulement de l'histoire sur l'écran. Il ne touche pas à sa boîte de pastilles, trop absorbé par le film. Je lui jette un coup d'œil de temps en temps sans savoir dans quelle mesure il comprend, ou s'il aimerait que je fasse l'interprète, que je lui raconte l'histoire. Il a pourtant l'air de déchiffrer les sous-titres. Parfois, il me regarde longuement. D'autres fois, ils me regardent tous les deux. Les deux hommes. Je leur souris.

À l'entracte, le petit suce une pastille, m'en offre une et en donne une à notre ami. Puis il referme la boîte. Il souffre de ne pouvoir lire sur les lèvres des acteurs, de voir les bouches s'ouvrir et se fermer, les têtes opiner, les gens plisser les yeux et rire, sans parvenir à saisir les mots.

Je crains qu'il ne voie pas les sous-titres au bas de l'écran, j'ai l'impression que c'est tout juste s'il voit quelque chose au-dessus du dossier des fauteuils, aussi je le soulève et l'installe sur mes genoux après l'entracte. Il ne dépasse pas la taille d'un enfant de trois ans et je peux voir l'écran par-dessus sa tête. Notre ami en profite pour se rapprocher d'une place.

—C'était pour rire ? demande Tumi quand les lumières se rallument.

Dois-je lui expliquer que tout est pour rire ? Que l'on peut distinguer le reflet des projecteurs dans les larmes factices ?

— Non, ce que nous ressentons et ce que nous nous imaginons est aussi la réalité, dis-je.

Il comprend parfaitement mon propos.

— Tu n'as pas besoin d'un homme, dit-il du siège arrière de la voiture tandis que j'attache sa ceinture. Tu m'as, moi.

— Qui dit que je recherche un homme ?

— Tu le regardes.

— Ah bon ?

— Et il te regarde.

Je ne lui dis pas que j'attends une visite quand il sera endormi.

SOIXANTE ET UN

Tout le monde reçoit un jour ou l'autre une visite nocturne.

Il n'y a pas de rideaux aux fenêtres – ce serait idiot d'interdire l'accès aux ténèbres qui ne recèlent que des cailloux et de la bruyère devant et la lande brune à perte de vue derrière.

À l'extérieur, c'est le calme de la nuit noire, avec une température de cinq degrés ; le temps s'est levé et pour la première fois depuis longtemps, il y a un beau clair de lune dont la lumière tombe en biais, comme celle d'une douce lampe de lecture. Après cette journée de pluie, des vêtements pendent sur le fil à l'abri sur la terrasse. À l'intérieur, la scène se présente comme suit : j'ai fini de lire une histoire au petit, qui s'est endormi avec le chaton. Je me contente de la lumière des bougies dans la salle de séjour, plus celle de la lune, éclairage que le Tout-Puissant projette de l'au-delà. Sur l'appui de la fenêtre trône une botte bleue à bordure jaune, pointure vingt-six, et notre papillon domestique fait de la voltige – combien de temps vivra-t-il encore ? Il est zéro heure, zéro minutes, dix-sept secondes et le gravier crisse sous ses bottes.

Car je ne suis pas seulement en contact avec la lune, le Tout-Puissant et les étoiles, mais aussi en contact très intime et très intense avec le Père Noël qui vient me visiter toutes les nuits. Pas par la cheminée, mais par-dessus la balustrade de la terrasse. Il approche, monte rapidement la côte, la lune dans le dos et la tête auréolée de rose, il enjambe la guirlande lumineuse et passe d'un bond professionnel de l'obscurité à la lumière des bougies. D'abord les pieds, chaussés de bottes de cuir noir, puis le manteau rouge à col de fourrure blanche et à ceinture noire.

Il tient dans les bras les vêtements de la corde à linge et frappe doucement à la fenêtre. Puis il ôte son bonnet rouge. Le paquet qu'il apporte est trop gros pour entrer dans la botte du petit.

—J'ai le temps de te raconter une longue histoire, dit-il.

J'effleure d'abord très légèrement son pantalon du bout des doigts de manière à ce qu'il ne sente à peu près rien, puis je le frotte assez fort pour qu'il sente quelque chose et enfin je le frictionne jusqu'à ce que se forment des aires d'usure sur le pantalon en polaire et des pelades dans la barbe blanche en coton. Je m'en prends ensuite aux cheveux blancs, que j'enroule autour d'un doigt pour en faire un écheveau.

Je dégrafe la boucle de la ceinture noire et glisse la main entière à l'intérieur, la peau est chaude, je m'applique à chaque pause, m'attache aux détails, pars à la recherche d'une bouche tiède et d'un regard. L'imagination du visiteur nocturne n'a pas de limites, sans vouloir m'étendre sur le sujet.

On entend soudain comme un sifflement étouffé tandis que la bougie sur la table s'éteint et fume. Du coin de l'œil, je perçois que la guirlande sur la terrasse s'est éteinte, elle aussi. Dans l'obscurité complète, il me semble que je dois rompre le silence. Je prends donc la parole, mettant à l'épreuve les connaissances techniques du visiteur de nuit.

—Pourras-tu m'aider, après, avec la guirlande de Noël ?

Il a vite fait de résoudre le problème puisqu'il suffit de la rebrancher sur le boîtier. Il rallume la bougie au passage.

— Peut-être que tu n'as pas trop les pieds sur terre, dit-il.

— Ah bon ?

— Il faut que je m'en aille, mais je reviendrai demain.

Avant qu'il ne parte, je lui demande comment il épelle pléthore.

— Je n'imagine pas dans quel contexte l'idée me viendrait d'utiliser ce mot. Je ne l'écrirais pas, en tout cas. Ce n'est pas mon style.

Pendant que je balaie la suie devant la cheminée et les autres vestiges de la nuit, que je rassemble des vêtements çà et là dans la salle de séjour, j'efface les traces de sa visite. Je trouve une tache minuscule, suffisante toutefois pour inculper la bonne personne.

SOIXANTE-DEUX

Il semble que personne ne sache exactement d'où est venue la masse d'eau, mais bien entendu, on ne parle de rien d'autre à la supérette. Il y a du sable et de la vase noire dans tout le bourg, les caves en sont pleines, la plupart des guirlandes de Noël sont fichues et les décorations des jardins tombent en miettes. Partout, des hommes en combinaison orange s'activent à nettoyer, déblayer les rues à la pelle et pomper l'eau des caves. L'eau semble avoir dévalé la ravine à l'est de l'agglomération et emporté l'église, épargnant toutefois le village.

— On prévoyait de toutes façons de construire une nouvelle église, disent les gens positifs. La vieille n'était plus qu'un tas de débris pourris.

La situation est identique dans les communes voisines. On ne comprend pas, rien n'est plus comme avant. Il apparaît que soudainement nombre de rivières des hauts plateaux sont sorties de leur lit pour couler dans toutes les directions par des voies inconnues. De sorte que les terrains où les habitants récoltaient des myrtilles sont maintenant totalement inondés. Bien que les rivières ne descendent plus par où on les attendait, une chose n'a pas changé : elles se jettent encore dans la mer. Les gens sont désarmés face à ces caprices des cours d'eau que la pluie des quarante derniers jours ne saurait à elle seule expliquer.

Mais le plus gros casse-tête pour les gens, c'est la baleine. On présume que, s'étant échouée sur le terre-plein de la Caisse d'épargne, elle est bien arrivée là d'une manière ou d'une autre. À croire qu'elle a purement et simplement dévalé avec l'eau des hauts plateaux.

Du chalet on distingue son énorme masse noire. C'est une baleine adulte, d'environ quinze mètres de long et grosse d'un baleineau, comme il apparaîtra plus tard.

—Peu importe d'où elle vient, déclare un homme du bourg, nous la découperons dans l'après-midi pour distribuer la viande.

D'autres animaux marins ont échoué çà et là, des morues sur la terre ferme, un loup de l'Atlantique et un sébaste. L'important c'est que les habitants s'en tirent tous indemnes.

Je téléphone à maman pour lui dire de ne pas se faire de soucis, nous sommes en pleins préparatifs pour rentrer à la capitale.

—Quelle chance que personne n'ait été blessé.

—À vrai dire, trois chiens ont disparu.

—Est-ce qu'il pleut ?

—Non, maman, le temps s'est levé comme chez toi, comme dans tout le pays, si l'on en croit la météo.

—As-tu fini de mettre de l'ordre dans tes affaires ?

—Oui, nous sommes en train de ranger, il ne nous reste plus qu'à faire les paquets de Noël.

—Comment ça va avec le petit, est-ce qu'il mange ?

—Oui, il mange bien.

—Et vous arrivez à communiquer ?

—Bien sûr, il existe un monde au-delà des mots.

— Et toi, comment vas-tu ?

— Ça va, nous fêterons Noël en ville, après quoi je partirai quelques mois à l'étranger.

— Et ton travail ?

— Je peux le faire n'importe où. Tumi viendra avec moi. J'en ai parlé à Audur, qui est d'accord. Elle va être totalement absorbée par les petites sœurs et j'ai peur qu'il soit laissé de côté.

— Mais sa mère ne lui manque pas ?

— Bien sûr que si, mais il a envie de découvrir le monde, il a envie de visiter des ruines.

— Tu vas l'emmener dans les pays arabes ?

— Non, il désire voir des ruines de châteaux et de temples, et des églises – nous sommes en train d'éplucher des guides de voyage. Il aimerait aussi voir un poirier, une girafe et du sable doré. Je peux lui apprendre différentes choses, il commence à lire et il sait préparer des petites galettes.

— Et broder et tricoter ?

— Également.

Elle paraît heureuse de m'entendre ; le timbre de sa voix est d'une grande douceur. Elle parle bas en séparant bien les mots.

— Je crois que ce mariage a été trop hâtif. Ce n'est pas un mauvais homme mais ce n'est pas un homme pour toi.

Elle ne mentionne plus le nom de Thorsteinn.

Il y a un moment de silence.

— Bon, maman, je vais te dire au revoir.

Nouveau silence.

— Si tu n'y vois pas d'objection, je pensais faire un petit legs à des bonnes œuvres, après ma mort. J'ai lu quelque chose au sujet d'une école en Bosnie pour les femmes qui ont souffert de la guerre. Naturellement tu ne lis pas les journaux ?

— En tout cas, je n'ai aucune objection.

— Je n'en doutais pas. Tu te débrouilleras, c'est sûr et certain. Ton frère est du même avis, il dit avoir assez, lui aussi. Ses triplés viennent d'entrer à la maternelle.

— Bon, ma petite maman, là, nous sommes en train de ranger. Tumi vient de finir de tricoter des chaussons pour ses petites sœurs, il faut maintenant les amener à destination. Nous serons demain soir en ville, si tout se passe bien.

Un souvenir réjouissant lui revient tout à coup.

— Figure-toi que des bourgeons vert clair sont apparus sur ta plante, celle que je croyais être en soie.

— Bon, et bien maman, ce sera tout pour le moment.

— Alors j'attendrai que vous soyez là pour décorer l'arbre.

SOIXANTE-TROIS

Ainsi commence le jour le plus sombre de l'année. Le ciel blafard de pluie pendant des semaines s'est animé d'une vague clarté avec un nuage en forme de couronne.

— Comme une grosse dent, dit le petit un doigt pointé vers sa bouche grande ouverte.

Ça doit être le signe magique de la naissance du jour le plus court de l'année. Juste avant midi, le monde soulève sa noire couverture et le soleil fait son entrée horizontale par la fenêtre, une mince strie rose, comme la ligne ténue entre les paupières d'une femme ensommeillée. Je considère mon reflet et celui de notre foyer sur la vitre. Les cadeaux de Noël achetés à la Coopérative sont prêts, tout emballés sur la table, on a décoré les cartes et mis des paillettes dessus. On distingue l'empreinte de petites mains sur les carreaux, les unes au-dessus des autres, une foule de doigts poisseux se sont imprimés sur la vitre. Bientôt tout sera redevenu normal, le froid, la poudreuse qui vole, le verglas, les grosses chutes de neige, la lande impraticable, le paysage d'hiver sera de nouveau blanc et inodore comme à l'accoutumée. Nous nous asseyons un instant sur la terrasse pour boire du chocolat chaud et tourner le visage vers le premier rayon de soleil depuis deux mois.

En réalité, c'est inutile de faire tout le tour du pays, un demi-cercle suffit largement.

— Trois personnes, dit le petit.

— Trois personnes où ça ?

— Autour de la table.

Il pointe le doigt sur le dessin qu'il finit de crayonner. Une femme aux yeux nettement verts et aux cheveux bruns et courts est assise à la place du milieu.

— Mes cheveux ont poussé, dis-je en riant, j'ai changé, maintenant je regarde le monde à travers une longue frange.

Vers midi apparaît le Père Noël, en civil cette fois. On a retrouvé la chienne, indemne mais en état de choc émotionnel. Son accordéon sous le bras, il demande si je peux l'emporter en ville pour le faire réparer – il viendra sous peu le récupérer. Je lui dis mon intention de partir en voyage à l'étranger.

— Pour un temps indéterminé.

— Je ne veux pas te perdre, dit-il. Absolument pas.

— Je serai un peu occupée au début, après je te ferai sûrement signe, on se retrouvera.

Rien ne presse en effet, on a bien le temps, toute une étendue de sables.

Et puis j'ajoute – et en l'exprimant, je sens très nettement les battements de mon cœur :

— Je pars d'abord seule, ensuite on pourra aller ensemble quelque part, si on en a toujours envie.

SOIXANTE-QUATRE

En descendant jusqu'à l'embranchement, je vois que la baleine a été découpée tout du long, jusqu'au baleineau. Il gît en entier sur le terre-plein à côté de sa mère. Il a la même couleur noire et fait deux mètres de long.

Avant de partir, je demande au jeune, à la pompe à essence, de prendre une photo de nous.

— Saviez-vous, dit-il, que le battement de cœur d'une baleine s'entend à cinq kilomètres à la ronde ?

J'avoue que je l'ignorais, tandis qu'il me rend l'appareil avec précaution.

— Alors vous ne savez sans doute pas non plus que les battements de cœur d'une baleine peuvent perturber les transmissions radio d'un sous-marin et empêcher une guerre ?

Le virage au sommet de la côte me prend au dépourvu. Je ne roule pas vite, mais il s'en faut néanmoins de peu que je ne quitte la route. La voiture dérape sur les gravillons et la baie s'ouvre devant moi, une immense grève de sable noir à marée basse. On y voit quantité de phoques, le sable est couvert de leurs corps chauds et luisants, nageoire contre nageoire.

Ils se déplacent lentement, par dizaines, nourrissons démesurés comme emmaillotés dans leur peau. Je me gare au bord de la route, mets le frein à main et nous sortons.

Le petit voudrait que nous marchions pieds nus sur le sable et nous balançons nos chaussures. Il voudrait aussi trouver un galet magique qui exauce les souhaits, moi, ça me plairait bien de caresser la tête sans oreilles d'un phoque. Il n'y a que l'embarras du choix sur la grève : des milliers de cailloux pour y essayer ses vœux et mettre à l'épreuve, l'un après l'autre, tous ceux que la main saisit. Une fois assis, je dispose mes galets en un petit cercle, lui empile les siens verticalement, il édifie un cairn, un monument.

J'ai presque fini de boucler mon cercle et je fais un saut jusqu'à la voiture pour prendre mon appareil photo. À mon retour, le petit s'est débarrassé de tous ses habits, pull à capuche, pantalon, collant, T-shirt et sous-vêtements. Je le vois courir tout nu et blanc comme la neige sur le sable noir et les cailloux, vers les phoques. Il se dirige droit vers le ressac, dans la mer, ses vêtements forment un petit tas au milieu des sables. Il est si blanc que son torse presque phosphorescent se confond avec l'écume et le ciel pâle de la veille de Noël. Le troupeau de phoques s'effarouche et se met en branle péniblement. Je cours après le petit, sentant les coquillages aigus et les froides lanières d'algues sous la plante de mes pieds ; la vase gicle entre mes orteils, l'eau salée mouille mes chevilles. Je le rattrape dans un banc d'algues flottantes, le recouvre de mon pull-over, soulève le petit corps froid et le place à califourchon sur mes épaules. Il a du sable noir entre les doigts de pied. Il caresse le lobe de mes oreilles. Je jette un dernier coup d'œil à l'océan avant de repartir au pas de course.

— Beaucoup de mer, dit le petit d'une voix claire.

Quatorze heures quatorze minutes, dit ma montre.

Ouest, dit la boussole dans la voiture.

L'enfant est rhabillé et assis sur le siège arrière, petit bonhomme silencieux, le menton enfoncé dans l'encolure de sa combinaison, le haut de sa tête encagoulée à la hauteur de la vitre. Je boucle sa ceinture de sécurité et mets un CD de l'accordéoniste Astor Piazzolla. Le chauffage est à fond. Par-dessus mon épaule, je passe au petit un sandwich et le Chocolait perforé d'une paille. Il me tend en échange sa main close avec un sourire ensanglanté ; je déplie les petits doigts un à un. Apparaît alors, dans le creux de la paume, une dent de lait, celle de devant.

Quarante-sept recettes de cuisine
et une recette de tricot

On trouvera ici quarante-sept recettes de plats ou de boissons ainsi qu'une recette de tricot qui interviennent au fil de *l'Embellie*.

On pourra à loisir cuisiner ou tricoter d'après ces recettes et à coup sûr préparer un excellent repas. Toutefois certains plats feront sans doute plus d'effet sur la page que dans l'assiette. Je tiens à mettre en garde le lecteur sur le fait que ces recettes sont romancées et qu'il peut arriver que les quantités ne soient pas toujours cohérentes au gramme ni au millilitre près. Le récit comporte assurément des exemples de plats qui ne passent pas bien chez les personnages ou qui sont tout simplement ratés. Il n'est pas de termes si univoques qu'ils ne prêtent à interprétation mais il y a tout lieu de penser que chacun saura s'en sortir à sa manière. À cet égard, faut-il rappeler que la farce de l'oie n'est pas constituée de mots sur une page. Il arrive également que l'évocation d'un plat soit si évasive qu'il est impossible de s'en faire une idée précise et encore moins d'en proposer la recette.

La plupart des recettes sont indiquées pour une femme et un enfant. Les plats sont généralement faciles à préparer afin que la femme puisse passer le plus de temps possible avec son petit. Celui-ci peut également mettre la main à la pâte. On a prévu le plus souvent des restes abondants. Au cas où les recettes susciteraient des doutes ou si des questions se posaient en cours de route, le lecteur est invité à se mettre en rapport avec la narratrice. Signalons toutefois que celle-ci n'est pas responsable de tous les plats évoqués tels que les bruants des neiges grillés à la mode des hauts plateaux cuisinés par les ouvriers étrangers ou les steaks de baleine. Par ailleurs, et si on lui en fait la demande, la narratrice fournira volontiers les renseignements nécessaires à la préparation de tous les plats du récit qui ne figureraient pas dans les quarante-sept recettes proposées ici (par exemple le poulet au citron et aux olives). Les recettes se succèdent dans l'ordre où elles apparaissent dans l'histoire. Il est impossible de déterminer leurs sources exactes, elles pourraient aussi bien être tout droit sorties du livre de cuisine d'un voisin.

Deux des recettes sont prévues pour une collation funéraire. D'autres ont été pensées spécialement pour un homme et une femme. Lorsqu'une femme cuisine pour un homme, ou l'inverse, il ou elle se donne généralement plus de mal. Dans ces cas-là, les recettes sont également plus généreuses. La quantité des restes dépendra toutefois du stade d'évolution de leur relation.

Si l'églefin pané frit à la poêle avec des oignons est un classique du lundi, on notera toutefois que le poisson est souvent meilleur le mardi dans les poissonneries. On pourra remplacer l'églefin par du loup tacheté ou de la truite de mer qui constitueront une alternative bienvenue. Apparenté au loup de l'Atlantique en plus tendre, le loup tacheté est un poisson savoureux qui rappelle la lotte. Sur les étals glacés des poissonneries, le loup tacheté est un régal pour les yeux, son beau pelage d'écailles léopard est même utilisé par les grands couturiers pour en faire des sacs ou des jupes. Au lieu de la fameuse Paxo Golden Crumb, on pourra faire sa propre chapelure à partir de mie de pain, plus grossière. Les filets de poisson n'étant pas en contact direct avec la poêle, le corps gras passe dans la chapelure et les habille d'un beau blanc craquant. Faites revenir l'oignon émincé à la poêle avec un morceau de beurre et un peu d'huile d'olive, repêchez-le quand il est doré. Faites revenir les filets de loup de mer quelques minutes de chaque côté à feu vif dans un mélange de beurre et d'huile d'olive jusqu'à ce qu'elles prennent la couleur d'une plage qui scintille au soleil. Salez et poivrez. Servez avec du riz ou de l'orge perlé et une salade verte agrémentée de tomates et de concombre avec une vinaigrette à base de miel, moutarde de Dijon et huile d'olive. C'est encore meilleur de mélanger riz blanc et riz complet, mais la cuisson de ce dernier est longue.

Jus de cuisson de l'oie (cuite au four), un demi-litre d'eau, sel, poivre, une cuillère à soupe de gelée de groseilles, crème liquide. Versez le jus de cuisson dans une casserole à travers une passoire fine qui retiendra la graisse. Assaisonnez selon le goût. Comme la sauce doit être épaisse pour camoufler les traces de pneus sur le volatile écrasé, il vaut sans doute mieux faire un roux à l'ancienne pour épaissir le jus. Mélangez une cuillère à soupe de farine à quelques cuillères d'eau ; incorporez au bouillon. Ajoutez la gelée de groseilles. Fouettez la crème et mélangez-la à la sauce juste avant de servir. La saucière sera mise en dernier sur la table de la salle à manger décorée de bougies, avec les autres plats.

TOASTS AU SAUMON FUMÉ À L'HEURE DU THÉ

Du thé accompagné de toasts garnis de saumon fumé est une collation idéale en fin d'après-midi, par exemple en cas de visite impromptue après le travail. En lieu et place de saumon, on peut aussi proposer de la truite. Il y en a de nombreuses variétés : légèrement fumée, fumée au crotin, fumée au bois de bouleau, fumée à chaud. Beaucoup de producteurs de truites se sont mis à les fumer à la ferme, on peut donc choisir du poisson de différentes régions du pays. Pour varier, garnissez le poisson fumé de cresson haché, lequel se cultive en pot ou dans du coton humide sur l'appui de fenêtre de la cuisine pendant toute l'année.

On ne fera jamais assez l'éloge du thé vert comme boisson stimulante pour l'après-midi. Toutes les recherches recommandent le thé vert pour la santé. En Extrême-Orient, dans certains endroits, il est encore possible de passer la journée dans une maison de thé où le garçon circule parmi les clients avec une bouilloire d'eau chaude suspendue à une tige de bambou qu'il porte sur l'épaule. Quand on a vécu en Grande-Bretagne, on aime bien prendre le thé, l'après-midi, avec des biscuits à la crème jaune ou rose. Chez nous en Islande, on peut les remplacer par des biscuits Fron, mais leur crème est blanche. Et en cas d'insomnie : deux à trois toasts avec une tisane.

THÉ VERT. *Deux cuillères à café de feuilles de thé, un litre d'eau bouillante.* Rincez la théière à l'eau bouillante. Jetez les feuilles de thé dans la théière, versez l'eau bouillante. Laissez infuser 4 minutes. Versez dans les tasses à l'aide d'une passoire.

TISANE. Le mois d'août est le meilleur moment pour récolter. Cueillez du thym arctique, de la potentille, de la dryade à huit pétales, de l'achillée millefeuille ou de l'alchémille commune. Faites sécher. Commencez par faire pré-sécher dans une taie d'oreiller bien propre avant d'étaler sur un plateau pour le séchage définitif. Faites bouillir un litre d'eau dans une casserole, retirez-la du feu et jetez-y une poignée de feuilles séchées (deux cuillères à soupe si elles sont broyées). Couvrez la casserole et laissez infuser 15 minutes. On peut réchauffer la tisane plusieurs fois mais sans faire bouillir. Se renseigner sur les vertus de chaque plante (contre les maux de gorge, de ventre, ou les peines de cœur). Ajustez les proportions.

LASAGNES AUX ÉPINARDS

Les lasagnes apparaissent volontiers sur les tables le mercredi. Il n'est pas bien difficile de suivre la recette donnée sur le paquet de Barilla. Il est parfois plus compliqué de trouver un plat de la bonne taille. Pour changer de la recette traditionnelle à la viande hachée, voici une variante végétarienne. Versez dans une poêle à larges bords un peu de l'huile d'un bocal de feta. Remplissez la poêle d'épinards, ajoutez éventuellement de l'oignon et des champignons s'il y en a dans le réfrigérateur et si vous les aimez. Versez par-dessus une bonne dose de crème et laissez mijoter jusqu'à ce que les feuilles d'épinard soient ramollies. Disposez une couche de plaques de lasagne au fond d'un plat allant au four, étalez une couche d'épinards et parsemez de morceaux de feta. Répétez l'opération selon la dimension du plat et le nombre de convives. Répartissez de la mozzarella sur la dernière couche et laissez cuire au four 30 minutes. Servez avec du bon pain et une salade verte. C'est un plat très nourrissant et relativement simple à faire, susceptible de plaire à tout le monde. On a vu des messieurs très âgés aussi bien que de tout petits enfants trouver cette recette à leur goût.

Il y a de très nombreuses manières d'accommoder et de farcir l'oie sauvage. Dans la mesure où l'on peut choisir l'oie, ce qui n'est pas possible en cas d'accident, il est préférable qu'elle ne soit ni trop grande ni trop grasse. Il est également souhaitable qu'elle soit jeune – ce qui se reconnaît à ses pattes rosées et à son bec rosé et encore mou. Une oie de taille moyenne pèse de trois à six kilos et convient pour cinq à dix personnes. La graisse fondant à la cuisson, le volume de l'oie diminuera d'autant. Cette recette est prévue pour un homme et une femme, elle donnera donc lieu à des restes importants. Il est recommandé de laisser pendre l'oie quelques jours sur le balcon, après sa mort, quelle qu'en soit la cause. Décrochez l'oie, plumez-la sans arracher la peau. Un curieux motif à chevrons apparaît parfois. Passez l'oie au chalumeau, de préférence dans le garage où ce dernier est rangé. Ou encore à la flamme de bougies. Tenez l'oie par une patte et une aile et passez-la d'avant en arrière au-dessus de la flamme. Une fois cette opération terminée, coupez la tête, les ailes et les pattes. Incisez la bête juste au-dessous du sternum pour retirer entrailles, gésier, cœur et foie. Réservez le cœur, entaillez-le avec un couteau pointu, rincez le sang et mettez-le de côté pour plus tard. On pourra le faire rôtir avec l'oie pour relever le goût de la sauce, ou bien l'utiliser dans la farce. Rincez l'oie à l'eau froide ; essuyez-la. À ce stade, il est temps de choisir le mode de préparation.

1. Oie sauvage islandaise rôtie à l'ancienne avec pommes et pruneaux. *Oie sauvage, sel, poivre, pommes,*

pruneaux, persil. Frottez l'oie lavée et séchée avec du sel et du poivre à l'extérieur comme à l'intérieur. Posez-la près de l'évier. Préparez la farce avec les quartiers de pommes, les pruneaux tendres dénoyautés et le persil haché. Farcissez l'oie, refermez avec des piques à brochettes ou en la recousant. Prenez soin de ne pas laisser d'ouverture par où la farce pourrait s'échapper, comme le cou par exemple. Placez ensuite l'oie, poitrail vers le haut, sur une grille au-dessus de la lèchefrite, faites rôtir à four très chaud quelques minutes. Arrosez d'eau bouillante puis laissez rôtir à four moyen deux à trois heures selon l'âge et la taille. On peut, si l'on veut, retourner l'oie en cours de cuisson, mais ce n'est pas nécessaire. Mouillez l'oie avec son jus tous les quarts d'heure pour éviter que la chair ne dessèche ou ne brûle. On dégustera l'oie en bonne compagnie, avec des pommes de terre rissolées, du confit de chou rouge fait maison, des petits pois, de la purée de carottes, une salade aux pommes et aux noix à la crème fraîche, une sauce onctueuse et une gelée de groseilles extra.

2. Oie cuite à l'eau farcie de pommes de terre et d'oignons à la mode irlandaise. *Oie, sel, poivre.* Bouillon : *cou de l'oie, cœur et gésier, un petit oignon, une carotte, thym frais, persil, un peu de céleri, 6-7 grains de poivre, eau.* Farce : *10 pommes de terre moyennes, 7 oignons, 6 pommes, 50 g de beurre, 1 cuillère à soupe de persil haché, 1 cuillère de citronnelle hachée, sel et poivre.* Plumez et flambez comme pour l'oie sauvage islandaise. En Irlande, une vieille coutume voulait qu'on garde les ailes pour dépoussiérer les recoins de la maison. Les petites plumes servaient à garnir les oreillers. Com-

mencez par la farce. Faites cuire les pommes de terre à l'eau salée, épluchez-les et réduisez-les en purée. Hachez l'oignon, faites-le revenir dans du beurre, à la poêle ou dans une casserole, pendant 5 minutes sans le laisser brunir. Ajoutez à l'oignon dans la poêle les pommes épluchées et coupées ; faites cuire jusqu'à ce qu'elles aient ramolli. Remuez régulièrement. Ajoutez les pommes de terre écrasées, le persil, la citronnelle, du sel et du poivre ; mélangez bien. Laissez refroidir avant de farcir l'oie. Avec les abats, procédez pour l'oie irlandaise de la même façon que pour l'islandaise. Pour le bouillon, mettez dans une casserole le cou, le cœur et le gésier avec un petit oignon, une carotte, du thym, du persil, du céleri et du poivre en grains. Recouvrez d'eau froide et laissez mijoter à petit feu pendant deux heures. On peut, si l'on veut, ajouter aussi les ailes. Assaisonnez avec du sel et du poivre l'intérieur de l'oie lavée et séchée avant de la farcir. Frottez le poitrail avec du sel marin. Placez l'oie dans une cocotte, ajoutez de l'eau, couvrez et mettez à cuire à four moyen deux à trois heures – assez longtemps pour faire disparaître toute trace de l'accident. En cours de cuisson, écumez trois ou quatre fois la graisse. Elle se conserve longtemps dans un bocal au réfrigérateur et pourra servir en bien des occasions, notamment pour arroser des pommes de terre au four. Il fut un temps où l'on frottait à la graisse d'oie la poitrine des gens souffrant de difficultés respiratoires. On l'utilisait aussi pour astiquer les ustensiles de cuisine. Et en Irlande, elle servait à entretenir les vêtements en cuir. Ajoutez les pommes de terre dans la cocotte et laissez cuire une heure. Retirez le couvercle pour la dernière demi-heure de cuisson, à four chaud, pour faire dorer l'oie. Pendant ce temps, préparez la sauce. Filtrez le bouillon, ajoutez le jus de cuisson, goûtez et assaisonnez (délayez avec un peu d'eau si le jus de cuisson est trop fort). Portez à ébullition ; épaississez la sauce au besoin. Dégustez l'oie farcie avec des pommes de terre au four, de la compote de pommes et de la sauce. N'hésitez pas à profiter du temps de cuisson pour aller faire un petit tour au cimetière.

OIGNONS ÉMINCÉS

Pour les âmes sensibles, éplucher et émincer sept oignons peut vite devenir une épreuve insurmontable. Il est particulièrement recommandé d'utiliser des lunettes de natation ou des lunettes de ski, selon le cas. Les masques de ski, plus grands, conviennent mieux. Un truc infaillible, dit-on, serait de retenir sa respiration. Il ne faut pas plus d'une minute pour éplucher et émincer un oignon, mais sept, c'est une autre affaire. On recommande aussi de les éplucher sous l'eau froide. Si rien de tout cela n'est efficace, il faudra purement et simplement recourir à une tierce personne, à un homme par exemple. Bien que cela ne soit pas une loi à caractère universel, leur vie émotionnelle est souvent structurée différemment, eu égard notamment à l'épaisseur de leur cuir.

PURÉE DE CAROTTES

1 kilo de carottes, ½ verre de bouillon de carottes, 1 cuillère à café de sel, 2 cuillères à soupe de sucre, 125 ml (1 verre) de crème liquide, ¼ de cuillère à café de noix de muscade râpée. Rincez les carottes et faites-les cuire dans une casserole avec aussi peu d'eau que possible. Les carottes sont cuites quand elles sont devenues tendres. Passez-les au mixer si vous en avez un, sinon écrasez-les à la fourchette avec un petit peu de bouillon, de la crème, du sel, du sucre et de la muscade. Cette purée accompagnera l'oie sauvage ou le rôti d'agneau. On pourra procéder de même pour la purée de rutabagas, ou mélanger les deux et faire une purée de carottes et rutabagas.

GELÉE DE GROSEILLES EXTRA

Groseilles d'un ou deux arbustes, sucre (60 % du poids des fruits). Si l'on n'a pas de groseilles dans son jardin, on s'arrangera avec un voisin qui ne cueille pas les siennes, soit à cause de son grand âge, soit parce qu'il a mal au dos ou pour toute autre raison, et on lui donnera en échange deux pots de gelée extra. Il y a dans tout le pays un nombre incroyable de groseillers à l'abandon, même en ville, dans les vieux quartiers. Il faut considérer qu'il y a nettement plus de perte avec la gelée de groseilles qu'avec d'autres fruits. Rincez les groseilles et égouttez-les. Point n'est besoin de couper les petites tiges vertes attachées aux baies. Mettez le tout dans une grande marmite à feu vif 2 ou 3 minutes et portez à ébullition jusqu'à ce que les baies commencent à éclater. Retirez la marmite du feu et laissez reposer un petit moment. Passez le contenu au tamis pour ne conserver que le jus rouge vif (jetez tiges et peaux). Ajoutez le sucre au liquide dans les proportions de 600 g de sucre pour 1 litre de jus. Faites bouillir quelques minutes jusqu'à ce que le mélange épaisisse. Écumez soigneusement. Évitez de laisser bouillir trop longtemps. La gelée de groseilles extra est prête quand elle dégouline lentement d'une cuillère en argent. Si vous n'en avez pas, une cuillère ordinaire fera l'affaire. Laissez refroidir et versez dans des petits pots. Offrez au voisin ceux qui lui reviennent.

SPAGHETTI À LA CARBONARA

Spaghetti frais ou secs, 1 paquet de bacon (de préférence en dés), 2 jaunes d'œuf, 1 petit pot de crème fraîche ou 1 verre de crème liquide, parmesan râpé, huile d'olive. Faites bouillir de l'eau dans une casserole, plongez-y les pâtes et laissez cuire selon les instructions du paquet, en prenant soin de ne pas dépasser le temps de cuisson. S'il n'est pas en dés, coupez le bacon en fines lanières ; faites-les frire à la poêle dans un tout petit peu d'huile d'olive. Égouttez les pâtes dans une passoire ; reversez-les dans la casserole, sans la remettre sur le feu. Incorporez deux jaunes d'œuf, le bacon et la crème fraîche. Remuez le tout vivement pour éviter que les œufs ne figent. On ajoute parfois le fromage directement dans la casserole. Assaisonnez avec du poivre noir frais moulu ; servez avec du parmesan râpé et, pour les grandes occasions, avec un verre de vin rouge d'Ombrie.

Les poivrons entiers ou en tranches, cuits dans la lèche-frite ou dans un plat allant au four, sont un des plats les plus simples qui soient : les poivrons cuisent tout seuls en peu de temps, 10 à 15 minutes au maximum. Les poivrons sont riches en fer et très bénéfiques aux femmes. Ils accompagnent savoureusement le poisson, la viande, d'autres légumes et le riz ou se suffisent à eux-mêmes. Ils conviennent à merveille à une femme qui fait ses premiers pas en solitaire dans l'art culinaire. Choisissez des poivrons bio et coupez-les en quatre dans le sens de la longueur. Mettez-les directement dans la lèchefrite ou dans un plat allant au four, arrosez d'un filet d'huile d'olive, saupoudrez d'un peu de sel marin et laissez cuire. On peut mélanger des poivrons de toutes les couleurs, verts, jaunes, orange et rouges – ces derniers étant les plus doux et les plus goûteux. On peut aussi ajouter, et les faire cuire en même temps, toutes sortes de légumes tels que courgettes en rondelles, champignons, poireaux ou aubergines.

CAKE DE NOËL AUX RAISINS SECS

Le bon truc, quand quelqu'un s'annonce à l'improviste, c'est d'acheter un cake de Noël à la boulangerie du coin, encore faut-il le savoir dix minutes à l'avance. C'est sans doute le moyen le plus simple de garantir la qualité du gâteau. Très peu de mères célibataires travaillant à l'extérieur ont d'ailleurs le temps de faire un cake de Noël. En voici tout de même la recette : *2 verres ½ de farine, 3 cuillères à café de levure, ½ verre de sucre, 1 œuf, quelques gouttes d'extrait de vanille, 2 verres de lait, 100 g de margarine, 50 g de raisins secs.* Mélangez farine, levure et sucre dans un saladier. Ajoutez la moitié du lait (1 verre) et l'œuf battu, puis la margarine fondue, ainsi que le reste du lait et l'extrait de vanille. Incorporez les raisins secs en dernier. Mettez la pâte dans un moule beurré et cuisez au four 40 minutes.

BLANC DE BALEINE AIGRE (POUR UN BUFFET)

1 kilo de blanc de baleine, 1 litre de petit-lait. Même si dans un roman on peut proposer du blanc de baleine aigre au buffet de l'école maternelle à côté d'olives noires, de mozzarella, de feta, de fromage de chèvre français, de boudin de mouton, de poisson séché et de champignons, je ne me risquerais pas à proposer un tel assortiment à mes invités. Cependant beaucoup d'enfants sont curieux de goûter cette gélatine blanche. Préparer du blanc de baleine aigre est d'une simplicité enfantine. Ce blanc est, comme on le sait, le tissu adipeux qui recouvre le ventre du cétacé. Le principal obstacle est toutefois la pénurie de matière première. La préparation est la suivante : lavez le blanc de baleine, mettez-le à cuire dans une casserole d'eau jusqu'à ce qu'il soit tendre. Égouttez-le soigneusement (à l'aide d'une passoire) et coupez-le en dés d'environ 2 cm. Mettez-les dans un bocal, arrosez de petit-lait en recouvrant bien et laissez fermenter cinq jours. Au besoin, rajoutez du petit-lait. Conservez dans un endroit frais, mais pas au congélateur. En cas de déplacement à l'étranger, ajoutez du petit-lait dans le bocal et assurez-vous que le couvercle ferme bien.

Il n'est pas sûr que tous les produits évoqués au fil du roman, notamment quand la narratrice fait les courses du week-end pour le petit, se trouvent dans les rayons des supermarchés : le fromage blanc de Superman, les saucisses Youp-là, le fromage des Filous, le pain des P'tits coquins, le lait des Mouflets, le pâté des Bouts de chou, les nouilles alphabet et les biscuits Mignons. Certains existent dans le commerce, d'autres non. Comme la fiction peut avoir une dimension prophétique, il se pourrait que ces denrées inédites apparaissent un beau jour sur le marché.

PORRIDGE

3 verres d'eau, 1 verre de flocons d'avoine bio, sel. Lorsque l'eau est sur le point de bouillir dans la casserole, versez les flocons d'avoine. Salez et remuez une fois. Retirez le porridge du feu dès que l'ébullition reprend. Il est alors granuleux car les flocons d'avoine conservent leur texture initiale. On peut également préparer le porridge à partir d'eau froide, il sera alors plus tendre et onctueux. On le fait cuire 2 minutes et on le répartit dans deux assiettes, selon l'appétit des convives. On peut ajouter du lait, voire un peu de crème. Certains remplacent le lait par du Fjord ou du lait caillé. Au siècle dernier on mélangeait souvent du fromage blanc au porridge froid, on appelait cela *hræringur* (méli-mélo). Beaucoup d'enfants qu'on envoyait alors à la campagne pour l'été et qui avaient encore la bouche pâteuse après un long trajet en car, ont gardé des souvenirs mitigés de ce mélange accompagné de boudin aigre. Dans le porridge contemporain, on ajoute parfois des dattes, des morceaux de pomme et des abricots secs. On peut également donner au porridge une touche verte en y ajoutant un peu de verdure comme du cresson finement haché, du lichen d'Islande cuit à l'eau, de l'achillée millefeuille, de l'alchémille et de la dryade. Ce sera alors un vrai porridge d'été.

VIN ROUGE (EN DIVERSES OCCASIONS)

Il arrive que les personnages du roman boivent trop, encore que ce soient plutôt les personnages secondaires que la narratrice. Il y a ainsi dans les pages du livre quelques notables excès de boisson, y compris de la part d'une femme enceinte. Dans l'histoire apparaissent aussi bien du vin de table que des liqueurs ou des boissons fortes comme le cognac. Même si une consommation modérée d'alcool peut aider de temps en temps à échapper au poids de l'existence, il n'est pas question ici de schéma récurrent ni de style de vie, mais d'un comportement à mettre entièrement sur le compte d'un impératif romanesque. Il serait plus juste de parler d'exceptions récurrentes. Inutile de s'appesantir sur les conséquences d'une bonne cuite, le centre de gravité de l'intrigue se trouvant ailleurs. Le lendemain, parmi tous les remèdes possibles, je n'en citerai qu'un, infaillible : une bonne soupe japonaise au miso. On notera toutefois que les personnages du roman boivent aussi de l'eau ou du lait frais ; c'est ainsi que le voyage commence avec deux bouteilles d'eau et que l'enfant est capable d'engloutir trois à quatre verres de lait en un seul paragraphe.

EAU-DE-VIE DE CAMARINES NOIRES, DISTILLÉE MAISON

Camarines noires (on peut aussi utiliser d'autres baies comme les groseilles ou le cassis), sucre, vodka pure. Prenez une dame-jeanne de 2 litres bien propre (avec son bouchon) et remplissez-la jusqu'à mi-hauteur avec les camarines, puis pour un quart avec le sucre, complétez avec la vodka. Bouchez la dame-jeanne et mettez-la en lieu sûr, hors de la portée des enfants, mais pas sous un lit ni dans un endroit où on pourrait l'oublier. Retournez la bouteille une fois par jour pendant deux mois. En s'y prenant à la mi-octobre, l'eau de vie sera prête pour Noël. À l'approche du jour le plus court de l'année, on pourra passer la soirée chaudement habillé sur sa terrasse ou son balcon à boire deux ou trois petits verres de cette eau-de-vie en contemplant la voûte céleste.

RIZ AU LAIT TRÈS ÉPAIS
ACCOMPAGNÉ DE SUCRE À LA CANNELLE

2-3 verres de riz, 2 verres d'eau froide, 1 cuillère à café de sel, ½ verre de raisins secs, 1 litre ½ de lait, sucre à la cannelle. Il y a plusieurs variantes de riz au lait, plus ou moins épaisses. Rincez le riz à l'eau froide jusqu'à ce qu'elle soit limpide. On peut utiliser toutes sortes de riz, du riz complet bio au riz collant River Rice dont on se servait beaucoup autrefois. Mettez 2 à 3 verres de riz dans une casserole avec 1 verre ½ d'eau froide. Salez. Portez à ébullition puis baissez à feu doux et laissez mijoter, 5 minutes environ, jusqu'à ce que l'eau soit quasiment toute évaporée mais sans que les grains de riz ne collent. Laissez l'enfant ajouter les raisins secs dans la casserole. Versez le lait petit à petit et portez à ébullition sans couvrir pour éviter que ça déborde. Faites cuire à feu doux jusqu'à ce que le riz soit tendre. Retirez du feu, laissez reposer 5 minutes pour que le riz s'imprègne bien. Aidez l'enfant à mélanger le sucre et la cannelle dans un bol. Dégustez avec le sucre aromatisé et du lait froid. Le riz au lait se marie aussi très bien avec une tranche de saucisse de foie de mouton coupée en petits morceaux.

PETITS PAINS AUX GRAINES DE BOULEAU
(ACHETÉS À LA BOULANGERIE)

À base de farine blanche, les petits pains aux graines de bouleau étaient en perte de vitesse. Mais il semblerait qu'ils sont en passe de regagner du terrain, surtout le week-end. Ils sont parfaits pour un homme et une femme après leur deuxième nuit. Le plus simple est de les acheter à la boulangerie. Ils varient selon les endroits, tantôt denses et mous, parfois croustillants avec une mie plus aérée, voire complètement vides à l'intérieur.

Achetez un kilo d'églefin. Assurez-vous qu'il s'agisse d'un beau poisson, bien frais et qui n'ait pas été pêché dans l'anse de Fossvogur mais plutôt dans le nord ou dans l'ouest. Le mardi est le jour traditionnel pour les boulettes de poisson. Demandez à votre poissonnier d'ôter la peau et les arrêtes des filets. Vous pouvez aussi lui demander de le hacher pour vous en épargner la peine ; précisez alors si c'est pour une femme et un enfant, ou pour un homme, une femme, un enfant et une belle-mère ; vous pouvez même lui demander de passer aussi les oignons à la moulinette – et dès lors, combien en faut-il donc ? Il vaut mieux se rendre à la poissonnerie *avant* la cohue, c'est-à-dire avant cinq heures et demie. On a ainsi le temps de parler d'autre chose, de badiner, par exemple sur les différences épistémologiques entre la tête et la queue, ou de discuter sur la question des quotas et du prix des produits de la pêche. Il est quatre heures et demie et dans la queue devant moi, une vieille dame dit d'une toute petite voix et pour la troisième fois au poissonnier en train de lui couper un morceau de poisson : « Enlevez 3 cm de plus à la queue. » Et elle avoue à voix plus basse encore, dans un souffle : « C'est que je suis toute seule à la maison. » Bien qu'il puisse être intéressant de se demander qui achète quoi et pour combien de personnes, je ne me laisse pas aller aux confidences sur ma situation de famille. Je ne lâche rien au poissonnier. C'est l'enfant qui me sauve : je dis que c'est pour deux. La vieille dame pourra alors s'imaginer que je suis mariée et en train d'acheter du poisson haché pour un couple très épris. Alors que le lendemain je donne le reste des boulettes de poisson au petit, tandis que je me fais une tasse de thé et du pain grillé avec une tomate. Il arrive que votre poissonnier préféré vous donne une recette sensationnelle pour cuisiner les langues de morue. Bien que je n'aie jamais su apprécier à leur juste valeur ces drôles de petits muscles triangulaires, le fait qu'un homme communique une recette à une femme crée aussitôt une espèce de proximité, voire d'intimité. Si je fournissais trop de renseignements, comme le fait que nous soyons deux adultes à la maison ou bien que mon mari est justement originaire de l'ouest, comme les langues de morue, ou encore qu'il préfère l'églefin pané à la poêle comme sa mère le lui prépare depuis qu'il est tout petit – menus potins qui s'échangent parfois entre femmes –, mon poissonnier garderait probablement pour lui sa recette de langues de morue. Pendant les deux minutes où il s'éclipse pour aller hacher le poisson, je survole du regard le pain de seigle, le poisson séché, la graisse de mouton et les beignets exposés sur le comptoir. En voyant mon reflet dans la vitrine, j'écarte la mèche brune de mon front. *1 kilo d'églefin haché avec ou sans oignons, 4 cuillères à soupe de farine, 1 cuillère de fécule de pommes de terre (facultatif), 1 cuillère à soupe de sel marin, 1 cuillère à café de poivre, 2 œufs, 1 décilitre de lait, ½ oignon et/ou ciboulette.* Mélangez hachis de poisson, farine, fécule de pommes de terre et épices, ajoutez les œufs, le lait, et éventuellement la ciboulette coupée aux ciseaux. La ciboulette pousse au jardin ou en pot sur le balcon, d'avril à novembre. On peut également mettre du persil, lequel se cultive en pot toute l'année sur le rebord de la fenêtre de la cuisine. Faites chauffer dans la poêle un mélange d'huile d'olive et de beurre. Formez des boulettes à l'aide d'une cuillère à soupe en leur donnant la forme de petites souris blanches, mettez-les à frire dans la poêle. Réservez rapidement deux boulettes à moitié cuites que vous déposerez sur une soucoupe pour les manger avec de la sauce de soja pendant que les autres boulettes finissent de cuire. On les dégustera avec du beurre et des pommes de terre nouvelles – celles de la récolte de novembre, si le temps a été favorable sur la grande île. Les pommes de terre cuiront à feu doux, pas trop longtemps afin de rester fermes. Au lieu de beurre, on peut servir les boulettes avec une sauce au curry. Faites alors fondre une cuillère à soupe de beurre dans une casserole. Incorporez-y une cuillère à soupe de farine en mélangeant bien, puis versez deux verres de lait et portez à ébullition en remuant constamment. Assaisonnez avec du curry indien, du sel et du poivre, ajoutez pour terminer une cuillère à café de sucre.

PÂTÉ DE MOUTON SUR TRANCHE DE PAIN DE SEIGLE

2 kilos de viande de mouton, sel, poivre, quatre-épices (piment de la Jamaïque), feuilles de laurier. Le pâté de mouton classique requiert de la viande plutôt grasse. Rincez-la et faites-la mijoter à feu doux dans une petite quantité d'eau salée avec quelques feuilles de laurier, pendant une heure. À mi-cuisson, ajoutez deux oignons émincés. Au bout d'une heure, la viande doit se détacher toute seule des os. Après l'avoir désossée, passez la viande à la moulinette (ou au mixer), avec les oignons. Réchauffez le hachis obtenu dans une casserole, assaisonnez à votre goût avec poivre et quatre-épices. Laissez le pâté refroidir un peu dans la casserole avant de le répartir dans des récipients ou des petits sachets alimentaires. Conservez au congélateur. Le pâté se déguste avec du pain de seigle.

GNÔLE (POUR LES FÊTES)

On met ici le doigt sur un point sensible chez de nombreux citoyens respectueux des lois. Le but n'est pas, toutefois, d'inciter à la production de gnôle ou autre tord-boyaux maison (à l'exception de l'eau-de-vie de camarines noires, voir recette plus haut), mais de rappeler que certaines préparations font plus d'effet sous forme de texte imprimé que dans le gosier. Inutile de s'étendre sur le fait que la gnôle n'a pas seulement un goût excécrable, mais qu'elle peut aussi entraîner temporairement une cécité mentale et provoquer des dégâts durables dans l'organisme. *Pour 20 litres d'eau, il faut 5 kilos de sucre et environ 4 cuillères à soupe de levure.* Mélangez le sucre et la levure avec de l'eau à 25 °C ; laissez reposer à température constante pendant trois semaines, par exemple dans un réduit à chaudière sans fenêtre ou dans une serre. Vérifiez alors que le mélange a fermenté, c'est-à-dire que tout le sucre a disparu, en goûtant une goutte du liquide déposée sur le bout de la langue. Transportez ensuite le mélange dans un endroit froid où il va décanter, ce qui a pour effet de tuer tous les germes. Le liquide obtenu s'apelle du *gambri* (gnôle non distillée), généralement de couleur gris-jaune. Il faut ensuite distiller le *gambri* avec un alambic *ad hoc* qui, du reste, est souvent de fabrication maison. On installe les appareils par exemple dans les toilettes ou encore au garage. L'odeur est âcre et ne trompe pas les connaisseurs. La distillation entraîne une diminution du volume du liquide, de sorte qu'à la fin il ne reste plus que quelques litres d'alcool. Le produit est alors filtré à travers du charbon de bois pour le purifier et en atténuer le goût. Pour l'améliorer, certains achètent des essences parfumées dans les boutiques spécialisées.

FEUILLES DE CHOU FARCIES À LA VIANDE DE MOUTON

1 kilo de farce fraîche préparée (par le boucher) avec de la viande de mouton, 1 tête de chou, beurre (fondu), 1 kilo ½ de pommes de terre. Achetez un kilo de farce de viande de mouton, fraîche et rose, au rayon boucherie du supermarché. Faites cuire la tête de chou dans de l'eau légèrement salée pendant 10 minutes, du moins jusqu'à ce qu'elle soit tendre. Laissez refroidir et détachez les feuilles. Comptez-en quatre par personne. Mettez 2 cuillères à soupe de farce au milieu de chaque feuille, que vous roulerez et plierez ensuite pour en faire un petit paquet. Disposez les paquets dans une grande casserole à fond épais et ajoutez de l'eau. Faites cuire les feuilles de chou farcies à feu doux 20 minutes. On les mange avec de la purée de pommes de terre et du beurre fondu. La purée se prépare ainsi : faites cuire les pommes de terre à l'eau à feu doux

15 minutes. Une fois pelées, remettez-les dans la casserole pour les écraser. Dans la purée islandaise classique, on met 2 verres de lait, 2 à 3 cuillères de sucre, un peu de sel marin et une noix de beurre. On peut également faire frire la farce de mouton à la poêle, comme des boulettes de viande, avant d'ajouter un petit fond d'eau. Arrêtez alors la cuisson, recouvrez la poêle et laissez reposer 5 minutes. La farce gonfle et double de volume, comme de la pâte qui lève. Il arrive même que le couvercle de la poêle se soulève. On mange ensuite les boulettes de farce avec la purée, du beurre et le chou cuit.

CAFÉ IMBUVABLE

On peut préparer du café imbuvable de diverses façons, la manière la plus simple consistant à laisser le paquet de café ouvert quelques jours dans un placard avec les biscuits à la crème, les ampoules, les piles et les sachets de thé. On peut également faire du café très clair, de la couleur du thé. Enfin, une méthode infaillible consiste à réchauffer du vieux café, éventuellement au micro-ondes.

HAMBURGER MAISON

Comme on a pu s'en apercevoir tout au long du voyage, les stations-service et les snack-bars qui jalonnent la route circulaire sont à peu près les seules distractions dans le jour crépusculaire qui recouvre les étendues de sable noir. L'inévitable se produit alors, c'est-à-dire que les gens se rabattent sur les fast-food : hot-dog dont les saucisses ont mariné dans leur marmite tout le week-end, hamburgers, sandwichs à la mayonnaise, pizzas express, glaces nappées de chocolat et paquets de bonbons. Il n'est pourtant pas question de justifier les pratiques diététiques qui ont cours dans les stations-service, la présence de colorants hypernocifs dans les boules de gommes, ni la consommation excessive de sucreries chez les enfants. Nulle valeur d'exemple non plus dans la scène où la narratrice achète trois barres de chocolat pour un enfant de quatre ans sous prétexte qu'il n'arrive pas à se décider pour l'une ou l'autre. Rappelons ici que la narratrice elle-même n'a pas d'enfant et n'est pas une spécialiste en matière d'éducation. Si le mode d'alimentation dépend en partie des circonstances, il relève surtout des impératifs du récit. Voici donc une recette de hamburger maison : *200 g de bœuf haché, sel, poivre, persil, ciboulette, 2 petits pains au sésame, 1 tomate, 4 rondelles de concombre, 4 feuilles de salade (diverses variétés possibles, telles que laitue, roquette, herbe aux cuillères ou mouron des oiseaux).* Sauce : *1 cuillère à café de mayonnaise, 2 cuillères à café de lait caillé ou de Fjord, 1 cuillère à café de sauce tomate, ½ cuillère à café de moutarde de Dijon.* Incorporez à la viande hachée persil et ciboulette émincés aux ciseaux. Formez deux beaux steaks, salez et poivrez. Faites-les revenir à la poêle dans de l'huile d'olive ou passez-les quelques minutes sous le grill du four. Disposez les feuilles de salade sur le pain préalablement tiédi et la viande par-dessus. Coupez la tomate et le concombre en rondelles et répartissez entre les deux hamburgers.

Couronnez le tout d'une cuillère à soupe de sauce et coiffez de l'autre moitié du pain.

SOUPE AU CACAO AVEC BISCOTTES ÉMIETTÉES ET CRÈME FOUETTÉE

Tous ceux qui ont été hospitalisés pour une courte durée, deux ou trois jours pour une appendicite par exemple, se souviennent forcément de la soupe au cacao, épaisse et tiédasse, accompagnée d'une biscotte ramollie. Une bonne soupe au cacao est en revanche un vrai délice, en dessert par exemple, après la friture de poisson du mardi. *2 cuillères à soupe de cacao, 2 cuillères à soupe de sucre, 2 verres d'eau, quelques gouttes d'extrait de vanille, 1 litre de lait, 1 cuillère à soupe de fécule de pommes de terre, un soupçon de sel, biscottes, crème.* Mélangez le cacao, le sucre et l'eau. Portez à ébullition et laissez bouillir 5 minutes. Ajoutez le lait et ramenez à ébullition. Délayez la fécule de pommes de terre dans un peu d'eau avant de l'incorporer à la soupe. Portez à ébullition. Ajoutez l'extrait de vanille en dernier et retirez du feu. On déguste la soupe avec des biscottes que chacun cassera dans son assiette en laissant les morceaux flotter à la surface. On déposera alors sur les biscottes de la crème fouettée bien ferme.

DESSERT À LA BANANE

La banane est un aliment nourrissant, délicieux et sain, que l'on peut manger entre les repas quand on est en voyage, très commode pour nourrir un enfant affamé tout en conduisant. Et maintenant que je commence à mieux connaître les enfants, je peux vous dire que mon milk-shake à la banane et au chocolat a eu un beau succès auprès de mon petit compagnon de voyage. Passez au mixer (ou battez à la main) de la banane, de la glace à la vanille et de la sauce au chocolat et vous aurez une excellente boisson glacée à la banane. S'il n'y a pas de congélateur dans la maison de campagne, vous pouvez remplacer la glace par du lait. Et quel est le dessert le plus simple au monde quand on fait du camping ? Prévoyez une banane par personne. Fendez la peau dans le sens de la longueur avec un canif bien aiguisé et enfoncez-y 4 à 5 morceaux de chocolat noir. Enveloppez les bananes dans du papier alu, mettez-les sur le barbecue en train de refroidir et laissez cuire un petit moment, en poussant un peu le gigot au besoin. On peut aussi les manger avec de la crème fouettée. Pour ce faire, versez de la crème liquide dans un bocal ou tout autre récipient muni d'un couvercle, une petite bouteille de soda vide fera l'affaire. Secouez le récipient à tour de rôle, en rythme, jusqu'à ce que la crème prenne consistance. Si vous avez un lecteur de CD sous la main, vous pourrez trouver l'accompagnement musical adéquat. N'oubliez pas la flasque de calvados au fond du sac à dos, munissez-vous d'une petite cuillère et dégustez la banane au chocolat dans sa peau avec de la crème fouettée. On évitera le rhum Captain Morgan, sauf pour les hommes, qui tiennent mieux l'alcool. Asseyez-vous sous l'auvent de la tente ou bien couchez-vous dans deux sacs de couchage jumelés par la fermeture Éclair ; écoutez l'appel de la bécassine des marais résonner dans la nuit.

SOUPE AUX CHAMPIGNONS (BOLETS)

½ kilo de champignons fraîchement cueillis (des bolets ou des cèpes par exemple), 1 verre de crème liquide, ½ verre de porto. Ramassez un kilo de champignons, nettoyez-les en brossant la terre et en coupant la base du pied, rincez-les à l'eau courante avant de les égoutter ou de les sécher. Émincez les champignons ou hachez-les grossièrement ; faites-les revenir au beurre, à la poêle ou dans une casserole à fond épais. Salez, poivrez et ajoutez si possible une cuillère à soupe de thym arctique moulu. Complétez par 2 litres d'eau, un cube de bouillon de légumes et la crème. Mangez la soupe avec du pain frais.

COCA EN PETITE BOUTEILLE

Vers 1970, c'est-à-dire à l'époque où je suis née, c'était la mode de boire du Coca en petites bouteilles de verre avec des pailles en réglisse. La méthode est la suivante : décapsulez la bouteille et enfoncez-y un mince tuyau de réglisse sans faire gicler. La technique consiste à aspirer le Coca par le tuyau comme avec une paille. Cela se faisait aussi de laisser le tube de réglisse tremper quelque temps, 10 à 15 minutes, pour que la réglisse absorbe le goût du Coca. Cela faisait gonfler le tuyau de réglisse qui prenait une teinte gris-brun et un aspect velouté. Il fallait retirer la réglisse de la bouteille à temps, avant qu'elle ne soit réduite en bouillie et ne bouche le goulot.

GÂTEAU AUX GROSSES POMMES ROUGES
AVEC DE LA CRÈME

La narratrice voit en rêve de grosses pommes rouges. Les rêves de nourriture sont généralement de bon augure. Encore faut-il y regarder de plus près : fraîcheur, abondance et autres détails ont aussi leur importance. Ce qu'on mange en rêve n'a pas le même goût qu'à l'état de veille. Les plats des rêves peuvent en revanche se rapprocher de ceux des romans. Le gâteau aux grosses pommes rouges est un bon exemple de plat onirique et romanesque. Dans la réalité, bien entendu, on choisirait plutôt des pommes vertes. En matière de tarte aux pommes, on ne compte plus les variantes. En voici une, à la fois simple et délicieuse : *grosses pommes rouges, 2 verres d'amandes décortiquées, 1 tablette de chocolat noir (100 g), 1 cuillère à soupe de sucre brun, 1 verre de sucre, 1 verre de beurre, 1 verre de farine.* Pelez les pommes et coupez-les en morceaux. Disposez-les au fond d'un moule beurré. Saupoudrez d'amandes, de chocolat noir grossièrement haché et d'une cuillère à soupe de sucre brun. Malaxez farine, sucre et beurre pour en faire une pâte compacte jaune clair rappelant le massepain. Étalez la pâte à la main et déposez-la sur la garniture. Tassez bien la pâte contre les bords du moule et faites cuire 25 minutes au four à 180 °C. Servez avec de la crème fouettée.

Précisons d'abord que la recette qui suit n'est pas une incitation à tuer des petits oiseaux protégés. Il n'est donc pas improbable que les ouvriers du barrage s'en soient pris aux bruants des neiges par méconnaissance des espèces et des réglementations locales ; comme on sait, ces oiseaux sont sédentaires et par conséquent typiquement islandais. À l'étranger, les petits oiseaux sont un gibier très prisé. On les fait volontiers rôtir à la broche ou griller en plein air à feu vif. Mais avec une bruine de novembre, il est nettement plus pratique de les mettre au four, dans une cuisine disposant de tout le confort moderne. La narratrice décline donc toute responsabilité à propos de cette recette : *16 bruants des neiges, 20 petits oignons, sel, poivre, 25 dl de crème, un paquet de bacon, 8 tranches de pain blanc, champignons, lait, ail, persil.* Commencez par plumer les oiseaux. Coupez la tête, les ailes et les pattes. On peut utiliser les cous, si tant est qu'il y en ait, pour le bouillon. Entaillez ensuite la peau sous le sternum et ôtez-la comme vous le feriez d'un vêtement. Creusez l'entaille pour enlever entrailles, gésier, cœur et foie. Réservez les cœurs. Entaillez-les avec un couteau bien affûté pour vider le sang. Ils relèveront le goût du bouillon. Rincez et séchez les oisillons, salez et poivrez l'intérieur comme l'extérieur ; déposez-les sur le plan de travail et passez à la préparation de la farce. Faites frire le bacon en petits morceaux et les cœurs hachés menu dans du beurre pendant environ 10 minutes. Ajoutez les champignons finement émincés ainsi que les gousses d'ail. Mettez des tranches de pain blanc sans croûte à tremper dans du lait. Mélangez bacon, cœurs, champignons, ail, pain trempé, persil haché et autres épices ; remplissez de cette farce les oisillons avant de les recoudre. Épluchez les petits oignons et faites-les revenir entiers dans du beurre avec les petits oiseaux pendant 10 minutes. Faites brunir de tous côtés. Disposez ensuite dans la lèchefrite, poitrail vers le haut, nappez de crème, faites cuire à feu doux 40 minutes. Servez avec les petits oignons, le restant de farce, une salade verte et des macaronis.

POT-AU-FEU ISLANDAIS

Selon la saison – été ou hiver – et le lieu où l'on se trouve, l'approvisonnement en légumes peut être très variable. Les ingrédients du pot-au-feu varieront en fonction. *1 kilo d'agneau dans le gigot ou l'épaule, 2 litres ½ d'eau, 2 cuillères à soupe de sel, 1 cuillère à café de poivre, ½ verre de riz (on préférera du riz complet, sachant qu'il demande une précuisson), 4 cuillères à soupe de flocons d'avoine ou d'orge perlé, 4 cuillères à soupe de plantes aromatiques déshydratées (qu'on trouve en sachet), 1 gros rutabaga ou 2 petits, 10 petites pommes de terre non épluchées, 5 carottes, 1 à 2 oignons ou 1 poireau. On peut également utiliser du céleri (tiges et feuilles), des épinards frais, de l'oseille, du chou, des navets ou tout autre légume qu'on aura sous la main.* Rincez la viande, coupez-la en morceaux pas trop gros. Mettez-la dans la cocotte, recouvrez d'eau, salez et couvrez. Faites cuire un quart d'heure ; écumez. Ajouter de l'eau dans la cocotte, puis les légumes coupés en morceaux selon le temps de cuisson requis. Prenez garde à ne pas faire trop cuire les légumes. Laissez tous les ingrédients mijoter jusqu'à ce qu'ils soient fondants. N'hésitez pas ajouter du thym et de la menthe hachée menu, qui pousse à l'état sauvage un peu partout en Islande et qui va particulièrement bien avec la viande d'agneau dont elle atténue le goût de « bergerie ».

FROMAGE DE TÊTE DE MOUTON

Après avoir flambé les têtes de mouton, ôtez-en la suie avec une brosse dure. Plongez-les dans l'eau tiède pour bien les nettoyer en insistant sur les yeux et les oreilles. Disposez les têtes noires bien serrées dans un faitout, salez et recouvrez d'eau. Quand celle-ci entre en ébullition, ôtez l'écume brune qui se forme, puis couvrez et laissez mijoter à feu doux pendant une heure jusqu'à ce que la viande se détache. Désossez la viande et placez-la dans une terrine (ou un moule à cake) ; retirez les yeux et les oreilles, ou pas, c'est une question de goût. Arrosez d'un peu de bouillon pour faire prendre. Pressez et mettez au réfrigérateur pour la nuit. Démoulez le fromage de tête et coupez-le en tranches sur un plat. Servez avec de la purée de rutabagas ou des pommes de terre bouillies et de la sauce béchamel.

PETITS GÂTEAUX AUX ÉPICES, GLACÉS AU SUCRE

On ne peut imaginer un foyer avec enfant où l'on ne confectionne pas ces fameux petits gâteaux à l'approche de Noël. *150 g de sucre, 250 g de sirop, ½ cuillère à café de poivre, 2 cuillères à café de gingembre, 2 cuillères à café de cannelle, ½ cuillère à café de girofle, 125 g de beurre, 1 œuf, 2 cuillères à café de bicarbonate de soude, 10 à 12 dl de farine.* Mélangez sucre, sirop et beurre ; portez à ébullition. En remuant bien, incorporez le bicarbonate de soude et toutes les épices : poivre, gingembre, cannelle et girofle. Ajoutez l'œuf et la farine – gardez-en juste un peu pour la suite. Pétrissez sur la table avec l'enfant. Étalez la pâte ; laissez l'enfant découper tout seul les figurines à l'emporte-pièce (pères Noël, sapins, clochettes, anges, rennes) et décorer les petits gâteaux d'un glaçage au sucre. Glaçage : mélangez 4 dl de sucre glace, 1 blanc d'œuf ou 1 blanc d'œuf ½, et quelques gouttes de colorant alimentaire (facultatif).

CACAO CHAUD

2 cuillères à soupe de cacao, 2 cuillères à soupe de sucre, ½ verre d'eau, ½ litre de lait. Mettez l'eau dans une casserole, ajoutez-y le cacao et le sucre en mélangeant bien ; portez à ébullition. Ajoutez le lait et portez de nouveau à ébullition.

CHOCOLAT CHAUD AU VRAI CHOCOLAT

2 tablettes de chocolat noir (200 g), 2 verres d'eau, 1 litre de lait frais, une pincée de sel. Cassez le chocolat en morceaux dans la casserole d'eau. Chauffez et remuez jusqu'à ce que le chocolat soit fondu. Ajoutez le lait ; portez à ébullition. Ajoutez une pincée de sel. À savourer fumant, avec de la crème fouettée, dans une maison de campagne par temps froid et pluvieux. Ou à partager lors d'une visite à la maison de retraite – moyennant une bouteille thermos et une tasse supplémentaire.

KLEINUR – BEIGNETS TORSADÉS

½ kilo de farine, 2 cuillères à café de levure, 1 cuillère à café ½ de bicarbonate de soude, 75 g de margarine, ½ verre de sucre, 1 œuf, 2 verres de lait ou de lait caillé. Mélangez dans un saladier farine, levure et bicarbonate de soude. Ajoutez la margarine ramollie, l'œuf, le lait et le sucre. Pétrissez la pâte, farinez le plan de travail, étalez la pâte au rouleau (1 cm d'épaisseur). Découpez des lanières de 4 cm de large. Puis coupez en biseau des bouts de 8 cm de long. Au milieu de chaque futur beignet, pratiquez une fente par laquelle vous ferez passer une extrémité jusqu'à obtenir une jolie torsade. Plongez les beignets dans la friteuse quand l'huile est bien chaude, repêchez-les à l'écumoire quand ils sont bien dorés. Déposez-les sur du papier absorbant puis dans un bol de porcelaine à fleurs à l'ancienne.

SKONSUR – PETITES GALETTES ÉPAISSES

4 verres de farine, une cuillère à café de levure, une cuillère à café de bicarbonate de soude, 1 œuf, lait. Faites une pâte pas trop fluide ; étalez à la louche dans une petite poêle à crêpes à feu moyen.

PAIN GARNI À QUATRE ÉTAGES
(POUR COLLATION FUNÉRAIRE)

(Sur 200 personnes présentes à l'église, prévoyez à l'issue de l'enterrement une collation pour 80 personnes.) *5 pains de mie, œufs, « pétales » de saumon et persil pour décorer.* Garniture aux crevettes : *7 œufs durs, 500 g de crevettes, mayonnaise.* Garniture de saumon : *7 œufs durs, 1 filet de saumon fumé, mayonnaise.* Garniture de thon : *7 œufs durs, thon en boîte, mayonnaise.* Ôtez la croûte des 5 pains de mie. Coupez le pain dans l'épaisseur en quatre grandes strates qui constitueront les étages à garnir. Choisissez un plat de taille adéquate sur lequel vous disposerez l'étage inférieur. Préparez les garnitures. Garniture aux crevettes : hachez crevettes et œufs durs, incorporez à la mayonnaise, ou à un mélange de mayonnaise et crème fraîche, ou encore de crème fraîche et de Fjord. Procédez de même pour les garnitures de saumon et de thon en utilisant du saumon fumé coupé en petits morceaux et du thon émietté en conserve. Relevez avec un peu de moutarde de Dijon et du sel aux herbes. Tartinez le premier étage de pain avec le mélange aux crevettes, posez le deuxième étage de pain par dessus, tartinez de saumon, puis le troisième étage et la garniture de thon, couronnez le tout d'une dernière strate de pain. Enduisez d'une fine couche de mayonnaise ; décorez avec des rondelles d'œuf dur et des pétales de saumon fumé disposés en forme de fleurs. On peut aussi décorer d'une bordure de mayonnaise à la poche à douille, comme pour un gâteau à la crème. Plantez des brins de persil dans les fleurs de saumon. Le pain garni se découpe en tranches comme un gâteau à la crème. Même si son aspect est peu engageant à première vue, l'expérience prouve que tous les invités, parents proches et connaissances, procèdent avec beaucoup de professionnalisme et n'ont besoin d'aucune assistance pour se servir.

SUSHIS (POUR COLLATION FUNÉRAIRE)

(Sur 200 personnes présentes à l'église, prévoyez à l'issue de l'enterrement une collation pour 80 personnes. Sachant qu'une partie seulement des invités appréciera les sushis, on proposera aussi autre chose, par exemple des pains garnis à quatre étages : voir recette précédente.) *1 kilo de riz spécial sushi, 25 feuilles de nori (algue noire) – chaque rouleau étant coupé en 7 morceaux, cela donnera 175 morceaux –, 1 concombre, 1 avocat, trois sortes de poisson cru, par exemple saumon, flétan et cabillaud, œufs de truite ou de saumon, wasabi (pâte de raifort) – tout prêt ou sous forme de poudre à délayer dans de l'eau –, graines de sésame (environ une cuillère à café par feuille d'algue), gingembre confit, sauce de soja japonaise.* Rincez le riz jusqu'à ce que l'eau soit tout à fait limpide – au moins dix fois, est-il recommandé. Faites cuire le riz en suivant scrupuleusement les instructions du paquet. Pendant ce temps, coupez les légumes et le poisson cru en lanières très fines. Déployez les feuilles de nori et recouvrez les $4/5^e$ de chacune d'elles d'une fine couche de riz bien tassé. Saupoudrez le riz d'une cuillère à café de graines de sésame. Garnissez avec les fines lamelles de légumes et de poisson cru. Passez un fin liseré de wasabi au bord de la feuille d'algue et roulez le tout bien serré, comme lorsqu'on fait un gâteau roulé. Découpez le rouleau en bouchées avec un couteau bien affûté. Disposez les sushis sur un plat, avec de la sauce de soja japonaise, et dégustez avec du gingembre confit.

SAUCISSES DE VIANDE DE CHEVAL
AVEC POMMES DE TERRE BOUILLIES ET SAUCE BÉCHAMEL

Ce plat n'a absolument pas réussi à la narratrice, elle ne saurait donc le recommander. *14 cm de saucisse de cheval achetée dans le commerce, 2 pommes de terre, 1 cuillère à soupe de margarine, 2 cuillères à soupe de farine, 1 verre de lait, sel, sucre.* Faites cuire la saucisse 10 minutes dans une casserole d'eau. Laissez cuire les pommes de terre, trop longtemps ou bien à feu trop vif, de façon à ce qu'elles soient archi-cuites et s'émiettent quand vous les pèlerez. Sauce béchamel : faites fondre la margarine dans une casserole, ajoutez la farine en remuant et délayez avec le lait. Salez et sucrez légèrement. Faites cuire 5 minutes à feu doux, sans couvercle, en mélangeant de temps en temps. La sauce doit être blanche et luisante, de préférence sans grumeaux, et sans trop de goût non plus. Servez tiède.

AGNEAU RÔTI

1 gigot d'agneau (ou bien 1 kilo de viande prise dans la face interne du gigot), romarin, sel, poivre. Le gigot doit être bien charnu mais pas trop gras. Avec un produit de bonne qualité, il est difficile de rater l'agneau rôti au four. Préférez la viande qui n'a pas été congelée, sinon laissez-la cinq jours dans le réfrigérateur, puis quelques heures sur la table de la cuisine, avant de commencer à la préparer. Enlevez le gras, s'il y en a. Badigeonnez d'huile d'olive et assaisonnez avec sel, poivre et romarin frais. Autrefois, on mettait dans le bouquet de la mariée du romarin censé soulager les peines de cœur. Mettez la viande à four très chaud 10 minutes. Puis descendez le rôti dans le bas du four et laissez la cuisson se poursuivre à feu très doux pendant deux heures – pas plus d'une demi-heure s'il s'agit de viande désossée. Pour obtenir plus de jus pour la sauce, versez un verre d'eau dans la lèchefrite. Une cuillère à soupe de sauce de soja dans la casserole relèvera le goût. Si la sauce est ratée, elle peut encore être sauvée en y ajoutant une cuillère à café de sucre à la cannelle. Servez avec l'accompagnement traditionnel : pommes de terre caramélisées, chou rouge et gelée de groseilles. On pourra faire brunir au sucre avec les pommes de terre des morceaux de rutabaga légèrement cuits à l'eau au préalable. On boira avec ce plat un mélange de malt et de soda à l'orange.

CUISSON DE L'ŒUF

Faire cuire un œuf n'est pas aussi simple ni banal qu'on pourrait le penser. On se croit sûr de son fait, et voilà qu'on a retiré l'œuf trop tôt : en brisant la coquille on se retrouve les doigts tout poissés de blanc. Ou alors on a trop tardé, et l'œuf a pris une teinte violette à la périphérie du jaune. Pourquoi alors ne pas recourir à un sablier ? Pour qu'un sablier soit d'une quelconque utilité, il ne faut pas le quitter des yeux un instant, ni pour s'occuper d'un enfant ni pour vider la machine à laver. Alors autant garder les yeux fixés sur l'aiguille des secondes de sa montre. Ce qui rend la cuisson des œufs particulièrement compliquée c'est que le cœur du problème, le jaune, est caché sous la coquille : de l'extérieur, rien ne permet de juger de l'évolution de la cuisson. À cela s'ajoutent les préférences de chacun – certains aiment le jaune coulant, d'autres le veulent sec. S'il s'avère impossible de se fier à sa propre perception du temps, mieux vaut faire un œuf au plat. Le jaune de l'œuf est alors visible et l'on peut donc s'activer à sa préparation, par exemple en arrangeant de temps à autre les bords du blanc avec une spatule, au lieu d'attendre, impuissante, que l'œuf veuille bien cuire de lui-même. Faites les œufs au plat dans du beurre plutôt que dans de l'huile.

SOUPE AU FLÉTAN

3 beaux morceaux de flétan (ou de saumon) avec l'arrête. Pour le bouillon, demandez à votre poissonnier des coupes du flétan ou une tête de saumon. 1 litre d'eau, 1 litre de petit-lait aigre, 4 feuilles de laurier, 4 à 8 grains de poivre, 2 cuillères à café de sel marin, 7 pruneaux, ½ verre de raisins secs, 3 jaunes d'œuf, 3 cuillères à soupe de sucre (ou de sirop), crème. Mettez dans une cassserole la tête de poisson et les arrêtes ainsi que le laurier, les grains de poivre, le sel marin, 1 litre d'eau et 1 litre de petit-lait aigre. Laissez cuire une heure pour obtenir un bon bouillon. Passez-le et remettez-le dans la casserole.

Portez à ébullition et ajoutez les morceaux de poisson dans ce bouillon clair. Ajoutez les pruneaux et les raisins secs ; laissez mijoter quelques minutes. Repêchez les morceaux de poisson, enveloppez-les de papier aluminium et mettez-les au four tiède en attendant de finir la préparation de la soupe. Battez ensemble trois jaunes d'œuf et trois cuillères à soupe de sucre ; versez le mélange dans le bouillon. Portez à ébullition mais sans laisser bouillir. Fouettez la crème et au moment de servir mettez-en une cuillère dans chaque assiette. Mangez la soupe avec les morceaux de poisson bien chauds, des pommes de terre nouvelles et une bonne salade de concombre.

THÉ ARGENTÉ

Faites bouillir de l'eau. Versez du lait froid dans un verre jusqu'au tiers ; complétez avec l'eau bouillante. Ajoutez du miel. Buvez après le dîner quand l'enfant est déjà en pyjama mais avant qu'il ne se brosse les dents. Parlez des événements de la journée et organisez celle du lendemain en buvant le thé argenté. (Ne pas confondre le thé argenté avec le thé du prêtre, qui consiste essentiellement en un sachet de thé Melrose amélioré d'une rasade d'eau de vie – *brennivín* – ou de gnôle, avec une cuillère à café de sucre.)

STEAK DE BALEINE

Nouvel exemple d'un plat préparé par des personnages secondaires et dont la narratrice ne porte qu'une responsabilité limitée. La communication de cette recette est indépendante de l'opinion de la narratrice sur la chasse à la baleine. Il convient de préciser qu'il s'agit ici d'une *baleine échouée* (expression qui, en islandais, signifie aussi *chance providentielle*), autrement dit un cétacé qui s'est échoué sur la grève sans avoir été chassé. Du reste, l'origine de notre baleine demeure obscure : elle pourrait tout aussi bien être descendue d'un lagon glaciaire des hauts plateaux. Il est indéniable en revanche que, de temps à autre, une belle baleine à fanons, tel le rorqual boréal, s'échoue sans crier gare sur la grève d'une petite commune, ou qu'un petit marsouin se prenne dans les filets d'un bateau de pêche et que les efforts conjugués de l'équipage ne parviennent pas à lui insuffler la vie de nouveau. La recette est prévue pour quatre à six personnes ; si l'on est plus nombreux, il faudra multiplier les proportions en conséquence, voire utiliser la baleine entière si c'est tout le village qu'il faut nourrir. *1 morceau de viande de baleine, sel, poivre, 2,5 dl de crème liquide.* Autrefois, on avait l'habitude de mettre la viande de baleine à tremper dans du lait toute la nuit pour éliminer le goût d'huile de foie de morue. Ensuite on faisait cuire la viande plusieurs heures dans une marmite après l'avoir fait revenir dans de la margarine. On usera ici de procédés plus contemporains, en traitant la viande de baleine comme on ferait avec du bœuf. Coupez la viande en minces tranches allongées dont on enlèvera les nerfs et la graisse s'il y a lieu. Faites frire à la poêle dans de l'huile d'olive, salez et poivrez au moulin. Enlevez la viande de la poêle pendant que vous faites une sauce avec le jus de cuisson et la crème. Réduisez la sauce, goûtez et rajoutez du poivre au besoin. Disposez ensuite les tranches dans la sauce de la poêle. L'accompagnement est une question de goût, par exemple des légumes croquants : carottes, brocolis et chou-fleur.

LUMMUR — PETITES CRÊPES ÉPAISSES

Un reste de riz au lait (environ 2 verres), 1 verre de farine, 2 œufs, ½ cuillère à café de sel, ½ cuillère à café de bicarbonate de soude, 1 cuillère à soupe de sucre brun, 1 verre ½ de lait, margarine. Mélangez le tout dans un saladier en terminant par le lait. Faites fondre la margarine dans une poêle. Avec un peu d'aide, un enfant de quatre ans est capable de confectionner ces petites crêpes, une bonne occupation pour se remettre après s'être complètement trempé en sautant dans des flaques. Placez votre assistant sur un petit tabouret bien stable devant la cuisinière, ceignez-le d'un tablier et laissez-le déposer à l'aide d'une petite louche la pâte visqueuse dans la poêle chaude. Si vous tenez le manche de la poêle en faisant attention à ce qu'il ne se brûle pas, l'enfant pourra aisément retourner les petites crêpes avec une spatule et les déposer, bien dorées, sur une assiette. Laissez l'enfant sucrer ses petites crêpes lui-même. On peut également les manger avec du sirop ou de la confiture. C'est une bonne idée de faire des crêpes et du chocolat chaud tandis que les bottes de l'enfant sèchent contre le radiateur.

On confiera le soin de tricoter les chaussons à la sœur ou au frère aînés. Aidez l'enfant à monter 44 mailles sur une aiguille circulaire n° 3. Laissez l'enfant choisir la couleur de la laine. Montrez-lui comment monter en rond 8 cm de côtes (qui seront repliées) – une maille à l'endroit, une maille à l'envers et ainsi de suite. Si c'est la première fois que l'enfant tricote, il est possible que les côtes l'occupent plusieurs semaines. Le reste du chausson se fait au point mousse. Quand on en est là, mieux vaut trouver une personne dévouée ayant l'habitude de tricoter des chaussons pour bébé et qui soit disposée à guider l'enfant dans son tricot. Il se remettra à l'ouvrage chaque jour et tricotera quelques mailles de temps en temps tandis que la personne responsable l'aidera à ne pas perdre le fil. Commencez le point mousse au milieu par-derrière. Aidez l'enfant à tricoter un centimètre. Mettez alors la première et la dernière mailles du rang en attente sur un bout de laine. Continuez à tricoter les mailles du milieu sur 4 cm de hauteur. Reprenez alors toutes les mailles sur l'aiguille et tricotez les 3 cm du dessus du chausson. Rabattez les première et dernière mailles et commencez le tricot de la semelle. Tricotez encore 9 cm avant de rabattre toutes les mailles. Fermez les coutures du chausson pour l'enfant et repliez le bord des côtes. Les proportions sont indiquées pour un bébé. S'il s'agit de jumeaux, il faudra en tricoter deux paires.

LA COUVERTURE
DE *l'Embellie*
A ÉTÉ CRÉÉE PAR DAVID PEARSON
ET IMPRIMÉE SUR OLIN ROUGH
EXTRA BLANC PAR L'IMPRIMERIE
FLOCH / J. LONDON À PARIS.

LA COMPOSITION,
EN GARAMOND ET MRS EAVES,
ET LA FABRICATION DE CE LIVRE
ONT ÉTÉ ASSURÉES PAR LES
ATELIERS GRAPHIQUES
DE L'ARDOISIÈRE
À BÈGLES.

IL A ÉTÉ REPRODUIT ET ACHEVÉ
D'IMPRIMER EN FRANCE PAR
L'IMPRIMERIE FLOCH À MAYENNE
SUR LAC 2000 LE DIX-HUIT JUIN
DEUX MILLE DOUZE POUR LE COMPTE
DES ÉDITIONS ZULMA,
HONFLEUR.

978-2-84304-589-9
N° D'ÉDITION : 589
DÉPÔT LÉGAL : AOÛT 2012

❦

NUMÉRO
D'IMPRIMEUR
82662

❦

IMPRIMÉ EN FRANCE